TRAETH SGERBWD

ANTHONY HOROWITZ

Troswyd i'r Gymraeg
gan
Grey Evans

I BB

Llyfrau eraill yng nghyfres Alecs Rider:
Tarandon
Pic Blanc
Cyrch Eryr

Cyhoeddwyd 2013 gan Wasg y Dref Wen,
28 Ffordd yr Eglwys, Yr Eglwys Newydd,
Caerdydd CF14 2EA, ffôn 029 20617860.
Cyhoeddwyd gyntaf yn y Deyrnas Unedig yn 2002
gan Walker Books Cyf,
87Vauxhall Walk, Llundain SE11 5HJ
dan y teitl *Skeleton Key*

CYNNWYS

YN Y TYWYLLWCH

Daeth y nos yn gyflym i Draeth Sgerbwd.

Oedodd yr haul am chydig ar y gorwel, cyn plymio o'r golwg. Ar unwaith, powliodd y cymylau i mewn – coch yn gyntaf, wedyn porffor, arian, gwyrdd a du fel pe bai'r holl liwiau yn y byd yn cael eu sugno i mewn i bair anferth. Hedodd un deryn ffrigad yn uchel uwchben y mangrofau, ei liwiau ei hun ar goll yn y dryswch y tu ôl iddo. Roedd yr aer yn drymaidd, a'r glaw yn agos. Roedd storm ar y ffordd.

Cylchodd y Cessna Skyhawk SP un-peiriant ddwywaith cyn dechrau glanio. Roedd hon y math o awyren na fyddai neb bron yn sylwi arni'n hedfan yn y parthau hyn. Dyna pam roedd hi wedi cael ei dewis. Pe bai unrhyw un wedi teimlo'n ddigon chwilfrydig i ymchwilio i'r rhif cofrestru dan yr adenydd, byddai wedi darganfod ei bod yn eiddo i gwmni ffoto-graffiaeth wedi'i leoli yn Jamaica. Ond doedd hynny ddim yn wir. Doedd dim cwmni o'r fath, ac roedd hi eisoes yn rhy dywyll i dynnu lluniau.

Roedd tri dyn tywyll eu crwyn yn yr awyren, wedi'u gwisgo mewn jîns di-liw a chrysau llac coler-agored. Roedd gan y peilot wallt du hir, llygaid brown tywyll a chraith gul i lawr ochr ei wyneb. Dim ond y pnawn hwnnw roedd wedi cyfarfod ei gyd-deithwyr. Roedden nhw wedi'u cyflwyno'u hunain fel Carlo a Marc, ond gwyddai'r peilot nad dyna oedd eu henwau iawn. Gwyddai fod eu taith wedi cychwyn amser hir yn ôl, rywle yn Nwyrain Ewrop, ac mai'r hediad byr yma oedd rhan olaf y daith. Gwyddai'n iawn beth roedden nhw'n ei gario gyda nhw. Roedd yn gwybod gormod yn barod.

Taflodd y peilot olwg ar y darlun amlffwythiant yn y panel rheoli. Roedd y sgrin cyfrifiadur yn ei rybuddio am y storm oedd yn agosáu. Doedd hynny ddim yn ei gynhyrfu. Roedd cymylau isel a glaw'n ei gysgodi, a'r awdurdodau'n llai gwyliadwrus yn ystod storm. Ac eto, teimlai'n nerfus. Roedd wedi hedfan i Giwba sawl tro, ond erioed i'r fan yma. A heno byddai'n well ganddo pe bai'n mynd i bron unrhyw le arall.

Cayo Esqueleto. Traeth Sgerbwd.

A dyna fe, yn ymestyn o'i flaen, tri deg wyth cilometr o hyd a naw cilometr ar draws y man lletaf. Roedd y môr o'i amgylch – a fu'n lliw glas llachar, rhyfeddol tan funud neu ddau'n ôl – wedi tywyllu'n sydyn, fel pe bai rhywun wedi pwyso swits. Draw am y gorllewin, gallai weld goleuadau Puerto Madre, ail ddinas fwyaf yr ynys, yn pefrio. Tu allan i'r brifddinas Santiago, ymhellach i'r gogledd, roedd y prif faes awyr. Ond nid dyna lle roedd yn anelu. Pwysodd ar y llyw a gwyrodd yr awyren i'r dde, gan gylchu dros y fforestydd a'r corstiroedd mangrof oedd yn amgylchynu'r hen faes awyr anial ym mhen isaf yr ynys.

Roedd gan y Cessna ddwysäwr thermal, tebyg i'r rhai a ddefnyddir mewn lloerennau ysbïo Americanaidd. Pwysodd y peilot swits ac edrych ar y darlun. Roedd deryn neu ddau'n ymddangos fel pennau pìn coch, a rhagor o ddotiau'n mynd a dod yn y corstir. Crocodiliaid fallai, neu forfuchod. Ac un dotyn unigol oddeutu ugain metr o'r lanfa. Trodd i siarad â'r dyn o'r enw Carlo, ond doedd dim angen. Roedd Carlo eisoes yn pwyso dros ei ysgwydd, yn syllu ar y sgrin.

Nodiodd Carlo'i ben. Dim ond un dyn oedd yn aros amdanyn nhw, fel y cytunwyd. Byddai modd gweld unrhyw un oedd yn llechu o fewn can metr i'r lanfa. Roedd hi'n ddiogel iddyn nhw lanio.

Edrychodd y peilot drwy'r ffenest a gweld y lanfa – stribed o dir garw, wedi'i thorri allan o'r jyngl ac yn rhedeg yn gyfochrog â'r môr. Gan ei bod hi'n nosi, byddai'r peilot wedi'i methu'n llwyr oni bai am ddwy linell o fylbiau trydan ar lefel y llawr, yn dangos llwybr i'r awyren.

Plymiodd y Cessna o'r awyr. Ar y funud olaf cafodd ei sgrytio gan hyrddwynt gwlyb, sydyn oedd yn ddigon i roi prawf ar hyder y peilot. Phetrusodd yntau 'run eiliad, ac ymhen ychydig trawodd yr olwynion y llawr. Roedd yr awyren yn bowndian ac yn sgrytian yn ei blaen yn union rhwng y ddwy res o oleuadau. Diolch byth bod y goleuadau yno, meddyliodd y peilot. Roedd y mangrofau – llwyni trwchus, yn hanner-nofio ar byllau o ddŵr llonydd – yn dod bron at ymyl y rhedfa. Dim ond metr neu ddau i'r cyfeiriad anghywir a gallai olwyn gydio. Byddai'n ddigon i ddinistrio'r awyren.

Pwysodd y peilot y gwahanol fotymau. Stopiodd peiriant yr awyren ac arafodd y propelorau deu-lafn a llonyddu. Edrychodd yntau drwy'r ffenest. Roedd jîp wedi'i barcio nesaf at un o'r adeiladau, ac yno roedd yr un dyn – y dotyn coch ar y sgrin – yn aros. Trodd y peilot at ei gyd-deithwyr.

'Mae e yma.'

Nodiodd yr hynaf o'r ddau ddyn ei ben. Roedd Carlo oddeutu deng mlwydd ar hugain oed a'i wallt yn ddu a chyrliog. Doedd e ddim wedi eillio, a chydiai blewiach lliw llwch sigarét yn ei ên. Trodd at ei gyd-deithiwr. 'Marc? Ti'n barod?' gofynnodd.

Hawdd y gallai'r dyn hwnnw, Marc, fod yn frawd bach i Carlo. Prin ei fod yn bump ar hugain oed, ac er ei fod yn ceisio cuddio'i deimladau, roedd arno ofn. Roedd chwys ar ochr ei wyneb, a hwnnw'n gloywi'n wyrdd yng ngolau'r panel rheoli. Estynnodd y tu ôl iddo am ddryll, Glock awtomatig 10mm wedi'i wneud yn yr Almaen. Gwnaeth yn siŵr ei fod wedi'i lwytho â bwledi, yna llithrodd y dryll i mewn i gefn ei drowsus, dan ei grys.

'Dw i'n barod,' meddai.

'Dim ond fo sy 'na. Mae 'na ddau ohonan ni.' Ceisiodd Carlo roi hyder i Marc – neu iddo fo'i hun, fallai. 'Mae ganddon ni'n dau bistol. Does 'na ddim byd fedrith o 'i wneud.'

'Ffwrdd â ni, 'ta.'

Trodd Carlo at y peilot. 'Gwna'n siŵr fod yr awyren yn barod,' gorchmynnodd. 'Pan gerddwn ni'n ôl, mi ro i arwydd iti.' Cododd ei law, gydag un bys a bawd yn gwneud siâp O. 'Dyna'r signal 'yn bod ni wedi gorffen ein busnes yn llwyddiannus. Tania'r peiriant bryd hynny. Dydan ni ddim isio aros yma am un eiliad yn hirach nag sydd raid.'

Aethant allan o'r awyren. Roedd haen denau o raean ar y lanfa, a hwnnw'n crensian dan eu sgidiau milwyr wrth iddynt gerdded i'r ochr at y drws llwytho. Gallent deimlo'r gwres annifyr yn yr aer, a thrymder awyr y nos. Roedd yr ynys fel pe bai'n dal ei gwynt. Estynnodd Carlo i fyny ac agor drws. Yng nghefn yr awyren roedd cynhwysydd du, oddeutu un metr wrth ddau. Â chryn ymdrech, gosododd Marc ac yntau y bocs ar y llawr.

Cododd y dyn ieuengaf ei ben. Roedd goleuadau'r lanfa'n ei ddallu ond gallai weld ffigur yn sefyll fel delw gerllaw'r jîp, yn aros iddyn nhw ddod yn nes. Doedd o ddim wedi symud er pan laniodd yr awyren. 'Pam na ddaw o aton ni?' gofynnodd.

Poerodd Carlo a dweud dim.

Roedd dwy ddolen ar y cynhwysydd, un bob ochr. Cariodd y ddau ddyn ef rhyngddynt, gan gerdded yn lletchwith a phlygu dros y llwyth. Cymerodd amser hir iddynt gyrraedd y jîp. Ond o'r diwedd roedden nhw yno. Am yr ail dro, gosodwyd y bocs ar lawr.

Sythodd Carlo, gan rwbio cledrau ei ddwylo ar ei jîns. 'Noswaith dda, Gadfridog,' meddai yn Saesneg. Nid honno oedd ei iaith gyntaf. Na iaith gyntaf y cadfridog. Ond Saesneg oedd yr unig iaith oedd ganddynt yn gyffredin.

'Noswaith dda.' Wnaeth y cadfridog ddim trafferthu efo enwau; enwau ffug fydden nhw, p'un bynnag. 'Chawsoch chi ddim trafferth i gyrraedd yma?'

'Dim trafferth o gwbl, Gadfridog.'

'Ydi e ganddoch chi?'

'Un cilogram o wraniwm gradd arfau. Digon i greu bom digon grymus i ddinistrio dinas. Mae gen i ddiddordeb mewn gwybod pa ddinas sydd ganddoch chi mewn golwg.'

Cymerodd y Cadfridog Alexei Sarov gam ymlaen a chael ei oleuo gan oleuadau'r lanfa. Doedd o ddim yn ddyn mawr, ac eto roedd rhywbeth yn ei gylch oedd yn cyfleu grym a rheolaeth. Roedd ôl ei flynyddoedd yn y fyddin i'w weld arno o hyd – yn ei wallt cwta, brith fel lliw haearn, ei lygaid glas golau gwyliadwrus, ei wyneb di-emosiwn, bron, ac yn ei ymarweddiad. Roedd yn gwbl hunanfeddiannol: wedi ymlacio ac eto'n ochelgar ar yr un pryd. Roedd y Cadfridog Sarov yn ddwy a thrigain oed, ond edrychai ugain mlynedd yn iau. Gwisgai siwt dywyll, crys gwyn a thei glas tywyll cul. Yng ngwres llaith y fin nos, dylai ei ddillad fod wedi'u crychu. Dylai fod yn chwysu. Ond wrth edrych arno, gallai'n hawdd fod wedi camu'n syth allan o stafell wedi'i hawyru.

Cyrcydodd wrth ymyl y cynhwysydd, gan estyn dyfais fach o'i boced. Roedd yn debyg i leitar sigarét car â deial yn sownd wrtho. Plygiodd y ddyfais i mewn i soced yn ochr y bocs. Syllodd am eiliad ar y deial. Nodiodd ei ben. Popeth yn iawn.

'Mae gweddill yr arian gennych chi?' gofynnodd Carlo.

'Wrth gwrs.' Sythodd y cadfridog a cherdded draw at y jîp. Tynhaodd cyrff Carlo a Marc – hon oedd y foment pryd y gallai estyn am ddryll. Ond pan drodd yn ôl roedd yn dal cas dogfennau lledr du. Cliciodd y cloeon a'i agor. Roedd y cas yn llawn o arian: papurau can doler wedi'u clymu mewn bwndeli o hanner cant. Cant o fwndeli i gyd. Cyfanswm o hanner miliwn o ddoleri. Mwy o arian nag oedd Carlo wedi'i weld yn ei fywyd.

Ond doedd o ddim yn ddigon.

'Rydyn ni wedi cael problem fach,' meddai Carlo.

'Do?' Doedd dim syndod yn llais Sarov.

Gallai Marc deimlo'r chwys yn llithro i lawr ochr ei wddf. Roedd mosgito'n swnian yn ei glust, ond llwyddodd i wrthsefyll y demtasiwn i'w daro. Am hyn roedd wedi bod yn disgwyl. Safai gam neu ddau i ffwrdd, ei ddwylo'n hongian yn llipa wrth ei ochr. Yn araf, gadawodd iddynt gripian y tu ôl iddo, yn nes at y dryll cudd.

Taflodd olwg at adfeilion yr adeiladau. Tŵr rheoli oedd un ohonynt rywdro, fallai. Edrychai'r llall yn debyg i gwt tollau. Roedd y ddau wedi dadfeilio ac yn wag, y briciau'n pydru, y ffenestri wedi torri. Allai rhywun fod yno'n llechu? Na. Byddai'r dwysäwr thermal wedi'i ddangos. Roedden nhw ar eu pennau'u hunain.

'Pris yr wraniwm.' Cododd Carlo'i ysgwyddau. 'Mae'n cyfaill ni yn Miami'n ymddiheuro. Ond mae 'na systemau diogelwch newydd dros y byd i gyd. Mae smyglo – yn arbennig y math yma o beth – wedi dod yn llawer anoddach. Ac mae hynny wedi golygu costau ychwanegol.'

'Faint o gostau ychwanegol?'

'Chwarter miliwn o ddoleri.'

'Mae hynny'n anffodus.'

'Anffodus i chi, Gadfridog. Chi yw'r un sy'n gorfod talu.'

Ystyriodd Sarov. 'Roedd gyda ni gytundeb,' meddai.

'Roedd ein cyfaill yn Miami'n gobeithio y byddech chi'n deall.'

Cafwyd saib hir. Estynnodd Marc ei fysedd y tu ôl i'w gefn a'u cau am y Glock awtomatig. Ond yna nodiodd Sarov. 'Bydd yn rhaid imi ddod o hyd i'r arian, felly,' meddai.

'Fe gewch chi drefnu i'w drosglwyddo i'r un

cyfrif ag o'r blaen,' meddai Marco. 'Ond mae'n rhaid imi'ch rhybuddio chi, Gadfridog. Os na fydd yr arian wedi cyrraedd ymhen tridiau, fe fydd gwasanaethau diogelwch America'n cael gwybod beth sydd wedi digwydd yma heno ... beth rydych newydd ei dderbyn. Fallai eich bod yn credu eich bod yn ddiogel ar yr ynys hon. Fe allaf eich sicrhau nad yw hynny'n wir.'

'Rydych chi'n fy mygwth i,' mwmiodd Sarov. Roedd ei ffordd o siarad yn ddigyffro ac eto'n filain ar yr un pryd.

'Nid mater personol yw hyn,' meddai Carlo.

Estynnodd Marc fag brethyn a'i agor, yna trodd yr arian allan o'r cas lledr ac i mewn i'r bag. Gallai'r cas fod yn cynnwys darlledydd radio. Gallai gynnwys bom bychan. Gadawodd y cas ar ôl.

'Nos da, Gadfridog,' meddai Carlo.

'Nos da.' Gwenodd Sarov. 'Gobeithio y gwnewch chi fwynhau'r daith.'

Cerddodd y ddau ddyn i ffwrdd. Gallai Marc deimlo'r arian, y bwndeli'n pwyso drwy'r brethyn yn erbyn ochr ei goes. 'Ffŵl ydi o,' sibrydodd, gan siarad yn ei iaith ei hun eto. 'Hen ddyn. Pam oeddan ni mor ofnus ohono fo?'

'Tyrd, awn ni o'r lle 'ma,' meddai Carlo. Roedd yn meddwl am yr hyn ddwedodd y cadfridog. *Gobeithio y gwnewch chi fwynhau'r daith.* Oedd o'n gwenu pan ddwedodd y geiriau?

Gwnaeth yr arwydd oedd wedi'i drefnu, gan bwyso'i fys a'i fawd gyda'i gilydd. Ar unwaith dechreuodd peiriant y Cessna droi.

Roedd y Cadfridog Sarov yn dal i'w gwylio. Doedd o heb symud, ond nawr estynnodd ei law unwaith eto i boced ei siaced. Caeodd ei fysedd am y darlledydd radio oedd yno'n disgwyl. Roedd wedi meddwl tybed a fyddai'n rhaid lladd y ddau ddyn a'u peilot. Byddai'n well ganddo ef ei hun beidio gwneud, hyd yn oed fel yswiriant. Ond roedd eu gofynion wedi gwneud hynny'n angenrheidiol. Dylai fod wedi gwybod y bydden nhw'n farus. O ystyried y math o bobl oedden nhw, roedd y peth bron yn anochel.

Yn ôl yn yr awyren, roedd y ddau ddyn yn cau'u gwregysau diogelwch wrth i'r peilot baratoi i hedfan. Clywodd Carlo'r peiriant yn cyflymu wrth i'r awyren ddechrau troi'n araf. Yn y pellter daeth sŵn taran isel. Erbyn hyn roedd yn difaru nad oedden nhw wedi troi'r awyren yn syth ar ôl glanio. Byddai hynny wedi arbed eiliadau prin ac roedd yn awyddus i gychwyn, i fod yn ôl yn yr awyr.

Gobeithio y gwnewch chi fwynhau'r daith.

Doedd dim emosiwn o gwbl yn llais y

cadfridog. Gallai fod wedi golygu yr hyn roedd yn ei ddweud. Ond teimlai Carlo y byddai wedi siarad yn yr un ffordd yn union pe bai'n dedfrydu rhywun i farwolaeth.

Wrth ei ochr, roedd Marc eisoes yn cyfri'r arian, y bwndeli papurau'n llithro drwy'i ddwylo. Edrychodd yn ôl ar adfeilion yr adeiladau, ar y jîp yn aros. Fyddai Sarov yn chwarae rhyw dric? Pa fath o adnoddau oedd ganddo ar yr ynys, tybed? Ond wrth i'r awyren droi mewn cylch tyn, doedd dim byd yn symud. Arhosodd y cadfridog yn ei unfan. Doedd neb arall yn y golwg.

Diffoddodd goleuadau'r lanfa.

'Beth ...?' Rhegodd y peilot yn egr.

Stopiodd Marco ei waith cyfri. Deallodd Carlo ar unwaith beth oedd yn digwydd. 'Mae o wedi switshio'r goleuada i ffwrdd,' meddai. 'Mae o isio'n cadw ni yma. Fedri di hedfan hebddyn nhw?'

Roedd yr awyren wedi troi mewn hanner cylch fel ei bod yn wynebu'r cyfeiriad roedd wedi glanio. Syllodd y peilot drwy ffenest y caban llywio, yn craffu i weld drwy'r tywyllwch. Erbyn hyn roedd yn dywyll iawn, ond roedd golau hyll, annaturiol yn mynd a dod yn yr awyr. Nodiodd. 'Fydd hi ddim yn hawdd, ond ...'

Daeth y goleuadau'n ôl eto.

Dyna lle roedden nhw, yn ymestyn i'r pellter – saeth oedd yn pwyntio at ryddid ac elw ychwanegol o chwarter miliwn o ddoleri. Ymlaciodd y peilot. 'Mae'n rhaid mai'r storm oedd ar fai,' meddai. 'Torri'r cyflenwad trydan.'

'Mond iti'n cael ni allan o'r lle 'ma,' mwmiodd Carlo. 'Gora po gynta y byddwn ni yn yr awyr.'

Nodiodd y peilot. 'Fel ti'n dweud.' Pwysodd i lawr ar y llyw ac ymlwybrodd y Cessna ymlaen, gan gyflymu'n sydyn. Toddodd goleuadau'r lanfa'n niwl wrth iddynt ei harwain ymlaen. Ymlaciodd Carlo'n ôl yn ei sedd. Roedd Marc yn edrych allan drwy'r ffenest.

Ac yna, eiliadau cyn i'r olwynion adael y llawr, gwegiodd yr awyren i'r ochr yn sydyn. Troellodd y byd i gyd wrth i law rhyw gawr anweledig gydio ynddi a'i rhwygo i'r ochr. Roedd y Cessna wedi bod yn teithio ar gyflymder o gant a hanner o gilometrau'r awr. Stopiodd yn stond â sŵn crensian mawr mewn chydig o eiliadau, y tri dyn yn cael eu taflu ymlaen gan yr arafu sydyn. Oni bai eu bod wedi'u clymu yn eu seddau, byddent wedi cael eu lluchio drwy'r ffenest flaen, neu drwy'r hyn oedd yn weddill o'r gwydr chwilfriw. Ar yr un pryd cafwyd cyfres o ergydion byddarol wrth i rywbeth chwipio yn erbyn corff yr awyren. Roedd un adain wedi dipio i lawr a'r propelor wedi torri'n rhydd, gan droelli i ffwrdd i'r tywyllwch. Yn sydyn roedd yr awyren yn llonydd, yn pwyso'n gam ar un ochr.

Am eiliadau, symudodd neb yn y caban. Chwyrnodd peiriant yr awyren ac yna stopio'n stond. Tynnodd Marc ei hun i fyny yn ei sedd. 'Be ddigwyddodd?' sgrechiodd. 'Be yn y byd ddigwyddodd?' Roedd wedi brathu'i dafod, a'r gwaed yn llifo dros ei ên. Roedd y bag yn dal yn agored a'r arian wedi syrthio ar ei lin.

'Dw i ddim yn deall ...' Roedd y peilot wedi cael gormod o sioc i allu siarad.

'Mi ddoist ti oddi ar y rhedfa!' Roedd wyneb Carlo'n llawn braw a dicter.

'Wnes i ddim!'

'Drycha!' Roedd Marc yn pwyntio at rywbeth, a dilynodd Carlo ei fys crynedig. Roedd y drws ar ochr isaf yr awyren wedi plygu, a dŵr du'n hidlo i mewn oddi tanodd, gan greu pwll o amgylch eu traed.

Daeth sŵn taran eto, yn nes y tro yma.

'Fe sy'n gyfrifol am hyn!' meddai'r peilot.

'Be wnaeth o?' gofynnodd Carlo.

'Fe symudodd e'r rhedfa!'

Roedd yn dric syml. Wrth i'r awyren droi, roedd Sarov wedi diffodd y goleuadau ar y rhedfa gan ddefnyddio'r darlledydd radio yn ei boced. Am eiliad roedd y peilot wedi colli'i synnwyr cyfeiriad, ar goll yn y tywyllwch. Wedyn, roedd yr awyren wedi gorffen troi a daeth y goleuadau'n ôl. Ond doedd gan y peilot ddim syniad mai ail set o oleuadau oedd y rhain, yn arwain i ffwrdd ar ongl, gan adael diogelwch y rhedfa a mynd ymlaen dros wyneb y corstir.

'Mae e wedi'n harwain ni i mewn i'r mangrofau,' meddai'r peilot.

Roedd Carlo'n deall nawr beth oedd wedi digwydd i'r awyren. Yr eiliad roedd ei holwynion wedi cyffwrdd â'r dŵr, roedd ei thynged yn sicr. Heb unrhyw dir solet oddi tani, roedd yr awyren wedi suddo a throi ar ei hochr. Roedd dŵr y gors eisoes yn llifo i mewn wrth iddyn nhw suddo'n araf dan yr wyneb. Roedd canghennau'r coed mangrof, oedd bron wedi rhwygo'r awyren yn ddarnau, yn eu hamgylchynu – fel barrau carchar byw.

'Be wnawn ni?' gofynnodd Marc, gan swnio fel plentyn. ''Dan ni'n mynd i foddi!'

'Mi fedrwn ni fynd allan!' Roedd Carlo wedi anafu'i wddf wrth i'w ben chwipio'n ôl yn y ddamwain. Symudodd un fraich yn boenus, gan ddatod ei wregys.

'Ddylan ni ddim fod wedi trio'i dwyllo fo!' gwaeddodd Marc. 'Roeddat ti'n gwbod be oedd

19

o. Mi ddaru nhw ddeud wrthat ti –'

'Cau hi!' Roedd gan Carlo'i ddryll ei hun. Tynnodd ef allan o'r holster dan ei grys a'i osod ar ei lin. 'Mi wnawn ni ddianc o'r lle 'ma, a delio efo fo. Ac wedyn rywsut neu'i gilydd mi ffeindiwn ni ffordd i fynd oddi ar yr ynys ddiawl yma.'

'Mae 'na rywbeth …' dechreuodd y peilot.

Roedd rhywbeth wedi symud y tu allan.

'Be ydi o?' sibrydodd Marc.

'Shhh!' Cododd Carlo ar ei draed, ei gorff yn llenwi'r caban cyfyng. Gwegiodd yr awyren eto, gan suddo'n ddyfnach i'r gors. Collodd ei gydbwysedd yna safiodd ei hun. Estynnodd ei law heibio'r peilot, fel pe bai am ddringo allan drwy'r ffenest flaen doredig.

Rhuthrodd rhywbeth anferth, erchyll tuag ato, gan guddio'r chydig oleuni oedd yn dod o awyr yr hwyr. Sgrechiodd Carlo wrth i'r creadur ei daflu'i hun wysg ei ben i mewn i'r awyren ac amdano. Cafwyd fflach o liw gwyn a sŵn rhochian ofnadwy. Roedd y dynion eraill yn sgrechian hefyd.

Safai'r Cadfridog Sarov yn gwylio. Doedd hi ddim eto'n bwrw glaw, ond roedd pwysau dŵr ar yr awyr. Daeth fflach o fellt, oedd fel pe bai'n teithio ar draws yr awyr bron fel symudiad araf allan o ffilm, gan fwynhau'r siwrnai. Yn y foment honno, gwelodd y Cessna ar ei hochr, wedi hanner ei chladdu yn y gors. Erbyn hyn roedd hanner dwsin o grocodiliaid yn heidio drosti. Roedd yr un mwyaf wedi plymio wysg ei ben i mewn i'r caban llywio. Dim ond ei gynffon oedd yn y golwg, yn chwipio o gwmpas wrth iddo wledda.

Estynnodd y Cadfridog i lawr a chodi'r cynhwysydd du. Er bod angen dau ddyn i'w gario ato, bellach roedd yn ymddangos yn ysgafn yn ei ddwylo. Gosododd ef yn y jîp, a sefyll yn ôl. Caniataodd iddo'i hun y moethusrwydd prin o wenu, a theimlodd y symudiad, yn fyr, ar ei wefusau. Drannoeth, wedi i'r crocodiliaid orffen eu gwledd, byddai'n anfon ei weithwyr maes – y *macheteros* – draw yno i gasglu'r arian papur. Nid bod yr arian o bwys. Roedd yn berchen ar un cilogram o wraniwm gradd arfau. Fel dwedodd Carlo, roedd ganddo bellach y grym i ddinistrio dinas fechan.

Ond doedd Sarov ddim yn bwriadu dinistrio dinas.

Ei darged oedd y byd cyfan.

PWYNT GORNEST

Daliodd Alecs y bêl yn uchel ar ei frest, ei bownsio ymlaen a'i chicio i gefn y rhwyd. Bryd hynny y sylwodd ar y dyn a'r ci mawr gwyn. Roedd hi'n bnawn Gwener cynnes, braf, a'r tywydd wedi'i ddal rhwng gwanwyn hwyr a haf cynnar. Dim ond gêm ymarfer oedd hon, ond roedd Alecs yn ei chymryd o ddifrif. Roedd Mr Wiseman, yr athro ymarfer corff, wedi'i ddewis ar gyfer y tîm cyntaf ac edrychai Alecs ymlaen at gael chwarae yn erbyn ysgolion eraill yng ngorllewin Llundain. Yn anffodus doedd gan ei ysgol, Brookland, mo'i chaeau chwarae ei hun. Cae cyhoeddus oedd hwn a gallai unrhyw un gerdded heibio. A gallent ddod â'u cŵn hefyd.

Fe wnaeth Alecs nabod y dyn ar unwaith, a suddodd ei galon. Teimlai'n ddig ar yr un pryd. Sut roedd o'n meiddio dod i fan hyn, i gyffiniau'r ysgol, a hynny ar ganol gêm? Doedd y bobl yma byth am adael llonydd iddo?

Crawley oedd enw'r dyn. Â'i wallt yn teneuo, ei wyneb blotiog a'i ddillad hen ffasiwn, edrychai fel swyddog iau yn y fyddin neu fallai athro mewn ysgol breifat eilradd. Ond roedd Alecs yn gwybod y gwir. Roedd Crawley'n aelod o MI6. Nid yn ysbïwr yn hollol, ond rhywun roedd ei yrfa'n rhan o'r byd hwnnw. Rheolwr swyddfa oedd Crawley, yn un o swyddfeydd mwyaf cyfrinachol y wlad. Ef oedd yn gyfrifol am y gwaith papur, yn gwneud y trefniadau, yn galw cyfarfodydd. Pan fyddai rhywun yn marw â chyllell yn ei gefn, neu fwled yn ei frest, llofnod Crawley fyddai ar waelod y dogfennau.

Wrth i Alecs redeg yn ôl at y llinell ganol, cerddodd Crawley draw at fainc gan lusgo'r ci ar ei ôl. Yn ôl ei olwg, doedd y ci ddim yn awyddus i fynd am dro. Doedd dim awydd ganddo fod yno o gwbl. Eisteddodd Crawley. Roedd yn dal i eistedd yno ddeng munud yn ddiweddarach pan chwythwyd y chwiban a ddaeth â'r gêm i ben. Ystyriodd Alecs am foment cyn codi'i jyrsi a mynd draw ato.

Roedd Crawley fel pe bai'n synnu'i weld. 'Alecs!' ebychodd. 'Wel dyna annisgwyl! Dydw i ddim wedi dy weld ti oddi ar … wel, er pan ddest ti'n ôl o Ffrainc.'

Dim ond pedair wythnos oedd er pan oedd MI6 wedi gorfodi Alecs i ymchwilio i ysgol i feibion pobl gyfoethog yn ne-ddwyrain Ffrainc. Dan ffugenw, roedd wedi ymuno fel myfyriwr yn Academi Pic Blanc ond cafodd ei garcharu gan y pennaeth gwallgof, Dr Grieff. Cawsai ei erlid i lawr ochr mynydd, saethwyd ato, a bu bron â chael ei ddyrannu'n fyw mewn dosbarth bioleg. Doedd Alecs erioed wedi dymuno bod yn ysbïwr, ac roedd yr holl fusnes hwnnw wedi'i argyhoeddi mai fo oedd yn iawn. Crawley oedd y dyn diwethaf roedd o isio'i weld.

Ond roedd y dyn MI6 yn wên o glust i glust. 'Wyt ti yn nhîm yr ysgol? Yn fan hyn rwyt ti'n chwarae? Rhyfedd na sylwes i ddim arnot ti o'r blaen. Mae Barcer a finnau'n cerdded yma'n aml.'

'Barcer?'

'Y ci.' Estynnodd Crawley ei law a'i fwytho. 'Dalmatiad yw e.'

'Ro'n i'n meddwl bod gan Ddalmatiaid sbotiau.'

'Does gan hwn ddim.' Petrusodd Crawley. 'A dweud y gwir, Alecs, tipyn o lwc imi daro arnat ti fel hyn. Tybed allen i gael gair bach gyda ti?'

Ysgydwodd Alecs ei ben. 'Anghofiwch o, Mr Crawley. Mi ddeudais i'r tro dwytha. Does gen i ddim diddordeb yn MI6. Hogyn ysgol ydw i. Dydw i ddim yn sbïwr.'

'Yn hollol!' cytunodd Crawley. 'Does a wnelo hyn ddim oll â'r … ym … y cwmni. Na, na, na.' Edrychai bron fel pe bai cywilydd arno. 'Y peth yw, yr hyn ro'n i'n moyn ei ofyn iti oedd … shwd byddet ti'n hoffi sedd rhes flaen yn Wimbledon?'

Synnwyd Alecs yn llwyr wrth glywed cwestiwn mor annisgwyl. 'Wimbledon? Hynny ydi … y tennis?'

'Dyna fe.' Gwenodd Crawley. 'Clwb Tennis Lloegr. Rwy'n aelod o'r pwyllgor.'

'Ac mi rydach chi'n cynnig tocyn imi?'

'Odw.'

'Be 'di'r sgiâm?'

'Beth yw'r ...? Does dim un, Alecs. Ddim go iawn. Ond ... gad imi egluro.' Roedd Alecs yn ymwybodol bod y chwaraewyr eraill yn paratoi i fynd. Roedd y diwrnod ysgol bron ar ben. Gwrandawodd wrth i Crawley fynd yn ei flaen. 'Y peth yw, ti'n gweld, wythnos yn ôl fe lwyddodd rhywun i dorri mewn yno. Mae'r systemau diogelwch bob amser yn llym iawn, ond fe lwyddodd rhywun i ddringo dros y wal a chael i mewn i Adeilad y Mileniwm drwy dorri ffenest.'

'Be ydi Adeilad y Mileniwm?'

'Dyna lle mae stafelloedd newid y chwaraewyr. Hefyd mae 'na gampfa, bwyty, lolfa neu ddwy ac yn y blaen. Mae ganddon ni gamerâu teledu cylch cyfyng, wrth gwrs, ond fe lwyddodd y sawl dorrodd i mewn i ddirymu'r system gyfan – yn ogystal â'r prif larwm. Roedd e'n waith cwbl broffesiynol. Fydden ni byth wedi gwybod bod neb wedi bod yno heblaw am dro ffodus. Fe welodd un o'n gwarchodwyr nos ni y dyn yn gadael. Tsieinead oedd e, yn ei ddauddegau cynnar –'

'Y gwarchodwr?'

'Y tresbaswr. Wedi'i wisgo o'i gorun i'w sawdl mewn du, a rhyw fath o fag ar ei gefn. Rhybuddiodd y gwarchodwr yr heddlu ac fe drefnon ni i archwilio'r holl le. Adeilad y Mileniwm, y cyrtiau, y caffis … pobman. Fe gymerodd hi dri diwrnod. Does dim celloedd terfysgwyr yn weithredol yn Llundain ar y foment, diolch i'r drefn, ond roedd 'na wastad bosibilrwydd y byddai rhyw wallgofddyn wedi gosod bom. Fe ddaeth y sgwad gwrthderfysgwyr i mewn. Cŵn synhwyro. Dim! Roedd pwy bynnag oedd yno wedi diflannu'n llwyr, ac yn ôl pob golwg heb adael unrhyw olion.

'Nawr, dyma beth sy'n od, Alecs. Wnaeth e ddim gadael dim byd, a wnaeth e ddim *cymryd* dim byd chwaith. Mewn gwirionedd, does dim golwg fod unrhyw beth wedi cael ei gyffwrdd. Fel dwedes i, oni bai fod y gwarchodwr wedi gweld y bachan, fydden ni byth wedi gwybod ei fod e wedi bod yno. Beth wyt ti'n wneud o hynna?'

Cododd Alecs ei ysgwyddau. 'Fallai fod y gwarchodwr wedi aflonyddu arno cyn iddo fo gael ei ddwylo ar beth bynnag roedd o isio.'

'Na. Roedd e ar ei ffordd mas yn barod pan gafodd e 'i weld.'

'Allai'r gwarchodwr fod wedi dychmygu'r cyfan?'

'Fe wnaethon ni archwilio'r camerâu. Mae cod amser ar y ffilm, ac roedden nhw'n bendant wedi bod yn anweithredol am ddwyawr. O hanner nos hyd at ddau y bore.'

'Felly be dach chi'n feddwl, Mr Crawley? Pam dach chi'n deud hyn wrtha i?'

Ochneidiodd Crawley ac ymestyn ei goesau. Roedd yn gwisgo sgidiau swêd, di-raen, eu sodlau wedi treulio. Roedd y ci wedi cwympo i gysgu. 'Fy nghred i yw bod rhywun yn bwriadu ymosod ar gystadlaethau Wimbledon eleni,' meddai. Roedd Alecs ar fin torri ar ei draws, ond cododd Crawley ei law. 'Fe wn i fod y syniad yn swnio'n chwerthinllyd, ac mae'n rhaid imi gyfaddef, dyw aelodau eraill y pwyllgor ddim yn fy nghredu. Ar y llaw arall does gyda nhw mo'r un greddfe â fi. Dy'n nhw ddim yn gweithio yn yr un busnes â fi. Ond meddylia di am y peth, Alecs. Mae'n rhaid bod gan rywun reswm da dros gynllunio a gweithredu'r holl beth gyda'r fath ofal. Ond *does* dim rheswm. Mae rhyw ddrwg yn y caws.'

'Pam fyddai neb isio ymosod ar Wimbledon?'

'Wn i ddim. Ond mae'n rhaid iti gofio, mae pythefnos tennis Wimbledon yn fusnes enfawr. Mae miliyne o bunne yn y fantol. Mae cyfanswm y gwobrwau yn unig oddeutu wyth miliwn a hanner o bunne. A phaid ag anghofio'r hawlie teledu, hawlie masnachu, nawdd corfforaethol ... mae gyda ni bobl fydenwog yn hedfan i mewn o bedwar ban byd – pawb, o sêr ffilmiau i arlywyddion – ac mae 'na hanesion am docynne ar gyfer ffeinal y dynion yn newid dwylo am filoedd o bunne. Nid dim ond gêm yw hi. Mae'n ddigwyddiad byd-eang, a phe bai rhywbeth yn digwydd ... wel, mae'n well peidio â meddwl am y peth.'

Ond roedd yn amlwg fod Crawley *wedi* bod yn meddwl amdano. Edrychai'n flinedig, a'r pryder yn ddwfn y tu ôl i'w lygaid.

Meddyliodd Alecs am foment. 'Isio imi edrych o gwmpas ydach chi,' meddai. Gwenodd. 'Fues i erioed yn Wimbledon. Dim ond wedi gweld y lle ar y teledu. Mi faswn i wrth fy modd yn cael tocyn i'r Cwrt Canol. Ond fedra i ddim gweld sut gallai ymweliad un diwrnod fod o help.'

'Yn gwmws, Alecs. Ond nid ymweliad undydd yn hollol oedd gyda fi mewn golwg.'

'Ewch ymlaen.'

'Wel, ti'n gweld, meddwl o'n i tybed fyddet ti'n ystyried bod yn godwr peli.'

'Dydach chi ddim o ddifri?'

'Pam lai? Fe allet ti sefyll yno am y pythefnos cyfan. Fe gei di amser wrth dy fodd, ac fe fyddi di cyfan. Fe gei di amser wrth dy fodd, ac fe fyddi di yng nghanol pethe. Fe weli di gême gwych. Ac fe fydda inne'n gallu ymlacio ryw gyment, yn gwybod dy fod ti yno. Os oes unrhyw beth yn digwydd, mae'n eitha posib y gwnei di sylwi. Wedyn fe elli di fy ffono fi ac fe ofala i am y cyfan.' Nodiodd. Roedd yn amlwg ei fod wedi llwyddo i'w argyhoeddi ef ei hun, os nad Alecs. 'Does dim byd peryglus obeutu'r holl beth. Hynny yw ... Wimbledon yw e. Fe fydd cannoedd o fechgyn a merched eraill yno. Beth ti'n feddwl?'

'Does ganddoch chi ddim digon o staff diogelwch yn barod?'

'Wrth gwrs bod gyda ni staff diogelwch. Maen nhw'n hawdd i'w gweld – sy'n eu gwneud nhw'n hawdd eu hosgoi. Ond fe fyddet ti'n anweledig, Alecs. Dyna'r holl bwynt.'

'Alecs ...?'

Roedd Mr Wiseman, ei athro, yn disgwyl amdano. Erbyn hyn roedd y chwaraewyr eraill i gyd wedi gadael, ar wahân i ddau neu dri o fechgyn oedd yn cicio'r bêl ymysg ei gilydd.

'Dim ond munud fydda i, syr,' galwodd Alecs yn ôl.

Petrusodd yr athro. Peth rhyfedd, braidd, fod un o'r bechgyn yn siarad â'r dyn yma yn y blaser hen ffasiwn a'r tei streipiog. Ond ar y llaw arall, Alecs rhywbeth yn od yn ei gylch. Roedd wedi bod yn absennol o'r ysgol ddwywaith yn ddiweddar, y ddau dro heb unrhyw eglurhad boddhaol. Y tro diwethaf iddo ailymddangos, roedd yr adeilad gwyddoniaeth wedi cael ei ddinistrio gan dân anesboniadwy. Penderfynodd Mr Wiseman anwybyddu'r sefyllfa. Roedd Alecs yn gallu gofalu amdano'i hun a byddai'n sicr o ddod i'r golwg yn nes ymlaen. Felly y gobeithiai, o leiaf.

'Paid â bod yn rhy hir!' meddai.

Cerddodd i ffwrdd gan adael Alecs ar ei ben ei hun gyda Crawley.

Pendronodd Alecs dros yr hyn roedd newydd ei glywed. Roedd rhan ohono'n gwrthod ymddiried yn Crawley. Ai dim ond cyd-ddigwyddiad oedd y cyfan, ei fod wedi digwydd taro ar Alecs mewn cae chwarae ar ganol gêm? Annhebygol. Ym myd MI6, lle roedd popeth wedi'i gynllunio a'i gyfrifo, doedd yna ddim cyd-ddigwyddiadau. Dyna un o'r rhesymau pam bod Alecs yn ei gasáu. Roedden nhw wedi'i ddefnyddio ddwywaith yn barod, a'r ddau dro doedden nhw'n poeni dim a fyddai o'n byw neu'n marw, cyn belled â'i fod yn ddefnyddiol iddyn nhw. Roedd Crawley'n rhan o'r byd hwnnw, ac yn ei galon roedd Alecs yn ei gasáu o lawn cymaint â'r lleill.

Ond ar yr un pryd, meddyliodd, fallai ei fod yn

gweld gormod yn hyn. Doedd Crawley ddim yn gofyn iddo sleifio i mewn i lysgenhadaeth dramor, nac i barasiwtio i mewn i Irac, nac i wneud unrhyw beth peryglus. Roedd yn cael cynnig pythefnos yn Wimbledon. Roedd hi mor syml â hynny. Cyfle i wylio tipyn o dennis ac – os oedd o'n anlwcus – i ddod o hyd i rywun yn ceisio dwyn tlysau arian y clwb. Sut gallai unrhyw beth fynd o'i le?

'O'r gora, Mr Crawley,' meddai. 'Pam lai?'

'Mae hynna'n wych, Alecs. Fe wna i'r trefniade. Dere, Barcer!'

Taflodd Alecs gipolwg ar y ci, oedd newydd ddeffro. Syllai arno â llygaid pinc, gwaetgoch. Oedd o'n ei rybuddio? Oedd y ci'n gwybod rhywbeth nad oedd Alecs ddim?

Ond yna plyciodd Crawley ar y tennyn, a chyn i'r ci gael cyfle i rannu un o gyfrinachau ei feistr, cafodd ei dynnu i ffwrdd yn gyflym.

Ymhen chwech wythnos, safai Alecs ar y Cwrt Canol, wedi'i wisgo yn lliwiau gwyrdd tywyll a phorffor Clwb Tennis Lloegr. Roedd gêm olaf y rownd ragbrofol hon ar fin cychwyn. Byddai un o'r ddau chwaraewr – oedd yn eistedd dim mwy na chydig gentimetrau oddi wrtho – yn mynd ymlaen i'r rownd nesaf. Câi gyfle i ennill yr hanner miliwn o bunnau o wobr oedd yn dod yn sgil tlws yr enillydd. Byddai'r llall yn dal y bws nesaf adre. Dim ond nawr, wrth iddo benlinio ger y rhwyd yn disgwyl am y serfiad, y deallodd Alecs lawn bŵer Wimbledon a pham fod y gystadleuaeth wedi ennill ei lle ar galendr y byd. Yn syml, doedd yr un gystadleuaeth yn debyg iddi.

Roedd y stadiwm anferth o'i gwmpas ar bob ochr, a miloedd ar filoedd o wylwyr yn codi'n rhesi uwch ac uwch hyd nes iddynt ddiflannu yn yr entrychion. Roedd hi'n anodd adnabod unrhyw un o'r wynebau. Roedd gormod ohonynt ac roedden nhw'n rhy bell i ffwrdd. Ond teimlai Alecs wefr y dyrfa wrth i'r chwaraewyr gerdded i ddau ben y cwrt a'r glaswellt, oedd wedi'i dorri'n rhesi perffaith, fel pe bai'n tywynnu dan eu traed. Cafwyd cymeradwyaeth gan y dorf, ac wedyn llonyddwch sydyn. Swatiai ffotograffwyr, fel fwlturiaid, uwchben lensiau teleffoto anferth; oddi tanynt, mewn bynceri wedi'u gorchuddio â deunydd gwyrdd, roedd camerâu teledu'n barod am y serfiad cyntaf. Wynebai'r chwaraewyr ei gilydd: dau ddyn roedd eu bywydau ar eu hyd wedi arwain at y foment hon ac y byddai eu dyfodol yn y gêm yn cael ei benderfynu yn y chydig funudau nesaf. Roedd y cyfan mor Seisnig – y glaswellt, y mefus, yr hetiau gwellt. Ac eto roedd yn waedlyd – fel cystadleuaeth rhwng dau gladiator.

'Tawelwch, os gwelwch yn dda, foneddigion a boneddigesau … '

Seiniodd llais y dyfarnwr drwy'r gwahanol uchelseinyddion, ac yna serfiodd y chwaraewr cyntaf. Ffrancwr oedd Jacques Lefevre, dwy ar hugain oed ac yn newydd i'r twrnamaint. Doedd neb wedi disgwyl iddo ddod cyn belled â hyn. Roedd yn chwarae yn erbyn Almaenwr, Jochen Blitz, un o'r ffefrynnau yn y gystadleuaeth eleni. Ond Blitz oedd yn colli – dwy set i lawr, pum gêm i ddwy. Gwyliodd Alecs ef wrth iddo aros, gan sboncio ar flaenau'i draed. Serfiodd Lefevre. Taranodd y bêl yn agos at y llinell ganol. Âs-bwynt.

'Pymtheg dim.'

Roedd Alecs yn ddigon agos i weld yr olwg o anobaith yn llygaid yr Almaenwr. Dyma oedd creulondeb y gêm – ei seicoleg. Wrth golli'ch awch meddyliol, gallech golli'r cyfan. Dyna oedd wedi digwydd i Blitz. Bron na allai Alecs synhwyro'r teimlad yn chwys y dyn. Wrth iddo gerdded i ochr arall y cwrt i wynebu'r serfiad nesaf, edrychai ei gorff cyfan yn drwm, fel pe bai'n defnyddio'i holl nerth ddim ond i aros yno. Collodd y pwynt nesaf, a'r un wedyn. Gwibiodd Alecs ar draws y cwrt, cipio'r bêl, a chafodd o ddim ond digon o amser i'w phowlio draw at y bachgen yn y gronfa beli chwith rhif un. Nid y byddai ei hangen. Yn ôl pob golwg, dim ond un serfiad arall fyddai yna cyn diwedd y gêm.

Ac yn wir, llwyddodd Lefevre i ennill âs-bwynt terfynol, gan syrthio ar ei liniau a'i ddyrnau ynghau mewn buddugoliaeth. Roedd yn ystum a welwyd ganwaith o'r blaen ar gyrtiau Wimbledon, ac yn naturiol fe gododd y gynulleidfa ar ei thraed a chymeradwyo'n frwd. Ond doedd hi ddim wedi bod yn ornest dda. Blitz ddylai fod wedi ennill. Yn sicr, ddylai'r gêm ddim fod wedi dod i ben mewn tair set. Roedd wedi chwarae'n llawer gwaeth na'i allu, a'r Ffrancwr ifanc wedi'i guro'n rhacs.

Casglodd Alecs y peli olaf a'u powlio draw i'r gornel bellaf. Safodd yn syth wrth i'r chwaraewyr ysgwyd dwylo, â'i gilydd i ddechrau, wedyn â'r dyfarnwr. Cerddodd Blitz tuag ato a dechrau cadw'i gêr mewn bag chwaraeon. Craffodd Alecs ar ei wyneb. Roedd golwg hurt ar yr Almaenwr, fel pe bai'n methu credu ei fod wedi colli. Yna cododd ei fag a cherdded i ffwrdd, gan roi un salíwt olaf i'r gynulleidfa. Roedd Lefevre yn brysur yn sgwennu ei lofnod i bobl yn y rhes flaen. Roedd Blitz wedi cael ei anghofio'n barod.

'Roedd hi'n gêm wirioneddol wael,' meddai Alecs.

'Dwn i ddim be oedd yn bod ar Blitz. Roedd o fel tasa fo'n cerdded yn ei gwsg hanner yr amser.'

Awr yn ddiweddarach oedd hi, ac eisteddai Alecs wrth fwrdd yn y Cyfadeilad – y casgliad o stafelloedd o dan swyddfa'r dyfarnwr yng nghornel Cwrt Rhif Un. Yno y bydd y ddau gant o fechgyn a merched sy'n gweithio drwy gydol y twrnamaint yn cael eu prydau bwyd, newid eu dillad ac ymlacio. Roedd Alecs yn cael diod yng nghwmni dau arall o'r bechgyn ac un o'r merched. Roedd wedi dod yn ffrindiau â'r ferch dros yr wythnosau diwethaf – cymaint felly fel ei bod hi wedi ei wahodd i ymuno â'i theulu a hithau ar wyliau yng Nghernyw pan fyddai Wimbledon drosodd. Roedd ganddi wallt tywyll, llygaid glas gloyw a brychni haul. Roedd hi'n ddisgybl mewn ysgol gwfaint yn Wimbledon; newyddiadurwr oedd ei thad ym maes busnes a materion cyfoes, ond doedd dim byd difrifol yn ei chylch hi. Roedd hi wrth ei bodd â jôcs, gorau po fwyaf anweddus, ac roedd Alecs yn sicr bod ei chwerthiniad i'w glywed mor bell i ffwrdd â Chwrt Un Deg Naw. Ei henw oedd Sabina Pleasure.

'Mae'n drueni,' meddai Sabina. 'Ond rwy'n hoffi Lefevre. Mae e'n giwt. A dyw e ddim ond chydig bach yn hŷn na fi.'

'Saith mlynedd,' meddai Alecs i'w hatgoffa.

'Dyw hynny'n ddim y dyddie yma. Ta beth, fe fydda i'n ôl ar y Cwrt Canol fory. Mae'n mynd i fod yn anodd cadw fy meddwl ar y gêm.'

Gwenodd Alecs. Roedd yn wirioneddol hoff o Sabina, er ei bod yn gwirioni braidd ar ddynion hŷn. Roedd yn falch bellach ei fod wedi derbyn gwahoddiad Crawley. 'Gofala dy fod ti'n cadw dy ddwylo ar y peli cywir,' meddai wrthi.

'Rider!' Torrodd y llais drwy'r clebran siarad yn y ffreutur a brasgamodd dyn bychan, caled yr olwg, allan o un o'r swyddfeydd. Wilf Walfor oedd yno, cyn-ringyll yn yr awyrlu, oedd yn gyfrifol am y bechgyn a'r merched oedd yn codi'r peli.

'Ia, syr?' Roedd Alecs wedi treulio pedair wythnos yn cael ei hyfforddi gan Walfor ac wedi penderfynu bod y dyn yn llai o deyrn nag yr hoffai i bobl ei gredu.

'Dw i angen cael rhywun wrth law. Oes ots gen ti?'

'Nagoes, syr. Popeth yn iawn.' Gwagiodd Alecs ei botel ddiod a chodi ar ei draed. Roedd yn falch o weld golwg siomedig ar wyneb Sabina wrth ei weld yn mynd.

Ystyr 'wrth law' oedd aros y tu allan i swyddfa'r dyfarnwr rhag ofn y byddai ei angen yn un o'r cyrtiau neu yn unrhyw le y tu mewn i dir y clwb. Mewn gwirionedd, byddai Alecs yn gallu mwynhau eistedd tu allan yn yr haul, yn gwylio'r dyrfa. Aeth â'i hambwrdd yn ôl at y cownter ac roedd ar fin mynd pan sylwodd ar rywbeth wnaeth iddo stopio a meddwl.

Roedd gwarchodwr diogelwch yn siarad ar ffôn cyhoeddus yng nghornel y stafell. Doedd dim byd rhyfedd yn hynny. Roedd yna warchodwyr wedi'u lleoli wrth fynedfa'r Cyfadeilad bob amser a bydden nhw ambell dro'n mynd i lawr i gael gwydraid o ddŵr neu fallai i ddefnyddio'r tŷ bach. Siaradai'r gwarchodwr yn gyflym ac yn gynhyrfus, ei lygaid yn disgleirio, fel pe bai'n trosglwyddo newyddion pwysig. Roedd hi'n amhosib clywed beth roedd yn ei ddweud ynghanol dwndwr cyffredinol y ffreutur, ond hyd yn oed wedyn sleifiodd Alecs chydig yn nes gan obeithio clywed gair neu ddau. A dyna pryd y sylwodd ar y tatŵ. Â chymaint o godwyr peli yn y stafell, a'r cogyddion yn brysur y tu ôl i'r cownter, roedd y tymheredd wedi codi. Roedd y gwarchodwr wedi tynnu'i siaced. Crys llewys byr oedd amdano. Ac yno, ar ei fraich, yn union islaw'r defnydd, roedd cylch mawr coch. Doedd Alecs erioed wedi gweld dim byd tebyg iddo. Cylch plaen, diaddurn heb unrhyw ysgrifen na llun. Beth oedd ei arwyddocâd, tybed?

Trodd y gwarchodwr yn sydyn a sylwi ar Alecs yn edrych arno. Digwyddodd y cyfan yn gyflym iawn, ac roedd Alecs yn flin ag ef ei hun am beidio â bod yn fwy gofalus. Aeth y gwarchodwr ymlaen â'i sgwrs, ond trodd ei gorff fel bod y fraich a'r tatŵ allan o olwg Alecs. Ar yr un pryd, cuddiodd y tatŵ â'i law rydd. Gwenodd Alecs arno a gwneud ystum, fel pe bai'n aros am y ffôn. Mwmiodd y gwarchodwr air neu ddau ymhellach cyn gosod y ffôn ar ei grud. Yna gwisgodd ei siaced eto a symud i ffwrdd. Arhosodd Alecs iddo ddringo'r grisiau, yna aeth ar ei ôl. Ond doedd dim golwg ohono. Aeth Alecs yn ôl i'w sedd ar y fainc y tu allan i swyddfa'r dyfarnwr a meddwl.

Sgwrs ffôn mewn ffreutur prysur. Ddylai'r peth ddim fod o unrhyw bwys. Ond yn rhyfedd iawn, roedd Alecs wedi gweld y gwarchodwr chydig ynghynt, rhyw awr cyn i'r gêm rhwng Blitz a Lefevre gychwyn. Anfonwyd Alecs draw i Adeilad y Mileniwm i ddanfon raced i un o'r cystadleuwyr eraill, a chafodd ei gyfeirio i lolfa'r chwaraewyr. Wedi dringo'r grisiau oedd yn codi o'r brif dderbynfa, daeth at ardal eang, agored gyda monitorau teledu ar un ochr a therfynellau cyfrifiaduron ar y llall, a soffas glas a choch yn y canol. Teimlai ei bod yn fraint cael bod yno. Lle preifat oedd hwn. Ar un o'r soffas, eisteddai Venus Williams. Roedd Tim Henman yn gwylio gêm ar y teledu. A dacw Jochen Blitz ei hun, yn estyn llond cwpan plastig o ddŵr mwynol iasoer o beiriant wrth y wal bellaf.

Roedd y gwarchodwr yno hefyd. Roedd Alecs wedi sylwi arno'n sefyll yn anghyfforddus braidd wrth y grisiau. Er ei fod yn gwylio Blitz, defnyddiai ei ffôn symudol ar yr un pryd. O leiaf, felly roedd hi'n ymddangos. Ond roedd Alecs wedi meddwl ar y pryd bod rhywbeth yn od yn ei gylch. Er bod y ffôn symudol wrth ei glust, doedd o ddim yn siarad. Roedd ei sylw i gyd ar Blitz. Gwyliodd Alecs wrth i Blitz yfed y dŵr a cherdded i ffwrdd. Roedd y gwarchodwr wedi cerdded i ffwrdd rai eiliadau'n ddiweddarach.

Beth oedd y dyn yn ei wneud yn Adeilad y Mileniwm? Dyna'r cwestiwn cyntaf ofynnodd Alecs iddo'i hun wrth iddo eistedd yn yr haul, yn gwrando ar sŵn taro peli tennis yn y pellter a churo dwylo cynulleidfa anweledig. Ac roedd rhywbeth arall oedd yn fwy o ddirgelwch fyth. Os oedd gan y gwarchodwr ffôn symudol, a hwnnw'n gweithio'n iawn dim ond awr neu ddwy'n ôl, pam bod angen iddo ddefnyddio'r ffôn cyhoeddus yng nghornel y Cyfadeilad? Wrth gwrs, fallai fod batri ei ffôn yn fflat. Ond hyd yn oed wedyn, pam defnyddio'r ffôn arbennig hwnnw? Roedd ffonau eraill i'w cael drwy'r clwb cyfan, i fyny ar lefel y ddaear. Tybed oedd y dyn yn awyddus i gadw allan o'r golwg?

A pham bod ganddo gylch coch wedi'i datŵio ar ei fraich? Doedd o ddim yn awyddus i unrhyw un weld hwnnw. Roedd Alecs yn sicr ei fod wedi ceisio'i guddio.

Ac roedd yna rywbeth arall. Fallai mai cyd-ddigwyddiad oedd y peth a dim mwy, ond – fel y dyn oedd wedi torri i mewn i Glwb Tennis Lloegr yn y lle cyntaf – Tsieinead oedd y gwarchodwr.

GWAED A MEFUS

Doedd Alecs ddim wedi gwneud penderfyniad ymwybodol i ddilyn y gwarchodwr, ond yn ystod y dyddiau canlynol roedd fel pe bai'n cael ei dynnu ato bron yn ddamweiniol. Cafodd gipolwg arno ddwywaith eto: unwaith yn chwilio bagiau llaw ar gât pump ac wedyn yn rhoi cyfarwyddiadau i grŵp o wylwyr.

Yn anffodus, roedd hi'n amhosib cadw golwg arno drwy'r amser. Dyna oedd yr unig ddiffyg yng nghynllun Crawley. Roedd gwaith Alecs fel codwr peli'n ei gadw ar y Cwrt Canol am y rhan fwyaf o'r dydd. Gweithient ar drefn rota, dwyawr yn gweithio, dwyawr yn rhydd. Ar y gorau, doedd o ond yn gallu bod yn ysbïwr rhan-amser. A phan oedd yn gweithio ar y cwrt, buan iawn yr anghofiai am y gwarchodwr, y ffôn a holl fusnes y torri mewn wrth iddo ymgolli yn nrama'r gêm.

Ond dau ddiwrnod ar ôl i Blitz adael Wimbledon, cafodd Alecs ei hun unwaith eto'n dilyn y gwarchodwr. Tua hanner awr cyn i chwaraeon y pnawn ddechrau oedd hi, ac Alecs ar fin mynd i ddweud wrth swyddogion y Cyfadeilad ei fod yn bresennol, pan welodd y dyn yn mynd yn ôl i mewn i Adeilad y Mileniwm. Roedd hynny ynddo'i hun yn od. Roedd gan yr

41

adeilad ei weithwyr diogelwch ei hun. Allai'r cyhoedd ddim mynd heibio i ddesg y dderbynfa heb drwydded. Felly beth oedd ei bwrpas y tu mewn i'r lle? Edrychodd Alecs ar ei oriawr. Pe bai'n hwyr, byddai Walfor yn gweiddi arno a fallai hyd yn oed yn ei symud i un o'r cyrtiau llai diddorol ar y cyrion. Ond roedd rhywfaint o amser wrth gefn. A, rhaid cyfaddef, roedd yn teimlo'n chwilfrydig.

Aeth i mewn i Adeilad y Mileniwm, ac fel arfer chafodd o mo'i herio gan neb. Roedd ei iwnifform codwr peli'n ddigon. Dringodd y grisiau, cerdded drwy lolfa'r chwaraewyr ac i mewn i'r bwyty yn y pen draw. Roedd y gwarchodwr yno o'i flaen. Unwaith eto roedd ei ffôn symudol yn ei law. Ond doedd o ddim yn ffonio neb, dim ond sefyll yno, yn gwylio'r chwaraewyr a'r newyddiadurwyr wrth iddyn nhw orffen eu cinio.

Stafell fawr, fodern oedd y bwyty, gyda bwffe hir ar gyfer bwyd poeth, a chownter yn y canol ar gyfer saladau, diodydd oer a ffrwythau. Roedd oddeutu cant o bobl yn bwyta wrth y byrddau, ac fe welodd Alecs un neu ddau o wynebau enwog yn eu plith. Taflodd gipolwg ar y gwarchodwr. Safai mewn cornel, gan geisio osgoi tynnu sylw ato'i hun. Ar yr un pryd, roedd fel petai'n canolbwyntio ar fwrdd wrth un o'r ffenestri. Trodd Alecs i weld ar beth roedd yn syllu. Eisteddai dau ddyn wrth y bwrdd – un mewn siaced a thei, a'r llall mewn tracwisg. Doedd Alecs ddim yn nabod y cyntaf, ond Owen Bryant oedd yr ail, Americanwr a chwaraewr arall o safon ryngwladol. Byddai'n chwarae'n ddiweddarach y pnawn hwnnw.

Gallai'r dyn arall fod yn rheolwr arno, neu fallai ei asiant. Roedd y ddau'n siarad yn dawel, yn ddwys. Siaradodd y rheolwr a chwarddodd Bryant. Symudodd Alecs ymhellach i mewn i'r bwyty, gan gadw'n agos at y wal. Roedd yn awyddus i weld beth oedd y gwarchodwr am ei wneud, ond doedd o ddim am gael ei weld. Roedd yn falch fod y bwyty'n weddol brysur, a digon o bobl yn symud o amgylch i'w guddio.

Cododd Bryant. Gwelodd Alecs lygaid y gwarchodwr yn culhau. Cododd y ffôn symudol at ei glust. Ond doedd o ddim wedi gwasgu unrhyw rifau. Aeth Bryant draw at y peiriant dŵr a thynnu cwpan allan o'r silindr plastig. Pwysodd y gwarchodwr fotwm ar ei ffôn. Arllwysodd Bryant chydig o ddŵr iddo'i hun. Gwyliodd Alecs wrth i swigen o aer nofio i fyny i'r wyneb y tu mewn i'r tanc plastig. Aeth y chwaraewr tennis â'r dŵr yn ôl at y bwrdd ac eistedd. Dwedodd y rheolwr rywbeth. Yfodd Bryant ei ddŵr. A dyna hi. Roedd Alecs wedi gweld y cyfan.

Ond *beth* oedd o wedi'i weld?

Doedd ganddo ddim amser i ateb ei gwestiwn ei hun gan fod y gwarchodwr yn symud, yn anelu am yr allanfa. Penderfynodd Alecs. Roedd y prif ddrws rhyngddo ef a'r gwarchodwr, ac anelodd yntau amdano, gan gadw'i ben i lawr fe pe bai o ddim yn edrych i ble roedd yn mynd. Amserodd y peth i'r dim. Fel roedd y gwarchodwr yn cyrraedd y drws, trawodd Alecs yn ei erbyn. Ar yr un pryd taflodd ei fraich i un ochr yn ddiofal, gan gyffwrdd â llaw'r gwarchodwr. Syrthiodd y ffôn symudol i'r llawr.

'O – mae'n ddrwg gen i,' meddai Alecs. Cyn i'r gwarchodwr allu'i rwystro, roedd wedi gwyro i lawr a chodi'r ffôn. Teimlodd ei bwysau yn ei law am eiliad cyn ei estyn yn ôl. 'Dyma chi,' meddai.

Ddwedodd y gwarchodwr 'run gair. Am foment roedd ei lygaid wedi'u cloi ar rai Alecs, a chafodd Alecs ei hun yn cael ei archwilio gan ddau lygad tywyll heb unrhyw fywyd o gwbl ynddynt. Roedd croen y dyn yn welw ac yn greithiau brech drosto, a haen o chwys ar ei wefus uchaf. Doedd dim mynegiant o gwbl ar ei wyneb. Teimlodd Alecs y ffôn yn cael ei rwygo allan o'i law ac yna roedd y gwarchodwr wedi mynd, y drws yn troi a chau ar ei ôl.

Roedd llaw Alecs yn dal wedi'i hestyn o'i flaen. Edrychodd i lawr arni. Pryderai ei fod wedi'i fradychu'i hun, ond o leiaf roedd wedi dysgu rhywbeth o'r cyfarfyddiad. Un ffug oedd y ffôn symudol. Roedd yn rhy ysgafn. Doedd dim byd ar y sgrin. A doedd dim logo cyfarwydd arno chwaith: Nokia, Panasonic, Virgin … dim byd.

Trodd yn ôl at y ddau ddyn wrth y bwrdd. Roedd Bryant wedi yfed ei ddŵr a gwasgu'r cwpan plastig yn ei law. Roedd yn ysgwyd llaw â'i ffrind, ar fin gadael.

Y dŵr …

Roedd Alecs wedi cael syniad oedd yn hollol wallgof, at eto'n gwneud rhyw fath o synnwyr o'r hyn roedd wedi'i weld. Cerddodd yn ôl ar draws y bwyty a gwyro i lawr wrth y peiriant dŵr. Roedd wedi gweld yr un peiriannau ymhob rhan o'r clwb tennis. Estynnodd gwpan a'i defnyddio i bwyso'r tap o dan y tanc. Llifodd dŵr, wedi'i hidlo a'i oeri, i mewn i'r cwpan.

'Be ddiawl wyt ti'n feddwl wyt ti'n wneud?'

Cododd Alecs ei ben a gweld dyn wynepgoch mewn blaser Wimbledon yn edrych i lawr arno. Dyma'r wyneb anghyfeillgar cyntaf iddo'i weld er pan gyrhaeddodd. 'Dim ond cael diod o ddŵr o'n i,' eglurodd.

'Mi fedra i weld hynny! Mae hynna'n gwbl amlwg. Hynny ydi, be wyt ti'n wneud yn y bwyty yma? Mae fan hyn wedi'i neilltuo ar gyfer y chwaraewyr, swyddogion a'r wasg.'

'Dw i'n gwybod hynny,' meddai Alecs. Gorfododd ei hun i beidio â cholli'i dymer. Doedd ganddo ddim hawl i fod yma, a phe bai'r swyddog – pwy bynnag oedd o – yn gwneud cwyn, fe allai'n hawdd golli'i le fel codwr peli. 'Mae'n ddrwg gen i, syr,' meddai. 'Mi ddois i â raced draw i Mr Bryant. Ond ro'n i'n sychedig, felly mi arhosais i gael diod.'

Meddalodd y swyddog. Roedd stori Alecs yn swnio'n gwbl resymol. Ac roedd wedi mwynhau cael ei alw'n 'syr'. Nodiodd. 'O'r gorau. Ond paid â gadael i mi dy weld di i mewn yma eto.' Estynnodd ei law a chymryd y cwpan plastig. 'Rŵan, ffwrdd â chdi.'

Cyrhaeddodd Alecs yn ôl yn y Cyfadeilad ryw ddeng munud cyn dechrau'r chwarae. Gwgodd Walfor arno, ond ddwedodd o 'run gair.

Y pnawn hwnnw, collodd Owen Bryant ei ornest yn erbyn Jacques Lefevre, yr un Ffrancwr anadnabyddus oedd wedi curo Jochen Blitz mor annisgwyl ddau ddiwrnod ynghynt. 6–4, 6–7, 4–6, 2–6 oedd y sgôr terfynol. Er bod

Bryant wedi ennill y gêm gyntaf, roedd ei chwarae wedi dirywio'n gyson drwy gydol y pnawn. Canlyniad annisgwyl arall. Fel Blitz, Bryant oedd y ffefryn i ennill.

Ugain munud yn ddiweddarach, roedd Alecs yn ôl yn y ffreutur islaw'r llawr yn eistedd gyda Sabina, oedd yn yfed Coke Lite.

'Mae Mam a Dad yma heddiw,' meddai hi. 'Fe lwyddes i gael tocynne iddyn nhw ac i dalu'n ôl maen nhw wedi addo bwrdd syrffo newydd imi. Wyt ti wedi syrffo erioed, Alecs?'

'Be?' Roedd Alecs filltiroedd i ffwrdd.

'Siarad am Gernyw o'n i. Syrffo … '

'Do, dw i wedi syrffio.' Roedd Alecs wedi dysgu gyda'i ewythr, Ian Rider – yr ysbïwr roedd ei farwolaeth wedi newid bywyd Alecs mor ddisymwth. Roedd y ddau wedi treulio wythnos gyda'i gilydd yn San Diego, Califfornia, flynyddoedd yn ôl. Blynyddoedd oedd weithiau'n teimlo fel canrifoedd.

'Oes rhywbeth o'i le ar dy ddiod di?' gofynnodd Sabina.

Sylweddolodd Alecs ei fod yn dal ei Coke o'i flaen, yn ei gadw yn ei law a syllu arno. Ond am ddŵr roedd o'n meddwl.

'Na, mae o'n iawn …' cychwynnodd.

Ac yna, o gil ei lygad, fe welodd y gwarchodwr. Roedd wedi dod yn ôl i lawr y grisiau i'r Cyfadeilad. Unwaith eto roedd yn defnyddio'r ffôn yn y gornel. Gwelodd Alecs y dyn yn rhoi darn arian i mewn ac yn deialu.

'Fydda i'n ôl mewn munud,' meddai.

Cododd a mynd draw at y ffôn. Roedd y gwarchodwr yn sefyll â'i gefn ato. Y tro hwn fallai y byddai'n medru mynd yn ddigon agos ato i glywed y sgwrs.

'… yn mynd i fod yn hollol lwyddiannus.' Yn Saesneg roedd y gwarchodwr yn siarad, ond ag acen dew. Roedd â'i gefn at Alecs o hyd. Ar ôl saib fer, meddai, 'Rwy'n mynd i gwrdd ag e nawr. Gwnaf … yn syth. Fe fydd e'n ei roi imi ac fe ddof ag e ichi.' Saib arall. Cafodd Alecs y teimlad fod y sgwrs yn dirwyn i ben. Cerddodd yn ôl gam neu ddau. 'Rhaid imi fynd,' meddai'r gwarchodwr. 'Hwyl.' Rhoddodd y ffôn i lawr a cherddded i ffwrdd.

'Alecs …?' galwodd Sabina. Roedd hi ar ei phen ei hun, yn eistedd yn ei hunfan. Roedd hi wedi bod yn gwylio'r cyfan, sylweddolodd Alecs. Cododd ei law arni. Byddai'n rhaid iddo feddwl sut i egluro wrthi'n nes ymlaen.

Wnaeth y gwarchodwr ddim dringo'n ôl i fyny i lefel y ddaear. Yn lle hynny aeth trwy ddrws oedd yn arwain i goridor hir, yn ymestyn i'r pellter. Agorodd Alecs y drws a'i ddilyn.

Mae Clwb Tennis Lloegr yn ymestyn dros ehangder anferth o dir. Ar yr wyneb mae'n edrych yn eitha tebyg i barc thema, er mai tennis fyddai'r unig thema honno. Mae miloedd o bobl yn llifo ar hyd llwybrau a rhodfeydd dan do – llifeiriant di-dor o grysau gwyn llachar, sbectolau haul a hetiau gwellt. Yn ogystal â'r cyrtiau, mae yna stafelloedd te a chaffis, bwytai, siopau, pebyll croeso, stondinau tocynnau a chanolfannau diogelwch.

Ond, o dan hyn i gyd, mae 'na fyd arall llai cyfarwydd. Mae'r clwb cyfan wedi'i gysylltu â drysfa o goridorau, rai'n ddigon llydan i yrru car drwyddynt. Os yw'n hawdd mynd ar goll uwchben y ddaear, mae hyd yn oed yn haws colli'ch ffordd islaw. Prin iawn yw'r arwyddion, a does neb yn sefyll ar y gornel yn barod i gynnig gwybodaeth. Dyma fyd y cogyddion a'r gweinyddion, y casglwyr sbwriel a'r dosbarthwyr. Maen nhw rywsut yn dod o hyd i'r ffordd o gwmpas, gan ddod i fyny i olau dydd yn yr union le iawn, cyn diflannu unwaith eto.

Enw'r coridor roedd Alecs ynddo oedd 'Y Llwybr Brenhinol', oedd yn cysylltu Adeilad y Mileniwm â Chwrt Rhif Un, gan adael i'r chwaraewyr gerdded i'w gêm heb i neb eu gweld. Roedd yn lân ac yn wag, a charped glas ar y llawr. Roedd y gwarchodwr oddeutu ugain metr o'i flaen, ac roedd bod ar ei ben ei hun mor sydyn yn gwneud i Alecs deimlo'n anghyfforddus. Dim ond y ddau ohonyn nhw oedd yno. Uwch eu pennau, ar yr wyneb, fe fyddai pobl ymhobman, yn gwau trwy'i gilydd yn yr haul. Roedd Alecs yn ddiolchgar am y carped, oedd yn distewi sŵn ei draed. Edrychai'r gwarchodwr fel pe bai ar frys. Hyd yma doedd o ddim wedi stopio na throi.

Cyrhaeddodd y gwarchodwr ddrws pren a'r arwydd CYFYNGEDIG arno. Heb aros, aeth drwyddo. Safodd Alecs yn llonydd am foment cyn ei ddilyn. Erbyn hyn roedd mewn amgylchedd gwahanol iawn – coridor â llawr sment, arwyddion diwydiannol melyn a phibelli awyru trwchus uwchben. Roedd arogleuon olew a sbwriel yn drwm ar yr awyr, a gwyddai Alecs ei fod wedi cyrraedd y Llwybr Bygis bondigrybwyll, ffordd ddosbarthu sy'n ffurfio cylch anferth o dan y clwb. Daeth dau yn eu harddegau mewn barclodau gwyrdd a jîns heibio iddo, yn gwthio biniau plastig. Cerddodd gweinyddes i'r cyfeiriad arall, yn cario llond hambwrdd o lestri budron. Doedd dim golwg o'r gwarchodwr, ac am sbel roedd Alecs yn meddwl ei fod wedi'i golli. Ond yna gwelodd ffigur yn diflannu y tu ôl i res o stribedi plastig tryloyw oedd yn hongian o'r nenfwd i'r llawr. Gallai weld iwnifform y dyn yr ochr draw i'r llen. Prysurodd yn ei flaen a mynd drwodd.

Sylweddolodd Alecs ddau beth ar yr un pryd. Doedd ganddo bellach ddim syniad ble roedd o – ac roedd yno ar ei ben ei hun.

Roedd mewn stafell dan ddaear, un siâp banana, a phileri concrid yn cynnal y to. Edrychai'r lle fel maes parcio tanddaearol, ac yn wir roedd tri neu bedwar o geir wedi'u parcio nesaf at y llwybr uchel lle safai. Roedd y lle'n llawn dop o sbwriel. Roedd yno focsys cardfwrdd gwag, paledi pren, cymysgwr sment rhydlyd, hen dameidiau o ffens a pheiriannau coffi wedi torri – a'r cyfan wedi'u taflu o'r neilltu a'u gadael i bydru ar y llawr sment llaith. Roedd arogl sur ar yr aer, a gallai Alecs glywed sŵn grwnan parhaus, fel o lif drydan, yn dod o beiriant cywasgu sbwriel chydig o'r golwg. Ac eto, roedd y lle hefyd yn cael ei ddefnyddio i storio bwyd a diod. Roedd yno gasgenni cwrw, cannoedd o boteli o ddiodydd pefriog, a silindrau nwy. Hefyd, wedi'u gosod yn un rhes, roedd wyth neu naw o flychau gwyn enfawr –

51

rhewgistiau, bob un yn dwyn y label
RHEWGISTIAU RAWLINGS.

Edrychodd Alecs i fyny at y to, oedd yn
gogwyddo am i fyny; roedd ei siâp yn ei atgoffa
o rywbeth. Wrth gwrs! Y rhesi seddau ar
ogwydd o amgylch Cwrt Rhif Un! Dyna lle roedd
o – yn y bae llwytho o dan y cwrt tennis. Yn wir,
hon oedd ochr arall y geiniog i Wimbledon. Hwn
oedd man cyrraedd yr holl gyflenwadau, a man
cychwyn yr holl sbwriel ohono. A'r eiliad hon,
roedd deng mil o bobl yn eistedd dim ond chydig
fetrau uwch ei ben, gan fwynhau'r gêm, heb
syniad yn y byd bod popeth roedden nhw'n ei
fwyta a'i yfed yn ystod y dydd yn cychwyn ac yn
diweddu yma.

Ond ble roedd y gwarchodwr? Pam ei fod
wedi dod yma, a phwy oedd o'n ei gyfarfod?
Sleifiodd Alecs yn ei flaen yn ofalus, gan
deimlo'n unig iawn. Roedd ar blatfform
uwchben y llawr a'r un gair PERYGL wedi'i
ailadrodd mewn llythrennau melyn ar hyd ei
ymyl. Doedd arno ddim angen gwers. Daeth at
set o risiau a mynd i lawr i brif ran y stafell, ar yr
un lefel â'r rhewgistiau. Cerddodd heibio i
bentwr o silindrau nwy, oedd yn cynnwys
carbon deuocsid dan bwysedd. Doedd ganddo
ddim syniad beth oedd eu pwrpas. Roedd

hanner y pethau oedd yma fel petaen nhw wedi'u taflu heibio heb reswm yn y byd.

Erbyn hyn roedd yn weddol sicr fod y gwarchodwr wedi mynd. Pam y byddai'n cyfarfod rhywun i lawr yn y fan yma? Am y tro cyntaf ers iddo adael y Cyfadeilad, chwaraeodd Alecs y sgwrs ffôn yn ôl yn ei feddwl.

'Rwy'n mynd i gwrdd ag e nawr. Gwnaf ... yn syth. Fe wnaiff e 'i roi e imi ...'

Roedd yn swnio'n chwerthinllyd, yn ffug, fel rhywbeth allan o ffilm wael. Fel roedd Alecs yn sylweddoli hyn, ac yn deall ei fod wedi cael ei dwyllo, clywodd y sŵn sgrechian, a gweld y siâp tywyll yn rhuthro o'r cysgodion. Roedd ar ganol y llawr concrid, mewn lle agored. Roedd y gwarchodwr wrth lyw tryc fforch godi, a'r dannedd metel yn estyn amdano fel cyrn rhyw ddarw anferth. Wedi'i yrru gan beiriant trydan pedwar deg wyth folt, roedd y tryc yn rhuthro tuag ato ar deiars niwmatig. Edrychodd Alecs i fyny a gweld y paledi pren trymion, dwsin ohonyn nhw, yn bentwr uchel uwchben y caban. Gwelodd wên y gwarchodwr, fflach o ddannedd hyll mewn wyneb hyllach fyth. Teithiodd y tryc tuag ato ar gyflymder syfrdanol cyn stopio'n sydyn wrth i'r gwarchodwr sathru'r brêc i'r llawr. Gwaeddodd Alecs a'i daflu'i hun i'r ochr.

Llithrodd y paledi pren, wedi'u gyrru ymlaen gan symudiad y tryc, oddi ar y dannedd a chlecian i lawr. Fe ddylai Alecs fod wedi'i wasgu, ac fe fyddai, oni bai am y casgenni cwrw. Roedd rhes ohonyn nhw wedi derbyn pwysau'r paledi, gan adael triongl fach o wagle. Clywodd Alecs y pren yn darnio'n chwilfriw gentimetrau'n unig uwch ei ben. Disgynnodd cawod o ysgyrion pren ar ei wddf a'i gefn. Roedd pentwr o lwch a baw'n ei orchuddio. Gan dagu, yn hanner dall, cropiodd yn ei flaen wrth i'r tryc ddechrau mynd am yn ôl a pharatoi i ddod amdano eto.

Sut oedd o wedi gallu bod mor ddwl? Roedd y gwarchodwr wedi'i weld y tro cyntaf hwnnw yn y Cyfadeilad, wrth wneud ei alwad ffôn. Roedd Alecs wedi sefyll yno'n llygadrythu ar y tatŵ ar fraich y dyn, ac wedi credu y byddai ei iwnifform swyddogol yn ddigon i'w amddiffyn. Ac wedyn, yn Adeilad y Mileniwm, roedd Alecs wedi taro'n drwsgl yn ei erbyn er mwyn cael ei ddwylo ar y ffôn symudol. Wrth gwrs bod y dyn yn gwybod pwy oedd o, a beth oedd o'n ei wneud. Doedd dim gwahaniaeth mai bachgen yn ei arddegau oedd o. Roedd yn beryglus. Roedd yn rhaid gwneud i ffwrdd ag o.

Ac felly roedd wedi gosod trap mor amlwg fel na fyddai wedi twyllo bachgen ysgol, hyd yn oed. Fallai bod Alecs yn hoffi meddwl amdano'i hun fel rhyw fath o archysbïwr oedd wedi achub y byd i gyd ddwywaith, ond lol botes oedd hynny. Roedd y gwarchodwr wedi gwneud galwad ffôn ffug ac wedi hudo Alecs i'w ddilyn i'r lle diffaith yma. A nawr roedd am ei ladd. Fyddai dim ots pwy oedd o, na faint roedd o wedi'i ddarganfod, unwaith roedd yn farw.

Gan dagu a chyfogi, cododd Alecs yn simsan ar ei draed fel roedd y tryc yn cychwyn amdano am yr eildro. Trodd a rhedeg. Edrychai'r gwarchodwr bron yn chwerthinllyd, yn ei gwman yn y caban bach. Ond roedd y peiriant roedd yn ei yrru'n gyflym, yn gryf ac yn anhygoel o hyblyg, yn gallu troi mewn cylch cyfan ar ddarn deg ceiniog. Ceisiodd Alecs newid cyfeiriad. Trodd y tryc mewn cylch a'i ddilyn. Oedd modd iddo gyrraedd y platfform uchel? Na. Gwyddai Alecs ei fod yn rhy bell.

Estynnodd y gwarchodwr ymlaen a phwyso botwm. Crynodd y fforchau a gostwng fel eu bod yn edrych yn llai tebyg i gyrn ac yn debycach i ddau gleddyf yn nwylo rhyw farchog hunllefus o'r Oesoedd Canol. Pa ffordd ddylai o neidio? I'r chwith ynteu i'r dde? Eiliad gafodd Alecs i benderfynu cyn bod y tryc ar ei warthaf. Taflodd ei hun i'r dde, gan bowlio drosodd a throsodd ar y concrid. Tynnodd y gwarchodwr ar y ffon lywio, a throdd y peiriant unwaith eto. Troellodd Alecs, a llwyddo o ryw gentimetr i symud o ffordd yr olwynion trwm. Aeth y tryc yn ei flaen, a hyrddio'i hun yn erbyn un o'r pileri.

Cafwyd eiliad o dawelwch. Cododd Alecs, ei ben yn troi. Am eiliad fer, gobeithiai fod yr ergyd fallai wedi taro'r gwarchodwr yn anymwybodol, ond teimlodd y siom fel dwrn yn ei stumog wrth weld y dyn yn camu allan o'r caban, gan ysgubo chydig o lwch oddi ar lawes ei siaced. Symudai'n araf-hyderus, fel dyn oedd yn gwybod yn iawn bod ganddo reolaeth lwyr dros bethau. A gallai Alecs weld pam. Yn reddfol, roedd y dyn wedi gosod ei gorff fel un oedd â phrofiad mewn crefft ymladd; traed chydig ar wahân, ei graidd disgyrchiant yn isel. Roedd ei ddwylo ar dro o'i flaen, yn aros i daro. Daliai i wenu. Y cyfan a welai oedd bachgen diamddiffyn – ac un oedd wedi'i wanhau yn dilyn dau gyfarfyddiad â'r tryc fforch godi.

Â chri sydyn, trawodd, ei law dde'n anelu fel cyllell am wddf Alecs. Pe bai'r ergyd wedi cyrraedd ei nod, dyna fyddai diwedd Alecs. Ond ar yr eiliad olaf cododd ei ddyrnau, gan groesi'i freichiau i greu rhwystr. Roedd y gwarchodwr wedi'i synnu, a chymerodd Alecs fantais o'r foment i gicio â'i droed dde, gan anelu at ffwrch y dyn. Ond roedd y gwarchodwr wedi symud, gan droi i un ochr, a'r eiliad honno sylweddolodd Alecs ei fod yn wynebu ymladdwr oedd yn gryfach, yn gyflymach ac yn fwy profiadol nag ef ei hun, ac mai chydig iawn o obaith oedd ganddo yn erbyn dyn o'r fath.

Trodd y gwarchodwr yn sydyn, a'r tro hwn trawodd ochr pen Alecs â chefn ei law. Clywodd Alecs y glec. Am eiliad roedd wedi'i ddallu. Gyrrwyd ef yn ôl nes taro'n galed yn erbyn rhyw arwyneb metel. Drws un o'r rhewgistiau oedd yno. Gafaelodd rywsut yn y ddolen, ac wrth iddo faglu yn ei flaen agorwyd y drws. Teimlodd chwa rhewllyd ar ei wegil a fallai mai hynny wnaeth ei adfywio a rhoi'n nerth iddo'i daflu'i hun ymlaen, gan wyro i osgoi cic egr arall wedi'i hanelu at ei wddf.

Gwyddai Alecs ei bod yn ddrwg arno. Roedd ei drwyn yn gwaedu. Gallai deimlo'r gwaed cynnes yn diferu i lawr dros ei wefus. Roedd ei ben yn troi, a'r bylbiau golau trydan fel pe baen nhw'n fflachio o flaen ei lygaid. Ond doedd y gwarchodwr ddim hyd yn oed yn anadlu'n drwm. Am y tro cyntaf, meddyliodd Alecs tybed pa fath o nyth cacwn roedd wedi'i dynnu am ei ben. Beth allai fod mor bwysig i'r gwarchodwr fel ei fod yn fodlon llofruddio bachgen pedair ar ddeg oed mewn gwaed oer, heb hyd yn oed ofyn cwestiynau? Sychodd Alecs y gwaed oddi ar ei geg gan felltithio Crawley am ddod ato ar y cae pêl-droed, a'i felltithio'i hun am wrando. Sedd rhes flaen yn Wimbledon? Ym mynwent Wimbledon, fallai.

Dechreuodd y gwarchodwr gerdded tuag ato. Tynhaodd Alecs ei gorff, yna taflodd ei hun o'r neilltu, gan osgoi ergyd farwol, drom gan droed a dwrn. Glaniodd nesaf at fin sbwriel, a hwnnw'n gorlifo o wastraff. Â'i holl nerth, cododd y bin a'i daflu, gan wenu wrth i'r bin hyrddio yn erbyn ei ymosodwr a throi bwyd pydredig drosto i gyd. Rhegodd y gwarchodwr a chamu'n ôl yn simsan. Rhedodd Alecs heibio cefn y rhewgist, gan geisio cael ei wynt ato, yn chwilio am ffordd i ddianc.

Dim ond eiliadau oedd ganddo'n sbâr. Gwyddai y byddai'r gwarchodwr yn dod ar ei ôl, a'r tro nesaf byddai'n gorffen y gwaith. Roedd wedi cael llond bol. Edrychodd Alecs i'r dde ac i'r chwith. Gwelodd y silindrau nwy cywasgedig a llusgo un allan o'i ffrâm wifren. Teimlai'r silindr fel pe bai'n pwyso tunnell, ond roedd Alecs wedi cyrraedd pen ei dennyn. Agorodd y tap a chlywodd y nwy'n chwistrellu allan. Yna, gan ddal y silindr o'i flaen â'i ddwy law, camodd ymlaen. Yr eiliad honno daeth y gwarchodwr i'r golwg heibio ochr y rhewgist. Sgrytiodd Alecs ymlaen, ei gyhyrau'n sgrechian, a hyrddio'r silindr i wyneb y dyn. Ffrwydrodd y nwy yn llygaid y dyn, gan ei ddallu am ychydig. Daeth Alecs â'r silindr i lawr, yna'n ôl i fyny. Clenciodd yr ymyl metel yn erbyn pen y dyn, chydig uwchben ei drwyn. Teimlodd Alecs y dur solet yn taro yn erbyn asgwrn. Gwegiodd yn dyn yn ei ôl. Camodd Alecs ymlaen eto. Y tro hwn, defnyddiodd y silindr fel bat criced, gan daro'r dyn â grym anhygoel ar ei ysgwyddau a'i war. Doedd gan y gwarchodwr ddim gobaith. Cafodd ei daflu oddi ar ei draed heb weiddi hyd yn oed, a'i hyrddio yn ei flaen i mewn i'r rhewgist agored.

Gollyngodd Alecs y silindr ac ochneidio'n drwm. Teimlai fel pe bai ei freichiau wedi'u rhwygo o'u socedau. Daliai ei ben i droi, a meddyliai fallai fod ei drwyn wedi torri. Herciodd yn ei flaen ac edrych i mewn i'r rhewgist.

Roedd yna len o haenau plastig, a thu ôl iddi roedd mynydd o focsys cardfwrdd, pob un yn llawn i'r ymylon o fefus. Er gwaetha'r sefyllfa, gwenodd Alecs. Roedd mefus a hufen yn un o brif draddodiadau Wimbledon, yn cael eu gwerthu am brisiau gwallgof ar y stondinau ac yn y tai bwyta. Dyma lle roedden nhw'n cael eu storio. Roedd y gwarchodwr wedi glanio ynghanol y bocsys, gan wasgu llawer ohonyn nhw. Roedd yn anymwybodol, wedi hanner ei orchuddio dan flanced o fefus, ei ben yn pwyso ar obennydd coch llachar ohonynt. Safodd Alecs yn y drws, yn pwyso ar y ffrâm i'w helpu i sefyll, gan adael i'r aer oer olchi drosto. Nesaf ato gwelodd thermostat. Tu allan, roedd y tywydd yn boeth. Roedd yn rhaid cadw'r mefus yn oer.

Edrychodd am y tro olaf ar y dyn oedd wedi ceisio'i ladd.

'Cysga'n sownd,' meddai.

Yna estynnodd a throi dwrn rheolydd y thermostat, gan yrru'r tymheredd i lawr o dan sero.

Cysga'n fwy sownd.

Caeodd Alecs ddrws y rhewgist a hercio i ffwrdd yn boenus.

Y CRIBWR

Dim ond munud neu ddau gymerodd hi i'r peiriannydd dynnu'r peiriant dŵr oer yn ddarnau. Estynnodd i'w ganol, ac yn ofalus datgysylltodd ffiol wydr fain o'r dryswch o wifrau a byrddau cylched.

'Wedi'i mewnosod yn yr hidlwr,' meddai. 'Mae 'na system falfiau. Dyfeisgar iawn.'

Rhoddodd y ffiol i ddynes ddifrifol yr olwg; daliodd hithau'r ffiol at y golau, gan graffu ar ei chynnwys. Roedd y ffiol yn hanner llawn o hylif clir. Trodd yr hylif o amgylch, rhoi diferyn ar flaen ei bys a'i sniffio. Culhaodd ei llygaid. 'Libriwm,' cyhoeddodd. Roedd ganddi ffordd gwta, ddi-lol o siarad. 'Cyffur bach annifyr. Byddai llond llwy yn eich llorio. Ond ar ôl diferyn neu ddau … mi fyddwch chi braidd yn ddryslyd. Yn y bôn, byddai'n eich gwneud chi braidd yn simsan.'

Roedd y bwyty, ac yn wir Adeilad y Mileniwm i gyd, wedi bod ar gau am y noson. Roedd tri dyn arall yno. John Crawley oedd un. Nesaf ato safai heddwas mewn iwnifform, uwch-swyddog, yn amlwg. Roedd y trydydd, dyn difrifol yr olwg a chanddo wallt gwyn, yn gwisgo tei Wimbledon. Eisteddai Alecs ar un ochr, yn teimlo'n flinedig yn sydyn ac yn ddieithr. Ar wahân i Crawley doedd neb yn gwybod ei fod yn gweithio i MI6. Hyd y gwydden nhw, dim ond codwr peli oedd Alecs, bachgen oedd wedi digwydd taro ar y gwir.

Erbyn hyn, gwisgai Alecs ei ddillad ei hun. Roedd wedi ffonio Crawley, yna cael cawod a newid, gan adael ei iwifform codwr peli yn ei locer, dan glo. Gwyddai rywsut ei fod wedi'i wisgo am y tro olaf. Meddyliodd tybed a fyddai'n cael cadw'r siorts, y crys a'r trênyrs Hi-Tec â'r logo racedi croes wedi'i frodio ar y tafod. Yr iwifform ydi'r unig dâl mae'r merched a'r bechgyn sy'n codi peli yn Wimbledon yn ei dderbyn.

'Mae'n eitha amlwg beth oedd yn digwydd.' Crawley oedd yn siarad, wrth y dyn yn y tei clwb. 'Fe gofiwch chi, Syr Norman, fy mod i'n gofidio bod rhywun wedi torri i mewn. Wel, mae'n ymddangos 'mod i'n iawn. Doedden nhw ddim yn moyn dwgyd unrhyw beth. Dod yma wnaethon nhw i ymyrryd â'r peiriannau cyflenwi dŵr. Yn y bwyty, yn y lolfa, ac yn ôl pob tebyg drwy'r adeilad cyfan. Rheoli o bell ... odi hynny'n gywir, Henderson?'

Henderson oedd y peiriannydd oedd wedi datgymalu'r peiriant dŵr. Asiant arall o MI6. 'Yn berffaith gywir, syr,' atebodd. 'Roedd y peiriant dŵr yn gweithio'n iawn, yn cyflenwi dŵr oer. Ond pan oedd o'n derbyn signal radio – a dyna be oedd ein cyfaill yn ei wneud efo'r ffôn symudol ffug – roedd yn chwistrellu chydig o fililitrau o'r cyffur Libriwm i mewn i'r dŵr. Dim digon i ddangos mewn prawf gwaed ar hap, pe bai rhywun yn cael ei brofi. Ond digon i ddifetha'u gêm nhw.'

Cofiodd Alecs y chwaraewr o Almaenwr, Blitz, wrth iddo adael y cwrt ar ôl colli'i ornest. Edrychai'n ddryslyd ac allan o ffocws. Ond roedd yn fwy na hynny. Roedd dan ddylanwad cyffuriau.

'Mae'n gwbl dryloyw,' ychwanegodd y ddynes. 'A phrin fod blas arno fe. Mewn cwpaned o ddŵr oer fydde neb yn sylwi.'

'Ond dydw i ddim yn deall!' meddai Syr Norman ar ei thraws. 'Be oedd y pwynt?'

'Dw i'n meddwl y medra i ateb hynna,' meddai'r heddwas. 'Fel y gwyddoch chi, mae'r gwarchodwr yn gwrthod dweud gair, ond mae'r tatŵ ar ei fraich yn dangos ei fod – neu wedi bod – yn aelod o'r Cylch Mawr.'

'A be'n union ydi peth felly?' ffrwtiodd Syr Norman.

'Triad ydi o, syr. Giang o Tsieina. Mae'r

triadau, wrth gwrs, yn gysylltiedig â sawl math o dorcyfraith. Cyffuriau. Puteiniaeth. Mewnfudwyr anghyfreithlon. A gamblo. Fy namcaniaeth i ydi bod y busnes yma'n gysylltiedig â'r byd gamblo. Fel unrhyw ddigwyddiad pwysig arall ym myd chwaraeon, mae Wimbledon yn denu gwerth miliynau o bunnau mewn betio. Rŵan, fel rydw i'n deall, mi ddechreuodd y Ffrancwr ifanc, Lefevre, y twrnamaint ar ods o dri chant i un yn erbyn iddo ennill y bencampwrieth.'

'Ond wedyn fe faeddodd e Blitz a Bryant,' meddai Crawley.

'Yn hollol. Doedd gan Lefevre ei hun, dw i'n siŵr, ddim syniad be oedd yn digwydd. Ond tasa'i wrthwynebwyr o i gyd dan ddylanwad cyffuriau cyn mynd allan ar y cwrt … Wel, mi ddigwyddodd ddwywaith. Mi allai'r peth fod wedi mynd yn ei flaen yr holl ffordd i'r gêm derfynol. Mi fyddai'r Cylch Mawr wedi gwneud eu ffortiwn! Byddai bet o gan mil o bunnau ar y Ffrancwr wedi ennill tri deg miliwn iddyn nhw.'

Cododd Syr Norman ar ei draed. 'Y peth pwysig rŵan ydi bod neb yn cael gwybod am hyn,' meddai. 'Mi fyddai'n sgandal i'r wlad ac yn drychineb i'n henw da ni. Mewn gwirionedd, mae'n debyg y bydden ni'n gorfod ailgynnal yr holl dwrnamaint o'r dechrau!' Taflodd gipolwg ar

Alecs, ond siaradai â Crawley. 'Fedrwn ni drystio'r bachgen yma i beidio clebran?' gofynnodd.

'Ddweda i 'run gair wrth neb,' meddai Alecs.

'Iawn, iawn.'

Nodiodd yr heddwas. 'Mi wnest ti'n dda iawn wir,' meddai. 'Sylwi ar y creadur yma'n y lle cyntaf ac wedyn ei ddilyn o a'r gweddill i gyd. Er, mae'n rhaid imi ddweud, roeddet ti braidd yn anghyfrifol yn ei gloi o yn y rhewgist.'

'Mi ddaru o drio'n lladd i,' meddai Alecs.

'Ond wedyn! Mi alla fo fod wedi rhewi i farwolaeth. Fel y mae hi, fallai bydd o'n colli bys neu ddau o achos y rhew.'

'Gobeithio na wneith hynny ddifetha'i gêm tennis o.'

'Wel, dwn i ddim wir ...' Pesychodd yr heddwas. Roedd yn amlwg nad oedd o'n deall Alecs o gwbl. 'Ta waeth, da iawn ti. Ond tro nesa, tria feddwl be wyt ti'n wneud. Mae'n siŵr gen i na fasat ti ddim am i neb gael ei frifo!'

I'r diawl â'r cwbl lot ohonyn nhw!

Safai Alecs yn gwylio'r tonnau, yn ddu ac arian yng ngolau'r lleuad wrth iddyn nhw bowlio i mewn i gilgant hir Traeth Fistral. Roedd yn ceisio anghofio'r cyfan am yr heddwas, Syr

Norman a Wimbledon. Roedd fwy neu lai wedi achub yr holl dwrnamaint; ac er nad oedd wedi disgwyl cael tocyn tymor i'r bocs brenhinol a the efo Duges Caint, doedd o ddim chwaith wedi meddwl y byddai'n cael ei wthio allan oddi yno mor ddisymwth. Bu'n gwylio'r gêmau terfynol, ar ei ben ei hun, ar y teledu. O leia roedden nhw wedi gadael iddo gadw'i iwnifform codwr peli.

Ac roedd un peth da arall wedi dod allan o'r cyfan. Doedd Sabina ddim wedi anghofio'i gwahoddiad.

Safai Alecs ar feranda'r tŷ roedd rhieni Sabina wedi'i logi, tŷ fyddai wedi bod yn hyll yn unrhyw fan arall yn y byd, ond a oedd yn gweddu'n berffaith i'w safle ar fin clogwyn yn edrych allan dros arfordir Cernyw. Tŷ hen ffasiwn, sgwâr, oedd o, wedi'i adeiladu'n rhannol o frics ac yn rhannol o bren wedi'i beintio'n wyn. Roedd yno bump o stafelloedd gwely, tair set o risiau a gormod o ddrysau. Yn nannedd y gwynt ac ewyn y môr, roedd yr ardd yn fwy marw na byw. Enw'r tŷ oedd Brook Leap, er na wyddai neb pwy oedd Brook, pam y llamodd, na hyd yn oed a oedd o wedi goroesi ai peidio. Roedd Alecs eisoes wedi bod yno am dridiau, ac wedi cael gwahoddiad i aros am yr wythnos gyfan.

Symudodd rhywbeth y tu ôl iddo. Roedd drws wedi agor a chamodd Sabina Pleasure allan, wedi'i lapio mewn gŵn ymolchi trwchus, yn cario dau wydryn. Roedd aer y nos yn gynnes. Er ei bod yn bwrw glaw pan gyrhaeddodd Alecs – roedd hi fel pe bai wastad yn glawio yng Nghernyw – roedd y tywydd wedi ysgafnu ac roedd hi'n sydyn yn noson hafaidd. Roedd Sabina wedi'i adael tu allan tra oedd hi'n cael bath. Roedd ei gwallt yn dal yn wlyb. Syrthiai'r gŵn yn llac hyd at ei thraed noeth. Meddyliodd Alecs ei bod yn edrych yn llawer hŷn na phymtheg oed.

'Fe ddes i â Coke iti,' meddai.

'Diolch.'

Roedd y feranda'n llydan, gyda balconi isel, cadair siglen a bwrdd. Gosododd Sabina'r gwydrau i lawr ac eistedd. Aeth Alecs i eistedd ati. Gwichiodd ffrâm bren y gadair a siglodd y ddau gyda'i gilydd, gan edrych ar yr olygfa. Am amser hir ddwedodd yr un o'r ddau yr un gair. Yna'n sydyn ...

'Pam na ddwedi di'r gwir wrtha i?' gofynnodd Sabina.

'Be ti'n feddwl?'

'Meddwl am Wimbledon o'n i. Pam adewaist ti'n syth ar ôl y rownd go-gynderfynol? Un funed roeddet ti 'na. Cwrt Rhif Un! Ac yna – '

'Ddwedais i wrthat ti,' meddai Alecs ar ei thraws, gan deimlo'n anghyfforddus. 'Do'n i ddim yn teimlo'n dda.'

'Nid dyna glywes i. Roedd 'na si dy fod ti wedi bod mewn sgarmes o ryw fath. A dyna beth arall. Rwy wedi sylwi arnot ti yn dy siorts nofio. Weles i erioed neb â shwd gyment o gleisie a briwie.'

'Maen nhw'n fy mwlio fi yn 'rysgol.'

'Sa i'n dy gredu di. Mae 'da fi ffrind sy'n mynd i Brookland. Mae hi'n dweud nad wyt ti byth yno. Rwyt ti'n diflannu o hyd ac o hyd. Roeddet ti bant ddwywaith y tymor diwethaf, a'r diwrnod ddest ti'n ôl fe losgodd hanner yr ysgol i'r llawr.'

Pwysodd Alecs ymlaen ac estyn ei Coke, gan droi'r gwydryn oer rhwng ei ddwylo. Roedd awyren yn croesi'r awyr, yn fychan bach yn y tywyllwch mawr, ei goleuadau'n wincio ymlaen ac i ffwrdd.

'Iawn, Sab,' meddai. 'Nid hogyn ysgol ydw i, go iawn. Sbïwr ydw i, rhyw James Bond yn ei arddegau. Mae'n rhaid imi gymryd amser i ffwrdd o'r ysgol i achub y byd. Hyd yn hyn dw i wedi gwneud hynny ddwywaith. Y tro cynta ro'n i yma yng Nghernyw, a'r ail dro ro'n i yn Ffrainc. Be arall wyt ti isio'i wybod?'

Gwenodd Sabina. 'O'r gore, Alecs. Gofyn cwestiwn dwl ...' Tynnodd ei choesau ati, gan swatio yng nghynhesrwydd ei gŵn. 'Ond mae rhywbeth gwahanol obeutu ti. Dydw i erioed wedi cwrdd â neb tebyg i ti.'

'Blantos?' Roedd mam Sabina'n galw o'r gegin. 'Ddylech chi ddim bod yn dechrau meddwl am fynd i'ch gwlâu?'

Roedd hi'n ddeg o'r gloch. Byddai'r ddau'n codi am bump y bore i ddal y tonnau syrffio.

'Pum muned!' galwodd Sabina'n ôl.

'Dw i'n cyfri.'

Ochneidiodd Sabina. 'Mamau!'

Ond doedd Alecs erioed wedi nabod ei fam.

Ugain munud yn ddiweddarach, wrth ddringo i'w wely, meddyliodd am Sabina Pleasure a'i rhieni; ei thad o natur llyfrbryf â gwallt hir brith a sbectol, ei mam yn gron ac yn siriol, yn debycach i Sabina'i hun. Dim ond y tri ohonyn nhw oedd 'na. Fallai mai hynny oedd yn eu gwneud mor agos. Roedden nhw'n byw yng ngorllewin Llundain ac yn rhentu'r tŷ yma am fis bob haf.

Diffoddodd Alecs y golau a gorwedd yn y tywyllwch. Yn ei stafell, yn uchel yn nho'r tŷ, doedd dim ond un ffenest fach; gallai weld y lleuad, yn disgleirio'n wyn, mor berffaith grwn â darn ceiniog. O'r eiliad y cyrhaeddodd, roedd wedi'i drin fel pe baen nhw wedi'i nabod erioed. Mae gan bob teulu ei drefn arferol ei hun, ac roedd Alecs wedi synnu pa mor gyflym roedd wedi ffitio i mewn i'w trefn nhw, gan fynd gyda nhw ar deithiau cerdded hir ar hyd y clogwyni, helpu gyda'r siopa a'r coginio, neu'n gwneud dim mwy na rhannu'r distawrwydd – darllen a gwylio'r môr.

Pam na fedrai yntau gael teulu fel hwn? Teimlodd Alecs hen dristwch cyfarwydd yn dechrau cydio ynddo. Bu ei rieni farw pan oedd ond ychydig wythnosau oed. Roedd yr ewythr oedd wedi ei fagu, ac wedi dysgu cymaint iddo, yn ddieithryn iddo mewn sawl ffordd. Doedd ganddo 'run brawd na chwaer. Weithiau byddai'n teimlo'r un mor ynysig â'r awyren roedd wedi'i gweld gynnau, yn ymlwybro ar ei thaith hir ar draws wybren y nos, yn ddisylw ac yn unig.

Tynnodd Alecs y gobennydd i fyny dros ei ben, yn ddig ag ef ei hun. Roedd ganddo nifer o ffrindiau. Roedd yn mwynhau'i fywyd. Roedd wedi llwyddo i ddal i fyny efo'i waith ysgol ac yn cael gwyliau gwych. Ac efo chydig o lwc, a'r busnes Wimbledon tu cefn iddo, byddai MI6 yn gadael llonydd iddo. Felly pam ei fod yn gadael iddo'i hun lithro i'r cyflwr meddwl yma?

Clywodd y drws yn agor wrth i rywun ddod i mewn i'w stafell. Sabina oedd hi. Roedd hi'n pwyso drosto. Teimlodd ei gwallt yn syrthio yn erbyn ei foch a gallai arogli ei phersawr cynnil; blodau a mwsg gwyn. Llithrodd ei gwefusau'n ysgafn dros ei wefusau yntau.

'Rwyt ti'n llawer mwy ciwt na James Bond,' meddai.

Ac yna roedd hi wedi mynd. Caeodd y drws ar ei hôl.

Chwarter wedi pump y bore wedyn.

Pe bai hwn yn ddiwrnod ysgol, fyddai Alecs ddim wedi deffro am ddwyawr arall, a hyd yn oed wedyn byddai wedi llusgo'n anfodlon o'i wely. Ond y bore yma roedd yn effro mewn eiliad, gan deimlo'r egni a'r tensiwn yn rhuthro drwyddo. Ac wrth gerdded i lawr i Draeth Fistral a golau'r wawr yn binc yn yr awyr, gallai ei deimlo o hyd. Roedd y môr yn galw arno, yn ei herio i ddod i mewn.

'Shgwla ar y tonne!' meddai Sabina.

'Maen nhw'n fawr,' mwmiodd Alecs.

'Maen nhw'n anferth. Mae hyn yn anhygoel!'

Roedd hynny'n wir. Roedd Alecs wedi bod yn syrffio ddwywaith o'r blaen – unwaith yn Swydd

Norfolk, ac unwaith gyda'i ewythr yng Nghalifformia – ond doedd o erioed wedi gweld dim byd tebyg i hyn. Doedd dim gwynt. Roedd yr orsaf radio leol wedi rhybuddio am hyrddwyntoedd dros y dŵr dwfn, ac am lanw eithriadol o uchel. Gyda'i gilydd roedd y rhain wedi cynhyrchu tonnau cwbl syfrdanol. Roedden nhw'n ddeg troedfedd o uchder o leiaf, yn treiglo'n araf am y traeth fel pe baen nhw'n cario holl bwysau'r cefnfor ar eu hysgwyddau. Roedd y sŵn wrth iddyn nhw dorri'n anferthol, yn arswydus. Gallai Alecs deimlo'i galon yn dyrnu. Edrychodd ar y muriau symudol o ddŵr, y glas tywyll, y gwyn ewynnog. Oedd o wir am farchogaeth un o'r bwystfilod yma ar fwrdd tila oedd wedi'i wneud o ddim mwy na stribed o blastig?

Roedd Sabina wedi sylwi arno'n petruso. 'Be ti'n feddwl?' gofynnodd wrtho.

'Dw i ddim yn gwybod … ' atebodd Alecs a sylweddoli ei fod yn gweiddi er mwyn cael ei glywed dros ruo'r tonnau.

'Mae'r môr yn rhy gryf.' Roedd Sabina'n syrffwraig fedrus. Y bore cynt, roedd Alecs wedi'i gwylio'n byrddio'n fedrus drwy donnau rîff annymunol yn agos at y lan. Ond nawr roedd golwg ansicr arni. 'Falle dylen ni fynd 'nôl i'r gwely!' gwaeddodd.

Taflodd Alecs gipolwg ar yr olygfa o'i amgylch. Roedd hanner dwsin o syrffwyr eraill ar y traeth, ac ymhell i ffwrdd roedd dyn yn llywio sgi jet yn y dŵr bas. Gwyddai Alecs mai fo a Sabina oedd y rhai ieuengaf yno. Fel hithau, gwisgai Alecs siwt wlyb neopren tri-milimetr a sgidiau fyddai'n ei arbed rhag yr oerni. Felly pam roedd o'n crynu? Doedd gan Alecs mo'i fwrdd ei hun, ond roedd wedi llogi bwrdd Ocean Magic. Roedd bwrdd Sabina'n lletach ac yn fwy trwchus, yn canolbwyntio ar sadrwydd yn hytrach na chyflymder, ond roedd yn well gan Alecs ei fwrdd ei hun oherwydd ei afael a'r teimlad o reolaeth oedd yn dod o'r tair asgell. Roedd yn falch hefyd ei fod wedi dewis un wyth troedfedd pedair modfedd. Os oedd am ddal tonnau cymaint â'r rhain, byddai arno angen yr hyd ychwanegol.

Os …

Doedd Alecs ddim yn sicr a oedd am fentro i'r dŵr. Edrychai'r tonnau ddwywaith cyn daled ag o, a phe bai'n gwneud camgymeriad gallai gael ei ladd mewn chwinciad. Roedd rhieni Sabina wedi ei gwahardd rhag mentro os oedd y môr yn rhy arw, a rhaid cyfaddef roedd y tonnau'n enbyd o arw heddiw. Gwyliodd wrth i don arall daro, a gallai'n hawdd fod wedi troi'n ei ôl oni bai iddo glywed un syrffiwr yn galw ar un arall, y geiriau'n chwipio ar draws y traeth gwag.

'Y Cribwr!'

Doedd bosib? Roedd y Cribwr wedi dod i draeth Fistral! Roedd Alecs wedi clywed yr enw sawl gwaith. Roedd y Cribwr wedi tyfu'n chwedl nid yn unig yng Nghernyw ond ar hyd a lled y byd syrffio. Cofnodwyd ei ymweliad cyntaf ym Medi 1966 – dros ugain troedfedd o uchder, y don gryfaf i daro arfordir Lloegr erioed. Ar ôl hynny roedd wedi ymddangos o bryd i'w gilydd, ond chydig oedd wedi'i weld a llai fyth oedd wedi llwyddo i'w farchogaeth.

'Y Cribwr! Y Cribwr!' Galwai'r syrffwyr eraill yr enw, gan ubain a gweiddi. Gwyliodd wrth iddyn nhw ddawnsio dros y tywod, eu byrddau uwch eu pennau. Yn sydyn, gwyddai fod yn rhaid iddo fynd i'r dŵr. Roedd yn rhy ifanc. Roedd y tonnau'n rhy fawr. Ond fyddai o byth yn maddau iddo'i hun pe bai'n colli'r cyfle.

'Dw i'n mynd!' gwaeddodd a rhedeg at y dŵr, yn cario'i fwrdd o'i flaen, y gynffon wedi'i chysylltu â'i ffêr gan dennyn plastig cryf. O gil ei lygad gwelodd Sabina'n codi llaw i ddymuno'n dda iddo, ond erbyn hynny roedd wedi cyrraedd glan y dŵr ac yn teimlo'r oerni'n gafael yn ei fferau. Taflodd y bwrdd i lawr a phlymio ar ei ben, gyda'r symudiad yn ei gario ymlaen. Yna gorweddodd ar ei stumog, ei goesau'n ymestyn y tu ôl iddo, ei ddwylo'n padlo'n wyllt. Hon oedd rhan fwyaf blinderus y siwrnai. Canolbwyntiodd Alecs ar ei freichiau a'i ysgwyddau, gan gadw gweddill ei gorff yn llonydd. Roedd ganddo ffordd bell i fynd. Roedd yn rhaid iddo gynilo'i egni.

Clywodd sŵn uwchlaw dyrnu'r môr a sylwodd ar y sgi jet yn cychwyn o'r lan. Roedd hynny'n anodd ei ddeall. Roedd BDPau – badau dŵr personol – yn brin yng Nghernyw, ac yn sicr doedd o ddim wedi gweld hwn o'r blaen. Fel arfer roedden nhw'n cael eu defnyddio i halio syrffwyr allan at y tonnau mawr, ond roedd y sgi jet yma'n mynd ar ei berwyl ei hun. Gallai weld y gyrrwr, oedd yn gwisgo siwt wlyb ddu â chwfl arni. Oedd o – neu hi – yn bwriadu marchogaeth y Cribwr ar beiriant?

Anghofiodd am y peth. Teimlai ei freichiau'n flinedig erbyn hyn, a doedd o ddim wedi cyrraedd hyd yn oed hanner ffordd. Roedd ei ddwylo cwpanog yn ysgubo'r dŵr, a theimlai ei hun yn gyrru ymlaen. Roedd y syrffwyr eraill dipyn go lew o'i flaen. Gallai weld y fan lle roedd y tonnau'n ffurfio brig, ryw ugain metr i ffwrdd.

75

Cododd mynydd o ddŵr o'i flaen a phlymiodd yntau fel hwyaden drwyddo. Am eiliad roedd wedi'i ddallu. Blasodd yr halen, a dyrnodd oerni'r dŵr fel morthwyl i'w ben. Ond wedyn roedd allan yr ochr draw. Canolbwyntiodd ar y gorwel, a dyblu'i ymdrechion. Gyrrodd y bwrdd syrffio ef yn ei flaen fel pe bai rywsut wedi'i lenwi â'i fywyd ei hun.

Stopiodd Alecs a thynnu'i wynt ato. Yn sydyn roedd pobman yn dawel iawn. Roedd yn dal i orwedd ar ei stumog, yn codi ac yn gostwng wrth gael ei yrru dros y tonnau. Edrychodd yn ôl at lan y dŵr a synnu o weld pa mor bell roedd wedi dod. Roedd Sabina'n eistedd yn ei wylio, yn ddim ond smotyn bach yn y pellter, a'r syrffiwr agosaf oddeutu dri deg metr i ffwrdd – rhy bell i helpu petai rhywbeth yn mynd o'i le. Roedd cwlwm o ofn yn ei stumog a theimlai ei fod braidd yn fyrbwyll, yn dod allan yma ar ei ben ei hun. Ond erbyn hyn roedd hi'n rhy hwyr.

Synhwyrodd y peth cyn ei weld. Roedd fel pe bai'r byd wedi dewis y foment honno i ddod i ben, a bod natur i gyd yn tynnu un anadl olaf. Trodd, a dyna lle roedd o. Roedd y Cribwr yn dod, yn chwyrnellu tuag ato. Bellach, roedd hi'n rhy hwyr iddo newid ei feddwl.

Am eiliad neu ddwy syllodd Alecs yn syn ar y

dŵr yn treiglo, yn troi, yn taranu. Roedd fel gwylio adeilad pedwar llawr yn ei rwygo'i hun allan o'r ddaear a'i daflu'i hun ar y stryd. Roedd wedi'i lunio'n gyfan gwbl o ddŵr, ond roedd y dŵr hwnnw'n fyw. Gallai Alecs deimlo'i bŵer anghredadwy. Yn sydyn, yn arswydus, cododd o'i flaen. A daliodd i godi hyd nes ei fod wedi cuddio'r awyr.

Yn awtomatig, dechreuodd y technegau roedd wedi'u dysgu amser maith yn ôl gymryd rheolaeth. Cydiodd Alecs yn ymyl y bwrdd a throi fel ei fod unwaith eto'n wynebu'r lan. Gorfododd ei hun i aros tan yr eiliad olaf. Pe bai'n symud yn rhy hwyr, byddai'n colli'r cyfan. Rhy fuan, a byddai'n cael ei falurio. Tynhaodd ei gyhyrau. Roedd ei ddannedd yn clecian, a'i gorff cyfan fel pe bai wedi'i wefru.

Nawr!

Hwn oedd y darn gwaethaf, y symudiad anoddaf i'w ddysgu ond amhosib ei anghofio. Y codi. Gallai Alecs deimlo'r bwrdd yn teithio yn ôl curiad y don. Roedd ei gyflymder ef a chyflymder y dŵr wedi mynd yn un. Daeth â'i ddwylo i lawr, yn wastad ar y bwrdd, cododd ei gefn a gwthio. Ar yr un pryd, symudodd ei goes dde ymlaen. Yn wahanol i bawb. Wrth eirafyrddio, felly'n union roedd yn ei wneud.

Ond doedd dim ots ganddo, cyn belled â'i fod yn gallu sefyll heb golli'i gydbwysedd, ac roedd yn gwneud hynny'n barod, yn cydbwyso'r ddau brif rym – cyflymder a disgyrchiant – wrth i'r bwrdd dorri'n groes-gongl ar draws y don.

Safodd yn syth, ei freichiau ar led, yn noethi'i ddannedd, wedi'i ganoli'n berffaith ar y bwrdd. Roedd o wedi llwyddo! Roedd yn marchogaeth y Cribwr! Rhedodd teimlad o orfoledd pur drwyddo. Gallai deimlo nerth y don. Roedd yn rhan ohoni. Roedd wedi'i blygio i mewn i'r byd, ac er ei fod yn teithio ar chwe deg, saith deg cilometr yr awr, roedd amser fel petai arafu'n ddim, bron iawn, ac yntau wedi'i rewi yn yr un foment berffaith hon a fyddai'n aros gydag ef am weddill ei oes. Gwaeddodd yn uchel, rhyw gri anifeilaidd na allai hyd yn oed ei chlywed ei hun. Rhuthrodd ewyn i'w wyneb, gan ffrwydro o'i amgylch. Prin y gallai deimlo'r bwrdd dan ei draed. Roedd yn hedfan. Doedd o erioed wedi teimlo'n fwy byw.

Ac yna fe'i clywodd uwch rhuo'r tonnau, yn dod yn nes ar un ochr iddo – sŵn peiriant petrol. Roedd clywed unrhyw beth mecanyddol yn y fan hon, ar yr adeg yma, mor annisgwyl nes gwneud iddo feddwl ei fod wedi dychmygu'r cwbl. Yna cofiodd am y sgi jet. Rhaid ei fod wedi mynd allan i'r dŵr dwfn ac yna wedi troi'n ôl, tu draw i'r tonnau. Nawr roedd yn nesáu'n gyflym.

I ddechrau, meddyliodd fod y gyrrwr yn 'taro heibio'. Roedd hon yn un o gyfreithiau anysgrifenedig syrffio. Roedd Alecs i fyny ac yn marchogaeth. Ei don ef oedd hon. Doedd gan y gyrrwr ddim hawl i dorri i mewn i'w le. Ond ar yr un pryd, gwyddai fod hynny'n beth gwallgof. Roedd traeth Fistral bron yn wag. Doedd dim angen ymladd am le. Ac ar wahân i hynny, sgi jet yn dod ar ôl syrffiwr ... roedd y peth yn anhygoel.

Erbyn hyn roedd sŵn y peiriant yn uwch, er na allai Alecs weld y sgi jet. Roedd yn canolbwyntio'i feddwl yn llwyr ar y Cribwr, ar gadw'i gydbwysedd, a feiddiai o ddim troi'i ben. Yn sydyn roedd yn ymwybodol o ruthr y dŵr – miloedd o alwyni ohono – yn taranu dan ei draed. Os syrthiai byddai'n sicr o farw, wedi'i rwygo'n ddarnau cyn cael amser i foddi. Beth oedd y sgi jet yn ei wneud? Pam ei fod yn dod mor agos?

Yn sydyn, ac yn gwbl sicr, sylweddolodd Alecs ei fod mewn peryg. Doedd a wnelo'r hyn oedd yn digwydd ddim oll â Chernyw a'i wyliau syrffio. Roedd ei fywyd arall, ei fywyd gydag MI6, wedi dal i fyny ag o. Cofiodd fel y cafodd ei erlid i lawr y llethrau yn Pic Blanc, a gwyddai i sicrwydd fod yr un peth yn digwydd eto. Doedd pwy na pham ddim yn bwysig. Doedd ganddo ddim ond chydig eiliadau i wneud rhywbeth cyn i'r sgi jet redeg drosto.

Trodd ei ben yn sydyn a'i weld – dim ond am eiliad. Blaen du fel torpido. Crôm gloyw a gwydr. Dyn yn plygu'n isel dros y llyw, ei lygaid wedi'u hoelio ar Alecs. Roedd y llygaid yn llawn casineb. Roedden nhw lai na metr i ffwrdd oddi wrtho.

Dim ond un peth allai Alecs ei wneud, a gwnaeth hynny ar amrantiad, heb feddwl. Mae'r awyryn yn symudiad sy'n mynnu amseru perffaith a hyder llwyr. Trodd Alecs a'i saethu'i hun oddi ar grib y don ac allan i'r awyr. Ar yr un pryd cyrcydodd i lawr a chydio yn y bwrdd syrffio, un llaw ar bob ochr. Nawr roedd yn hedfan mewn gwirionedd, wedi'i ddal yn yr awyr wrth i'r don bowlio ymlaen oddi tano. Gwelodd y sgi jet yn rasio heibio, gan fynd dros yr union fan lle roedd o wedi bod dim ond eiliadau ynghynt. Troellodd, gan symud bron mewn cylch cyfan yn yr awyr. Ar yr eiliad olaf, cofiodd osod ei droed yn union ar ganol y bwrdd. Byddai'n cymryd ei bwysau i gyd wrth iddo lanio.

Rhuthrodd y dŵr i fyny i'w gyfarfod.

Gorffennodd Alecs ei gylch a phlymio'n ôl ar wyneb y don. Roedd y glaniad yn un perffaith. Ffrwydrodd dŵr o'i amgylch, ond llwyddodd i aros ar ei draed, a nawr roedd yn union y tu ôl i'r sgi jet. Trodd y gyrrwr ei ben, a gwelodd Alecs yr olwg syn ar ei wyneb. Tsieinead oedd y dyn. Yn amhosib, yn anghredadwy, roedd dryll yn ei law. Gwelodd Alecs y dryll yn codi, a'r dŵr yn diferu o'r baril. Y tro yma doedd unman iddo fynd. Doedd ganddo mo'r nerth i roi cynnig ar wneud awyryn arall. Â gwaedd, taflodd ei hun oddi ar y bwrdd ac ymlaen, ar y sgi jet. Teimlodd sgytwad egr, wrth i'w goes bron â chael ei thynnu i ffwrdd pan rwygwyd y bwrdd i rywle gan nerth maleisus y dŵr.

Cafwyd ffrwydrad. Roedd y dyn wedi saethu, ond methodd y fwled ei tharged. Meddyliodd Alecs ei fod wedi'i deimlo'n mynd heibio'i ysgwydd. Ar yr un pryd, gafaelodd am wddf y dyn â'i ddwy law. Trawodd ei benliniau yn erbyn ochr y sgi jet. Ac yna cafodd y byd ei gyd ei chwipio i ffwrdd wrth i'r dyn a'i beiriant golli rheolaeth a chwyrlïo i ganol trobwll o ddŵr. Plyciodd coes Alecs am yr ail dro, a theimlodd y tennyn yn torri. Clywodd sgrech. Yn sydyn, doedd dim golwg o'r dyn. Roedd Alecs ar ei ben ei hun. Doedd o ddim yn gallu anadlu. Dyrnai'r dŵr i lawr am ei ben. Teimlodd ei hun yn cael ei sugno'n ddiymadferth i'w ganol. Allai o ddim brwydro. Doedd ei freichiau a'i goesau ddim yn gweithio. Doedd ganddo ddim nerth ar ôl. Agorodd ei geg i sgrechian a rhuthrodd y dŵr i mewn iddi.

Yna trawodd ei ysgwydd yn erbyn rhywbeth caled. Gwyddai ei fod wedi cyrraedd gwely'r môr, ac mai dyma lle byddai ei fedd. Roedd wedi meiddio chwarae gyda'r Cribwr, ac roedd y Cribwr wedi dial arno. Rywle, ymhell uwch ei ben, torrodd ton arall drosto, ond welodd Alecs mohoni. Gorweddodd yn ei unfan, mewn heddwch o'r diwedd.

PYTHEFNOS YN YR HAUL

Doedd Alecs ddim yn sicr pa un oedd yn ei synnu fwyaf. Ei fod yn dal yn fyw, ynteu ei fod yn ôl ym mhencadlys Llundain o adran Gweithrediadau Arbennig MI6.

Gwyddai mai i Sabina, a neb arall, roedd y diolch am y ffaith ei fod yn dal yn fyw. Roedd hi wedi bod yn eistedd ar y traeth, yn gwylio mewn arswyd wrth iddo farchogaeth y Cribwr tuag ati. Roedd hi wedi gweld y sgi jet yn nesáu y tu ôl iddo hyd yn oed cyn i Alecs ei weld, ac wedi sylweddoli'n reddfol bod rhywbeth mawr o'i le. Dechreuoedd redeg y foment y neidiodd Alecs i'r awyr, ac roedd hi eisoes yn y dŵr erbyn iddo lanio'n glep nesaf at y sgi jet cyn diflannu dan wyneb y dŵr. Yn nes ymlaen, fe fyddai'n dweud bod gwrthdrawiad wedi digwydd … damwain ofnadwy. O'r pellter hwnnw roedd yn amhosib gweld beth oedd wedi digwydd mewn gwirionedd.

Roedd Sabina'n nofwraig gref ac roedd ffawd o'i phlaid. Er bod y dŵr yn gymylog, a'r tonnau'n dal yn anferth, roedd hi'n gwybod ymhle roedd Alecs wedi mynd i lawr ac roedd hi yno mewn llai na munud. Daeth o hyd iddo wrth blymio am y trydydd tro, gan lusgo'i gorff anymwybodol i'r wyneb ac yna'i dynnu i'r lan. Roedd hi wedi

83

dysgu techneg dadebru yn yr ysgol, a defnyddiodd hi nawr, gan wasgu'i gwefusau yn erbyn ei rai yntau, a gorfodi'r aer i'w ysgyfaint. Hyd yn oed wedyn, roedd hi'n sicr bod Alecs wedi marw. Doedd o ddim yn anadlu. Roedd ei lygaid ar gau. Dyrnodd Sabina'i frest – unwaith, dwywaith – ac o'r diwedd dechreuodd Alecs wingo a phesychu wrth iddo ddod ato'i hun. Erbyn hynny, roedd rhai o'r syrffwyr eraill wedi rhedeg draw. Roedd gan un ohonyn nhw ffôn symudol, a galwodd am ambiwlans. Doedd dim golwg o'r dyn ar y sgi jet.

Roedd Alecs wedi bod yn ffodus iawn. Fel y digwyddodd, roedd wedi marchogaeth y Cribwr yn ddigon pell i fod bron ar ddiwedd ei thaith, pan oedd y don ar ei gwannaf. Roedd tunnell o ddŵr wedi syrthio ar ei ben, ond bum eiliad ynghynt gallai fod wedi bod yn ddeg tunnell. Hefyd, doedd o ddim yn rhy bell o'r lan pan ddaeth Sabina o hyd iddo. Pe bai'n bellach allan, fyddai dim gobaith o ddod o hyd iddo.

Roedd pum niwrnod wedi mynd heibio ers hynny.

Bore Llun oedd hi, dechrau wythnos newydd. Eisteddai Alecs yn stafell 1605, ar unfed llawr ar bymtheg yr adeilad dienw yn Liverpool Street. Roedd wedi tyngu llw na fyddai byth yn dod yn ôl yma. Doedd ganddo ddim awydd gweld y dyn a'r ddynes oedd gydag ef yn y stafell. Ac eto, dyma ble roedd o. Tynnwyd ef i mewn cyn hawsed â physgodyn mewn rhwyd.

Fel arfer, doedd Alan Blunt ddim yn edrych yn arbennig o falch o'i weld; roedd yn well ganddo graffu ar y ffeil ar y ddesg o'i flaen nag ar y bachgen ei hun. Hwn oedd y pumed neu'r chweched tro i Alecs gwrdd â'r dyn oedd yn rheoli'r adran hon o MI6, ac eto doedd o'n gwybod y nesaf peth i ddim amdano. Dyn oddeutu hanner cant oed oedd Blunt – dyn mewn siwt yn eistedd mewn swyddfa. Doedd o ddim yn ysmygu, yn ôl pob golwg, a doedd Alecs ddim yn gallu'i ddychmygu yn yfed chwaith. Oedd e'n briod? Oedd ganddo blant? Oedd o'n treulio'i benwythnosau'n cerdded yn y parc neu'n pysgota neu'n gwylio gêmau pêl-droed? Annhebygol, meddyliodd Alecs. Tybed a oedd ganddo fywyd o gwbl y tu allan i'r bedair wal yma? Dyn wedi'i ddiffinio gan ei swydd oedd Blunt. Roedd ei holl fywyd wedi'i gysegru i gyfrinachau, ac yn y diwedd roedd ei fywyd ei hun yn un gyfrinach fawr.

Edrychodd Blunt i fyny o'r adroddiad printiedig taclus. 'Doedd gan Crawley ddim hawl dy dynnu di i mewn i'r busnes yma,' meddai.

Ddwedodd Alecs 'run gair. Am unwaith, doedd o ddim yn sicr ei fod yn anghytuno.

'Pencampwriaethau tennis Wimbledon. Fe fu bron iti gael dy ladd.' Taflodd edrychiad coeglyd ar Alecs. 'A'r busnes yma yng Nghernyw. Dydw i ddim yn hoffi gweld fy asiantiaid yn cymryd rhan mewn campau peryglus.'

'Dydw i ddim yn un o'ch asiantiaid chi,' meddai Alecs.

'Mae 'na ddigon o berygl yn y gwaith heb i rywun ychwanegu ato,' meddai Blunt wedyn, gan ei anwybyddu. 'Beth ddigwyddodd i'r dyn ar y sgi jet?' gofynnodd.

'Rydan ni'n ei holi o ar hyn o bryd,' atebodd Mrs Jones.

Roedd dirprwy bennaeth yr adran Gweithrediadau Arbennig yn gwisgo siwt drowsus lwyd, gyda bag llaw du, yr un lliw a'i llygaid. Roedd tlws arian ar labed ei siaced, ar ffurf dagr fechan.

Mrs Jones oedd y gyntaf i ymweld ag Alecs yn yr ysbyty yn Newquay, ac roedd hi o leiaf yn poeni amdano. Wrth gwrs, doedd hi ddim wedi dangos fawr o emosiwn, os o gwbl. Pe bai rhywun wedi holi, byddai wedi dweud nad oedd hi am golli rhywun oedd wedi bod yn ddefnyddiol iddi, ac a fyddai fallai'n ddefnyddiol ryw dro eto. Ond roedd Alecs yn amau mai dim ond hanner y gwir oedd hyn. Dynes oedd hi, ac yntau'n fachgen pedair ar ddeg oed. Os oedd gan Mrs Jones fab, gallai'n hawdd fod yr un oed ag Alecs. Roedd hynny'n gwneud gwahaniaeth – un na allai hi ei anwybyddu'n llwyr.

'Mi ddaethon o hyd i datŵ ar fraich y dyn,' meddai hi wedyn. 'Mae'n debyg ei fod yntau hefyd yn aelod o giang y Cylch Mawr.' Trodd at Alecs. 'Mae'r Cylch Mawr yn driad cymharol newydd,' eglurodd. 'Mae o hefyd, gwaetha'r modd, yn un o'r rhai mwyaf treisgar.'

'Mi wnes i ryw sylwi,' meddai Alecs yn sychlyd.

'Roedd y dyn wnest ti 'i daro'n anymwybodol a'i rewi yn Wimbledon yn *Sai-lo*, sef "brawd bach". Mae'n rhaid iti ddeall sut mae'r bobl 'ma'n gweithio. Mi wnest ti chwalu'u cynllun nhw ac achosi embaras iddyn nhw. Dyna'r peth diwethaf y medran nhw 'i fforddio. Felly mi yrron nhw rywun ar dy ôl di. Dydi o ddim wedi dweud gair hyd yma, ond rydan ni'n credu 'i fod o'n *Dai-lo*, sef "brawd mawr". Mi fydd, o ran rheng, yn rhif 438 … sef un islaw'r Pen Draig, arweinydd y triad. A bellach mae yntau hefyd wedi methu. Yn anffodus, Alecs, roeddet ti nid yn unig wedi hanner ei foddi o, ond wedi torri'i drwyn o hefyd.

Mi fydd y triad yn ystyried hynny fel sarhad pellach.'

'Wnes i ddim byd,' meddai Alecs. Roedd hynny'n wir. Cofiodd fel roedd y bwrdd syrffio, yn y diwedd, wedi'i rwygo oddi ar ei ffêr. Nid arno fo oedd y bai fod hwnnw wedyn wedi taro'r dyn yn ei wyneb.

'Nid fel yna fyddan nhw'n gweld y peth,' meddai Mrs Jones, gan swnio fel athrawes. 'Yr hyn rydan ni'n ei drafod ydi *Guan-shi*.'

Arhosodd Alecs iddi egluro.

'*Guan-shi* ydi'r hyn sy'n rhoi pŵer i'r Cylch Mawr,' meddai. 'System o barch rhwng y naill a'r llall. Mae'n clymu'r holl aelodau wrth ei gilydd. Yn y bôn, os byddi di'n niweidio un ohonyn nhw, mae'n golygu dy fod ti'n eu niweidio nhw i gyd. Ac os bydd un yn dod yn elyn iti, felly y byddan nhw i gyd.'

'Rwyt ti'n ymosod ar un o'u pobl yn Wimbledon,' meddai Blunt yn gras, 'felly maen nhw'n gyrru un arall i lawr i Gernyw.'

'Rwyt ti'n trechu'u dyn nhw yng Nghernyw, felly mae'r gorchymyn yn mynd allan i aelodau eraill y triad i geisio dy ladd di,' meddai Mrs Jones.

'Faint o aelodau eraill sydd 'na?' gofynnodd Alecs.

'Oddeutu pedair mil ar bymtheg, yn ôl y cyfrif diwethaf,' atebodd Blunt.

Bu tawelwch hir, wedi'i dorri gan ddim heblaw sŵn pell y traffig un llawr ar bymtheg oddi tanynt.

'Bob munud rwyt ti'n aros yn y wlad yma, rwyt ti mewn peryg,' meddai Mrs Jones. 'A does 'na fawr ddim allwn ni'i wneud. Wrth gwrs, mae ganddon ni ryw gymaint o ddylanwad efo'r triadau. Wrth roi gwybod i'r bobl briodol ein bod ni'n dy warchod di, mae 'na siawns y gallen ni eu perswadio nhw i beidio mynd dim pellach. Ond mae hynny'n mynd i gymryd amser – a'r ffaith amdani ydi eu bod nhw, mae'n debyg, yn gweithio'r funud yma ar y cynllun nesaf i ymosod.'

'Fedri di ddim mynd adref,' meddai Blunt. 'Fedri di ddim mynd yn ôl i'r ysgol. Fedri di ddim mynd i unman ar dy ben dy hun. Y ddynes yna sy'n gofalu amdanat ti, yr howscipar – rydan ni eisoes wedi trefnu iddi gael ei gyrru allan o Lundain. Allwn ni ddim mentro.'

'Felly be dw i i fod i wneud?' gofynnodd Alecs.

Taflodd Mrs Jones gipolwg ar Blunt, a nodiodd yntau. Doedd yr un o'r ddau'n edrych yn arbennig o betrusgar, a sylweddolodd Alecs yn sydyn fod pethau wedi gweithio'n union fel roedden nhw'n ei ddymuno. Rywsut neu'i gilydd, roedd wedi chwarae'n syth i'w dwylo nhw.

'Trwy gyd-ddigwyddiad, Alecs,' meddai Mrs Jones, 'chydig o ddyddiau'n ôl mi gawson ni gais am dy wasanaeth, oddi wrth wasanaeth cudd-ymchwil yn America. Yr Asiantaeth Gudd-ymchwil Ganolog – neu'r CIA fel rwyt ti'n debygol o'u nabod nhw. Mae arnyn nhw angen person ifanc ar gyfer rhyw gynllun sydd ganddyn nhw ar y gweill a meddwl roedden nhw tybed fyddet ti ar gael.'

Roedd Alecs wedi'i synnu. Roedd MI6 wedi'i ddefnyddio ddwywaith, a'r ddau dro roedden nhw wedi pwysleisio nad oedd neb i wybod. Nawr, yn ôl pob golwg, roedden nhw wedi bod yn brolio am eu hysbïwr yn ei arddegau. Yn waeth na hynny, roedden nhw hyd yn oed wedi bod yn paratoi i'w roi ar fenthyg, fel llyfr llyfrgell.

Fel pe bai'n darllen ei feddwl, cododd Mrs Jones ei llaw. 'Roedden ni wedi dweud wrthyn nhw, wrth gwrs, nad oeddet ti'n dymuno mynd ymlaen efo'r math yma o waith,' meddai. 'Wedi'r cyfan, dyna beth ddwedaist ti wrthon ni. Bachgen ysgol, nid ysbïwr. Dyna oedd dy eiriau di. Ond mae'n ymddangos erbyn hyn bod popeth wedi newid. Mae'n ddrwg gen i, Alecs, ond beth bynnag oedd y rheswm, rwyt ti wedi dewis mynd yn ôl i'r maes ac yn anffodus rwyt ti mewn peryg. Mae'n rhaid iti ddiflannu. Hon, fallai, ydi'r ffordd orau.'

'Isio imi fynd i America rydach chi?' gofynnodd Alecs.

'Nid i America'n hollol,' meddai Blunt, gan dorri ar ei draws. 'Rydan ni am iti fynd i Giwba … neu, o leiaf, i ynys chydig o filltiroedd i'r de o Giwba. Ei henw yn Sbaeneg ydi Cayo Esqueleto. Mae'n golygu –'

'Traeth Sgerbwd,' meddai Alecs.

'Dyna hi. Wrth gwrs, mae digonedd o *cayos* – traethau – ger arfordir America. Mae'n siŵr dy fod ti wedi clywed am Key Largo a Key West. Fe gafodd y traeth hwn ei ddarganfod gan Syr Francis Drake. Yn ôl y stori, pan laniodd o, doedd neb yn byw yno. Ond fe ddaeth o hyd i un sgerbwd, *conquistador* mewn siwt arfog gyflawn, yn eistedd ar y traeth. Dyna sut cafodd yr ynys ei henw. Ta waeth am yr enw, mae'r ynys mewn gwirionedd yn lle hardd iawn. Cyrchfan twristiaeth. Gwestyau moethus, plymio, hwylio … Dydan ni ddim yn gofyn iti wneud unrhyw beth peryglus, Alecs. Yn hollol i'r gwrthwyneb. Gelli di feddwl amdano fel gwyliau cyflogedig. Pythefnos yn yr haul.'

'Ewch ymlaen,' meddai Alecs. Er ei waethaf,

91

roedd tinc o amheuaeth yn ei lais.

'Mae gan y CIA ddiddordeb yn Cayo Esqueleto oherwydd rhyw ddyn sy'n byw yno. Rwsiad ydi o. Mae ganddo fo dŷ anferth – byddai ambell un yn ei alw'n balas – ar ryw fath o guldir, hynny yw, strimyn cul o dir ar ben mwyaf gogleddol yr ynys. Ei enw ydi'r Cadfridog Alexei Sarov.'

Estynnodd Blunt ffotograff o'r ffeil a'i droi er mwyn i Alecs ei weld. Dangosai ddyn heini yr olwg mewn iwnifform milwr. Tynnwyd y llun yn y Sgwâr Coch ym Mosgo, a thyrau siâp winwns y Cremlin yn y golwg y tu ôl iddo.

'Mae Sarov yn perthyn i oes arall,' meddai Mrs Jones, gan gymryd drosodd. 'Roedd o'n gadlywydd ym myddin Rwsia ar adeg pan oedd y Rwsiaid yn dal i fod yn elynion inni, ac yn rhan o'r Undeb Sofietaidd. Doedd hynny ddim yn bell iawn yn ôl, Alecs. Cwymp comiwnyddiaeth. Dim ond ym 1989 y dymchwelwyd mur Berlin.' Stopiodd am eiliad. 'Mae'n debyg nad ydi hyn i gyd ddim yn golygu llawer iti.'

'Wel, fasa fo ddim,' meddai Alecs. 'Dim ond dwy oed o'n i ar y pryd.'

'Ie, wrth gwrs. Ond mae'n rhaid iti ddeall, roedd Sarov yn arwr yn yr hen Rwsia. Cafodd ei wneud yn gadfridog pan oedd yn ddim ond tri deg wyth oed – y flwyddyn y gwnaeth ei wlad oresgyn Affganistan. Bu'n ymladd yno am ddeng mlynedd, a'i ddyrchafu'n ddirprwy i brif swyddog y Fyddin Goch. Lladdwyd ei fab yn Affganistan. Aeth Sarov ddim i'r angladd, hyd yn oed. Byddai hynny wedi golygu cefnu ar ei ddynion, a doedd o ddim yn fodlon gwneud hynny – ddim hyd yn oed am ddiwrnod.'

Edrychodd Alecs ar y ffotograff eto. Gallai weld y caledwch yn llygaid y dyn. Roedd ei wyneb hefyd yn oer a chaled.

'Daeth y rhyfel yn Affganistan i ben pan dynnodd y Rwsiaid eu milwyr yn ôl ym 1989,' meddai Mrs Jones wedyn. 'Ar yr un pryd, roedd yr holl wlad yn datgymalu. Daeth comiwnyddiaeth i ben, a gadawodd Sarov ei wlad enedigol. Roedd yn ddigon bodlon i bawb wybod nad oedd yn hoffi'r Rwsia newydd, efo'r jîns a'r trenyrs Nike a McDonald's ar gornel pob stryd. Gadawodd y fyddin, er ei fod yn dal i'w alw'i hun yn Gadfridog, ac aeth i fyw –'

'Ar Draeth Sgerbwd.' Gorffennodd Alecs y frawddeg.

'Ie. Mae o yna rŵan ers deng mlynedd – a dyma'r pwynt, Alecs. Ymhen pythefnos, mae arlywydd Rwsia'n trefnu i'w gyfarfod yno. Does dim byd yn rhyfedd yn hynny. Mae'r ddau'n hen ffrindiau. Mi gawson nhw'u magu yn yr un ardal o Fosgo, hyd yn oed. Ond mae'r CIA'n poeni. Maen nhw isio gwybod beth mae Sarov yn ei gynllunio. Pam bod y ddau'n cyfarfod? Yr hen Rwsia a'r Rwsia newydd. Beth sy'n digwydd?'

'Mae'r CIA isio ysbïo ar Sarov.'

'Ydyn. Gweithgarwch gwylio syml ydi o. Maen nhw'n awyddus i anfon tîm i mewn yn y dirgel i edrych o gwmpas cyn i'r arlywydd gyrraedd.'

'Iawn.' Cododd Alecs ei ysgwyddau. 'Ond pam maen nhw wedi gofyn amdana i?'

'Oherwydd bod Traeth Sgerbwd yn ynys gomiwnyddol,' eglurodd Blunt. 'Mae hi'n eiddo i Giwba, un o'r mannau diwethaf yn y byd gorllewinol lle mae comiwnyddiaeth yn dal i fodoli. Mae mynd i mewn ac allan o'r lle'n eithriadol o anodd. Mae maes awyr yn Santiago, ond maen nhw'n gwylio pob awyren ac yn archwilio pob teithiwr. Maen nhw bob amser ar eu gwyliadwraeth rhag ysbïwyr Americanaidd, ac yn stopio unrhyw un sy'n edrych braidd yn amheus a'i droi i ffwrdd.'

'A dyna pam mae'r CIA wedi dod aton ni,' meddai Mrs Jones. 'Gallai dyn ar ei ben ei hun godi amheuon. Gallai dyn a dynes fod yn dîm. Ond dyn a dynes yn teithio efo plentyn ...? Teulu ydi hwnnw, wrth gwrs!'

'Dyna'r cyfan maen nhw isio gen ti, Alecs,' meddai Blunt. 'Mynd i mewn efo nhw. Aros yn eu gwesty, yn nofio, snorclo a mwynhau'r haul. Nhw sy'n gwneud y gwaith i gyd. Rwyt ti yno dim ond fel rhan o'u cefndir ffug.'

'Fasan nhw ddim yn medru defnyddio bachgen o America?' gofynnodd Alecs.

Pesychodd Blunt, yn amlwg yn teimlo'n annifyr. 'Fyddai'r Americanwyr byth yn defnyddio un o'u pobl ifainc mewn gweithgarwch fel hyn,' meddai. 'Mae ganddyn nhw reolau gwahanol i'n rhai ni.'

'Mi fasan nhw'n poeni rhag ofn iddo fo gael ei ladd – dyna dach chi'n feddwl.'

'Fydden ni ddim wedi gofyn iti, Alecs,' meddai Mrs Jones, gan dorri'r distawrwydd anghyfforddus. 'Ond mae'n rhaid iti adael Llundain. A dweud y gwir, mae'n rhaid iti adael Prydain. Dydan ni ddim am iti gael dy ladd. Trio dy warchod di rydan ni, a dyma'r ffordd orau. Mae Mr Blunt yn iawn. Mae Cayo Esqueleto'n ynys hyfryd, ac mi rwyt ti'n wirioneddol ffodus i gael mynd yno. Meddylia amdano fo fel gwyliau rhad ac am ddim.'

Meddyliodd Alecs am y peth. Edrychodd ar wynebau Alan Blunt a Mrs Jones, ond wrth gwrs doedden nhw'n datgelu dim. Sawl asiant oedd wedi eistedd yn y stafell yma yng nghwmni'r ddau, yn gwrando ar eu geiriau swynol?

Mae'n waith syml. Dim problemau o gwbl. Fyddwch chi'n ôl ymhen pythefnos ...

Roedd ei ewythr ei hun yn un ohonyn nhw, ar un adeg, wedi'i anfon i archwilio'r system ddiogelwch mewn ffatri gyfrifiaduron ar arfordir y de. Ond doedd Ian Rider ddim wedi dod yn ei ôl.

Doedd gan Alecs ddim diddordeb yn y cynllun. Roedd rhai wythnosau o wyliau'r haf ar ôl o hyd ac roedd o isio gweld Sabina eto. Bu'r ddau'n trafod gogledd Ffrainc a dyffryn afon Loire, hosteli ieuenctid a heicio. Roedd ganddo ffrindiau yn Llundain. Roedd Jac Starbright, ei howscipar a'i ffrind agosaf, wedi cynnig mynd ag ef gydag hi pan fyddai'n mynd i weld ei rhieni yn Chicago. Saith wythnos o normalrwydd. Oedd hynny'n ormod i'w ofyn?

Ac eto, cofiodd beth ddigwyddodd ar y Cribwr pan ddaeth y dyn ar y sgi jet ar ei warthaf. Dim ond am eiliadau roedd Alecs wedi gweld ei lygaid, ond roedd y casineb a'r ffanatigiaeth ynddyn nhw'n gwbl amlwg. Roedd y dyn yma'n barod i'w erlid dros frig ton ugain troedfedd er mwyn ei ddienyddio o'r tu ôl – ac wedi dod yn beryglus o agos at lwyddo. Gwyddai Alecs, â sicrwydd erchyll, y byddai'r triad yn rhoi cynnig arall arni. Roedd wedi'u digio nhw ... nid unwaith, ond dwywaith. Roedd Blunt yn llygad ei le. Roedd unrhyw obaith am haf normal wedi diflannu.

'Os bydda i'n fodlon helpu'ch ffrindiau yn y CIA, fedrwch chi berswadio'r triad i adael llonydd imi?' gofynnodd.

Nodiodd Mrs Jones. 'Mae ganddon ni gysylltiadau ym myd torcyfraith Tsieina. Ond mi gymerith amser, Alecs. Beth bynnag sy'n digwydd, mi fydd raid iti fyw yn y dirgel – am yr wythnos neu ddwy nesaf, o leiaf.'

Felly pam peidio gwneud hynny yn yr haul?

Nodiodd Alecs yn ddiflas. 'O'r gorau,' meddai. 'Does gen i fawr o ddewis, mae'n debyg. Pa bryd dach chi isio imi adael?'

Estynnodd Blunt amlen o'r ffeil. 'Mae dy docyn di gen i yn fan hyn,' meddai. 'Mae 'na awyren yn hedfan pnawn heddiw.'

Wrth gwrs, roedden nhw'n gwybod yn iawn y byddai'n cytuno.

'Mi fyddwn ni isio cadw mewn cysylltiad efo ti tra byddi di i ffwrdd,' mwmiodd Mrs Jones.

'Mi yrra i gerdyn post atoch chi,' meddai Alecs.

'Na, Alecs, nid dyna'n hollol oedd gen i mewn

golwg. Pam nad ei di i gael gair efo Smithers?'

Roedd gan Smithers swyddfa ar yr unfed llawr ar ddeg, ac ar y dechrau roedd Alecs yn gorfod cyfaddef ei fod yn siomedig.

Smithers oedd wedi cynllunio'r gwahanol ddyfeisiau roedd Alecs wedi'u defnyddio ar ei dasgau eraill. Roedd Alecs wedi disgwyl dod o hyd iddo yn rhywle yn y seler, wedi'i amgylchynu â cheir a beiciau modur, offer technoleg uwch, a dynion a merched mewn cotiau gwyn. Ond roedd y stafell yma'n ddiflas: yn fawr, yn sgwâr ac yn ddigymeriad. Gallai fod yn eiddo i brif weithredwr cwmni yswiriant, fallai, neu fanc. Roedd yna ddesg o ddur a gwydr, ffôn, cyfrifiadur, hambyrddau 'mewn' ac 'allan', a lamp fawr. Safai soffa ledr yn erbyn un wal, ac ar yr ochr arall i'r stafell roedd cwpwrdd ffeilio lliw arian â chwe drôr. Hongiai darlun ar y wal y tu ôl i'r ddesg; golygfa o'r môr. Ond, yn siomedig, doedd dim golwg o unrhyw ddyfeisiau yn unman. Dim hyd yn oed miniwr pensel trydan.

Eisteddai Smithers ei hun y tu ôl i'r ddesg, yn tapio ar y cyfrifiadur â bysedd oedd bron yn rhy fawr i'r allweddell. Roedd yn un o'r bobl dewaf a welsai Alecs erioed. Heddiw, gwisgai siwt dridarn ddu, a rhywbeth tebyg i dei ysgol yn clwydo'n llipa ar belen fawr ei stumog. Wrth weld Alecs, rhoddodd Smithers y gorau i'w deipio a throi yn ei gadair ledr oedd yn sicr o fod wedi'i hatgyfnerthu er mwyn cynnal ei bwysau.

'Fachgen annwyl!' meddai. 'Hyfrydwch pur dy weld ti. Dere miwn, dere miwn! Shwd wyt ti? Fe glywes i dy fod ti wedi bod mewn tamed o helynt – y busnes 'na yn Ffrainc. Wir, fe ddylet ti ddishgwl ar ôl dy hunan, Alecs. Bydden i'n drist iawn pe bai rhywbeth yn digwydd iti. Drws!'

Synnodd Alecs wrth weld y drws yn cau'n glep y tu ôl iddo.

'Llais-ysgogiad,' eglurodd Smithers gan wenu. 'Eistedda, os gweli di'n dda.'

Eisteddodd Alecs ar gadair ledr yr ochr arall i'r ddesg. Wrth iddo eistedd clywodd sŵn hymian isel, a throdd y lamp gan wyro tuag ato fel rhyw fath o aderyn metel oedd am graffu arno. Ar yr un pryd, smiciodd sgrin y cyfrifiadur a daeth sgerbwd dynol i'r golwg. Symudodd Alecs ei law. Symudodd llaw y sgerbwd. Daeth cryndod bach dros Alecs wrth sylweddoli ei fod yn edrych arno – neu'n hytrach drwyddo – fo'i hun.

'Rwyt ti'n dishgwl yn grêt,' meddai Smithers. 'Esgyrn da!'

'Be …?' dechreuodd Alecs.

'Rhywbeth bach rwy'i wedi bod yn gwitho arno fe. Dyfais pelydr-x syml. Defnyddiol os bydd rhywun yn cario dryll.' Pwysodd Smithers fotwm ac aeth y sgrin yn wag. 'Nawr, mae Mr Blunt yn gweud wrtho i dy fod ti'n mynd bant i ymuno â'n cyfeillion yn y CIA. Maen nhw'n weithredwyr gwych. Da iawn, iawn – heblaw, wrth gwrs, na fedri di byth mo'u trysto nhw, a does gyda nhw ddim synnwyr digrifwch. Cayo Esqueleto, os dealles i'n iawn …?'

Pwysodd ymlaen a gwasgu botwm arall ar y ddesg. Edrychodd Alecs ar y darlun ar y wal. Roedd y tonnau wedi dechrau symud! Ar yr un pryd newidiodd y llun, gan dynnu'n ôl, a sylweddolodd ei fod yn edrych ar sgrin deledu plasma yn dangos llun a drosglwyddwyd gan loeren yn rhywle uwchben Môr Iwerydd. Cafodd Alecs ei hun yn edrych i lawr ar ynys o siâp afreolaidd wedi'i hamgylchynu gan ddŵr gwyrddlas. Roedd cod amser ar y llun, a sylweddolodd ei fod yn cael ei ddarlledu'n fyw i'r stafell.

'Hinsawdd drofannol,' mwmiodd Smithers. 'Fe fydd 'na lawogydd trwm yr adeg yma o'r flwyddyn. Rwy'i wedi bod yn datblygu *poncho* sy'n dyblu fel parasiwt, ond sa i'n credu y byddi di angen hwnna. Ac mae 'da fi goil mosgitos gwych. A gweud y gwir, mosgitos yw'r unig bethe na wneith e mo'u difa. Ond fyddi di ddim angen hwnna chwaith. Mewn gwirionedd, maen nhw'n gweud 'tho i taw'r unig beth rwyt ti angen yw rhywbeth i dy helpu di i gadw mewn cysylltiad.'

'Trosglwyddydd cyfrinachol,' meddai Alecs.

'Pam 'i fod e'n gorffod bod yn gyfrinachol?' Agorodd Smithers ddrôr gan estyn teclyn allan ohoni a'i roi o flaen Alecs.

Ffôn symudol.

'Mae gen i un yn barod, diolch,' mwmiodd Alecs.

'Ddim un fel hyn,' atebodd Smithers. 'Mae e'n dy gysylltu di'n uniongyrchol â'r swyddfa hon, hyd yn oed pan wyt ti yn America. Mae'n gwitho dan y dŵr – ac yn y gofod. Mae'r botyme'n darllen olion bysedd, felly does neb ond ti'n gallu'i ddefnyddio fe. Model pump yw hwn. Mae gyda ni hefyd fodel saith. Rhaid i ti ddala hwnnw â'i ben i lawr wrth ddeialu neu mae e'n chwythu lan yn dy law –'

'Pam na cha i'r model hwnnw?' gofynnodd Alecs.

'Dyw Mr Blunt ddim yn fodlon.' Pwysodd Smithers ymlaen yn gyfrinachol. 'Ond rwy'i wedi dodi rhywbeth bach ychwanegol iti yn hwn. Weli di'r erial yma'n fan hyn? Deiala 999 ac fydd e'n saethu mas fel nodwydd. Yn cario cyffur, wrth gwrs. Fe wneith e lorio unrhyw un o fewn pellter o ugen metr.'

'Iawn.' Cododd Alecs y ffôn. 'Oes ganddoch chi rywbeth arall?'

'Fe wedon nhw wrtho i nad oeddet ti ddim i gael unrhyw arfe ... ' Ochneidiodd Smithers, yna pwysodd ymlaen a siarad i mewn i blanhigyn mewn potyn. 'Allech chi ddod â nhw lan, os gwelwch yn dda, Miss Pickering?'

Roedd Alecs yn dechrau cael amheuon cryf am y swyddfa hon – a chadarnhawyd ei amheuon pan holltodd y soffa ledr yn sydyn yn ddwy, a'r ddau ben yn symud i ffwrdd oddi wrth ei gilydd. Ar yr un pryd, llithrodd darn o'r llawr i'r ochr er mwyn gadael i ddarn arall o'r soffa saethu'n dawel i'w le, gan ychwanegu trydedd sedd at y ddwy arall. Cariwyd dynes ifanc i fyny ar y darn newydd. Eisteddai'n daclus, ei choesau wedi'u croesi a'i dwylo ar ei glin. Cododd a cherdded draw at Smithers.

'Dyma'r eitemau ofynnoch chi amdanyn nhw,' meddai, gan estyn pecyn iddo. Tynnodd ddalen o bapur allan a'i gosod o'i flaen. 'Ac mae'r adroddiad yma newydd gyrraedd o Gairo.'

'Diolch, Miss Pickering.'

Arhosodd Smithers hyd nes bod y ddynes wedi mynd allan – gan ddefnyddio'r drws y tro hwn – yna taflodd gipolwg sydyn ar yr adroddiad. 'Dim newydd da,' mwmiodd. 'Dim newydd da o gwbl. A wel …' Llithrodd yr adroddiad i mewn i'r hambwrdd 'allan'. Cafwyd fflach lachar wrth i'r papur hunan-ddinistrio. Ymhen eiliad doedd dim byd ond lludw ar ôl. 'Rwy'n plygu'r rheole'n gwneud hyn,' meddai wedyn. 'Ond roedd 'na gwpl o bethe ro'n i wedi bod yn eu datblygu ar dy gyfer di. Alla i ddim gweld pam na ddylet ti fynd â nhw gyda ti.'

Trodd y pecyn â'i ben i lawr, a llithrodd paced pinc llachar o gwm swigod i'r golwg. 'Yr hwyl o witho 'da ti, Alecs,' meddai Smithers, 'yw addasu'r pethe fyddet ti'n dishgwl eu cael ym mhocedi bachgen o dy oedran di. Ac rwy'n arbennig o falch o hwn.'

'Gwm swigod?'

'Mae e'n whythu swigod arbennig. Wrth ei gnoi e am dri deg eiliad, mae'r cemegau yn dy boer di'n adweithio â'r cyfansoddyn, a gwneud iddo chwyddo. Ac wrth iddo chwyddo fe wneith e ddinistrio fwy neu lai unrhyw beth. Doda fe mewn dryll, er enghraifft, ac fe wneith e 'i hollti e. Neu glo ar ddrws.'

Trodd Alecs y paced drosodd. Mewn llythrennau melyn ar yr ochr roedd y gair BYBL 0-7. 'Pa flas sy arno fo?' gofynnodd.

'Mefus. Nawr, mae'r ddyfais arall yma hyd yn oed yn fwy peryglus, ac rwy'n siŵr na fyddi di mo'i angen e. Y Saethwr yw hwn, ac fe fydden i'n hoffi'i gael e'n ôl.'

Ysgydwodd Smithers y pecyn a llithrodd cylch allweddi allan gan ymuno â'r gwm swigod ar y ddesg. Roedd model bach plastig yn sownd ynddo, pêl-droediwr mewn siorts gwyn a chrys coch. Pwysodd Alecs ymlaen a'i droi drosodd. Cafodd ei hun yn edrych ar fodel tri centimetr o uchder o Michael Owen.

'Diolch, Mr Smithers,' meddai. 'Ond yn bersonol dydw i erioed wedi cefnogi Lerpwl.'

'Y prototeip yw hwn. Allwn ni wastod wneud pêl-droediwr arall y tro nesa. Y pen yw'r peth pwysig. Cofia hyn, Alecs – tro fe mewn cylch ddwywaith i'r chwith ac unwaith i'r dde ac fe fyddi di'n arfogi'r ddyfais.'

'Mi wneith o ffrwydro?'

'Grenâd llonyddu yw e. Fflach a chlep. Ffiws deg eiliad. Ddim yn ddigon pwerus i ladd – ond mewn lle cyfyng fe wneith e lorio'r gelyn am funed neu ddwy. Bydde hynny'n ddigon, falle, iti allu dianc.'

Rhoddodd Alecs y ffigur Michael Owen a'r gwm swigod yn ei boced, ynghŷd â'r ffôn symudol. Cododd, gan deimlo'n fwy hyderus. Efallai mai tasg syml fyddai hon – gwyliau efo cyflog, fel dwedodd Blunt – ond eto doedd o ddim isio mynd yn waglaw.

'Pob lwc iti, Alecs,' meddai Smithers. 'Gobitho y byddi di'n tynnu 'mlaen gyda'r CIA. Dy'n nhw ddim yn gwmws fel ni, ti'n gwybod. A dyn a ŵyr beth wnân nhw ohonot ti.'

'Wela i chi, Mr Smithers.'

'Mae 'da fi lifft preifat os wyt ti am fynd i lawr.' Wrth i Smithers siarad, llithrodd y chwe drôr yn y cwpwrdd ffeilio'n agored, tair yn mynd un ffordd, a thair y ffordd arall, gan ddatgelu ciwbicl wedi'i oleuo'n llachar.

Ysgydwodd Alecs ei ben. 'Diolch, Mr Smithers,' meddai. 'Mi a' i i lawr y grisiau.'

'Yn gwmws fel ti'n moyn, fachgen. Cymer ofal. A beth bynnag wnei di, paid â llyncu'r gwm!'

ASIANTAU HEB FOD MOR ARBENNIG

Safai Alecs wrth y ffenest, yn ceisio gwneud synnwyr o'r byd newydd o'i gwmpas. Roedd saith awr ar awyren wedi tynnu rhywbeth allan ohono nad oedd hyd yn oed sedd annisgwyl yn yr adran dosbarth cyntaf wedi gallu'i roi'n ôl. Teimlai wedi'i ddatgysylltu, rhywsut, fel pe bai ei gorff wedi llwyddo i gyrraedd ond ei fod wedi gadael hanner ei ymennydd ar ôl yn rhywle.

Syllai ar Fôr Iwerydd, oedd yr ochr draw i strimyn o dywod gwyn llachar a ymestynnai i'r pellter, gyda gwelyau haul ac ambarelau wedi'u gosod allan fel rhaniadau ar bren mesur. Roedd Miami ar ben mwyaf deheuol Unol Daleithiau America, ac roedd yn ymddangos bod hanner y bobl oedd yn dod i'r ddinas wedi dilyn yr haul a dim mwy. Gallai weld cannoedd ohonynt, yn gorwedd ar eu cefnau yn y bicinis a'r trywsusau nofio lleiaf erioed, eu cluniau a'u coesau wedi'u dyrnu hyd berffeithrwydd yn y gampfa ac yna wedi'u rhoi allan i'w rhostio. Addolwyr yr haul? Na. Roedd y rhain yma am eu bod nhw'n addoli nhw eu hunain.

Roedd hi'n hwyr yn y pnawn a'r gwres yn dal yn danbaid. Ond yn Lloegr, wyth mil o gilometrau i ffwrdd, roedd hi'n nos – ac roedd Alecs yn brwydro i aros yn effro. Fallai bod yr haul yn tywynnu yr ochr arall i'r gwydr, ond yn y swyddfa daclus, ddrud hon, a'i system awyru nerthol, roedd yn teimlo'r oerfel.

Cafodd groeso gwahanol i'r disgwyl. Roedd gyrrwr yn aros amdano pan gyrhaeddodd y maes awyr – dyn cadarn mewn siwt yn dal cerdyn ac enw Alecs arno. Gwisgai'r dyn sbectol haul oedd yn cuddio'i lygaid yn llwyr.

'Rider?'

'Ia.'

'Ffordd hyn mae'r car.'

Erbyn gweld, limwsîn estynedig oedd y car. Teimlai Alecs yn wirion braidd yn eistedd ar ei ben ei hun mewn cerbyd hir, cul, gyda dwy sedd ledr yn wynebu'i gilydd, cwpwrdd diodydd a sgrin deledu. Doedd o ddim yn debyg i gar o gwbl, ac roedd yn falch fod y ffenestri, fel sbectol y gyrrwr, wedi'u tywyllu. Fyddai neb yn gallu gweld i mewn. Gwyliodd wrth i'r siopau a'r iardiau cychod ar gyrion y maes awyr lithro heibio, ac yna roedden nhw croesi'r dŵr dros forglawdd llydan oedd yn croesi'r bae at Draeth Miami. Adeiladau isel oedd yn yr ardal hon, prin yn uwch na'r coed palmwydd a dyfai o'u hamgylch, ac roedden nhw wedi'u peintio'n binc a glas golau llachar. Er bod y ffyrdd yn llydan, roedd mwy o bobl i'w gweld yn rhôl-sglefrio'n hanner noeth hyd y llinell ganol nag yn gyrru mewn cerbydau.

Stopiodd y limwsîn y tu allan i adeilad gwyn ddeg llawr o uchder ac iddo linellau mor onglog fel y gallai fod wedi'i dorri allan o ddalen o bapur. Roedd bar coffi ar y llawr isaf, a swyddfeydd uwchben. Gan adael bagiau Alecs yn y car, aethant i mewn drwy'r cyntedd a chymryd y lifft i'r degfed llawr. Agorodd y drws yn syth i mewn i ardal dderbyn, a edrychai fel swydda arferol, a dwy ferch ifanc effeithlon y tu ôl i ddesg o bren mahogani. Roedd arwydd yn darllen: CENTURION INTERNATIONAL ADVERTIZING. CIA, meddyliodd Alecs. Gwych!

'Alecs Rider i weld Mr Byrne,' meddai'r gyrrwr.

'Ffordd hyn.' Amneidiodd un o'r merched at ddrws ar un ochr. Fel arall, fyddai Alecs ddim hyd yn oed wedi sylwi arno.

Tu draw i'r ardal dderbyn roedd popeth yn wahanol.

Yn wynebu Alecs roedd dau diwb gwydr a dau ddrws llithro – un i mewn, un allan. Gwnaeth y gyrrwr ystum, a chamodd i mewn. Caeodd y drws yn awtomatig a chlywid sŵn hymian wrth i Alecs gael ei sganio – am arfau confensiynol a biolegol, tybiodd. Yna agorodd y drws ar yr ochr draw a cherddodd ar ôl y gyrrwr ar hyd coridor gwag, plaen ac i mewn i swyddfa.

'Gobeithio nad oes hiraeth arnat ti, mor bell o Loegr.'

Roedd y gyrrwr bellach wedi mynd, gan adael Alecs ar ei ben ei hun gyda dyn arall, oddeutu trigain oed, â gwallt wedi britho a mwstás. Er ei fod yn edrych yn heini, roedd yn symud yn araf, fel pe bai newydd godi o'i wely neu fod arno angen mynd iddo. Gwisgai siwt dywyll a edrychai'n anaddas ym Miami, crys gwyn a thei wedi'i wau. Ei enw oedd Joe Byrne, ac ef oedd y dirprwy gyfarwyddwr gweithrediadau yn adran Ymgyrchoedd Cudd y CIA.

'Na,' meddai Alecs, 'dw i'n teimlo'n iawn.' Doedd hyn ddim yn wir. Roedd yn difaru'n barod ei fod wedi dod. Byddai'n well ganddo fod yn ôl yn Llundain, er y byddai hynny'n golygu cuddio rhag y triadau. Ond doedd o ddim yn mynd i gyfadde hynny wrth Byrne.

'Mae dy enw da wedi cyrraedd o dy flaen di,' meddai Byrne.

'Ydi o?'

'Yn sicr ddigon.' Gwenodd Byrne. 'Dr Grieff a'r bachan hwnnw yn Lloegr – Herod Sayle. Paid becso, Alecs! Dy'n ni ddim i fod i wybod am y

109

pethau 'ma, ond y dyddiau hyn … does dim yn digwydd yn y byd heb i rywun yn rhywle glywed amdano. Fedri di ddim pesychu yng Nghabŵl heb i rywun ei recordo yn Washington.' Gwenodd iddo'i hun. 'Rhaid imi godi fy het i chi'r Brits. Yma yn y CIA ry'n ni wedi defnyddio cathod a chŵn – fe geision ni ddodi cath yn Llysgenhadaeth Corea gyda bỳg yn ei choler un tro. Roedd hi'n jobyn ddeche ac fe fydde wedi gweitho, ond yn anffodus fe wnaethon nhw fwyta'r gath druan. Ond dydyn ni erioed wedi defnyddio crwt o'r blaen. Yn sicr, dim crwt fel ti … '

Cododd Alecs ei ysgwyddau. Gwyddai fod Byrne yn gwneud ymdrech i fod yn gyfeillgar, ond ar yr un pryd roedd yn amlwg fod yr hen ŵr yn teimlo'n anghysurus.

'Rwyt ti wedi gwneud gwaith gwych dros dy wlad,' meddai Byrne, i grynhoi.

'Dw i ddim yn siŵr 'mod i wedi'i wneud o dros fy ngwlad,' meddai Alecs. 'Dim ond fod fy ngwlad heb roi llawer o ddewis imi.'

'Wel, rydyn ni'n wirioneddol ddiolchgar dy fod ti wedi cytuno i'n helpu ni nawr. Wyddost ti, mae 'na berthynas arbennig rhwng yr Unol Daleithiau a Phrydain. Ry'n ni'n hoffi helpu'n gilydd.' Cafwyd distawrwydd lletchwith. 'Fe wnes i gwrdd â dy ewythr unwaith,' meddai Byrne. 'Ian Rider.'

'Mi fu o yma ym Miami?'

'Na, yn Washington oedden ni. Roedd e'n ddyn da, Alecs. Yn asiant da. Ro'n i'n flin clywed –'

'Diolch,' meddai Alecs.

Pesychodd Byrne. 'Mae'n rhaid dy fod ti wedi blino. Ry'n ni wedi trefnu i ti aros mewn gwesty heb fod ymhell o fan hyn. Ond i ddechrau rwy'i am iti gwrdd â Turner a Troy, yr asiantau arbennig. Fe ddylen nhw fod yma unrhyw foment.'

Turner a Troy. Nhw oedd am fod yn fam a thad i Alecs. Meddyliodd tybed p'un oedd p'un.

'Ta beth, fe fydd y tri ohonoch yn gadael am Cayo Esqueleto ymhen dau ddiwrnod,' meddai Byrne. Eisteddodd ar fraich cadair. Doedd o ddim wedi tynnu'i lygaid oddi ar Alecs. 'Mae angen rhagor o amser arnot ti i ddod dros dy flinder, ac yn bwysicach fyth mae angen iti ddod i adnabod dy rieni newydd.' Oedodd. 'Fe ddylen i ddweud, Alecs, nad oedden nhw'n dwlu ar y rhan fyddi di'n ei chwarae yn y cynllun hwn. Paid camddeall. Maen nhw'n gwybod dy fod ti'n eithriadol o alluog. Ond dim ond peder ar ddeg wyt ti.'

'Pedair ar ddeg a thri mis,' meddai Alecs.

'Ie. Wrth gwrs.' Doedd Byrne ddim yn sicr a

111

oedd Alecs o ddifrif ai peidio. 'Yn naturiol, dy'n nhw ddim wedi arfer â chael pobl ifanc fel ti o amgylch pan fyddan nhw'n gweithio. Mae hynny'n eu poeni nhw. Ond fe wnân nhw gynefino. A'r peth mawr yw, unwaith rwyt ti wedi'u helpu nhw i gyrraedd yr ynys, fe fyddi di'n gallu cadw mas o'u ffordd nhw. Rwy'n siŵr fod Alan Blunt wedi dweud wrthot ti – fe gei di aros yn dy westy a mwynhau. Ddyle'r cyfan ddim cymryd mwy nag wythnos. Pythefnos, fan bellaf.'

'Be'n union maen nhw'n obeithio'i gyflawni?' gofynnodd Alecs.

'Wel, mae angen iddyn nhw gael i mewn i'r Casa de Oro – enw Sbaeneg am "tŷ euraidd". Hen dŷ planhigfa yw e, sydd gyda'r Cadfridog Sarov ar un pen i'r ynys. Ond dyw hi ddim yn mynd i fod yn hawdd, Alecs. Mae'r ynys yn culhau ac mae 'na drac â dŵr ar bob ochr yn arwain at y mur allanol. Mae'r lle ei hunan yn debycach i gastell nag i dŷ. Ta beth, nid dy broblem di yw hynny. Mae gyda ni bobl ar yr ynys all ein helpu ni i ddod o hyd i ffordd i mewn. Ac unweth y byddwn ni i mewn fe allwn ni fygio'r lle. Mae gyda ni gamerâu sy'n ddim mwy na phen pìn!'

'Rydach chi isio gwybod be yn union mae'r

Cadfridog Sarov yn ei wneud.'

'Yn gwmws.' Taflodd Byrne gipolwg ar ei sgidiau gloyw, glân ac yn sydyn meddyliodd Alecs tybed oedd y dyn yma'n cadw rhywbeth oddi wrtho. Roedd y cyfan yn swnio'n rhy syml – a beth oedd Smithers wedi'i ddweud? *Elli di byth â'u trysto nhw.* Roedd Byrne yn ymddangos yn ddigon dymunol, ac eto …

Daeth cnoc ar y drws. Heb ddisgwyl am ateb, cerddodd dyn a dynes i mewn. Cododd Byrne ar ei draed. 'Alecs,' meddai. 'Hoffwn iti gwrdd â Tom Turner a Belinda Troy. Dyma Alecs Rider.'

Trodd awyrgylch y stafell yn iasoer ar amrantiad. Doedd Alecs erioed wedi cyfarfod dau berson oedd yn llai bodlon o'i weld.

Roedd Tom Turner oddeutu deugain oed – dyn golygus a gwallt golau cwta iawn, llygaid glas ac wyneb oedd yn galed ac yn fachgennaidd ar yr un pryd. Roedd wedi'i wisgo – yn od – mewn jîns, crys gwyn coler agored a siaced ledr feddal, lac. Doedd dim o'i le ar y dillad, ond doedden nhw ddim i'w gweld yn gweddu iddo. Roedd hwn yn ddyn wedi'i fowldio gan y gwaith roedd yn ei wneud. Roedd ei olwg lân, blastigaidd braidd, yn atgoffa Alecs o ddymi mewn ffenest siop. O'i droi ar ei ben, meddyliodd Alecs, byddai rhywun yn gweld CIA wedi'i stampio ar wadnau'i draed.

Roedd Belinda Troy flwyddyn neu ddwy'n hŷn nag ef, yn fain, a gwallt brown crychlyd yn disgyn at ei hysgwyddau. Roedd hithau hefyd wedi'i gwisgo'n anffurfiol mewn sgert lawn a chrys-T, gyda bag lliwgar ar ei hysgwydd a mwclis yn hongian yn llac am ei gwddf. Yn ôl ei golwg, doedd hi ddim yn gwisgo colur. Roedd ei gwefusau wedi'u cau'n dynn – doedd hi ddim cweit yn gwgu, ond eto'n bell iawn o fod yn gwenu. Roedd hi'n atgoffa Alecs o athrawes mewn ysgol feithrin. Caeodd Troy'r drws ac eistedd i lawr. Rywsut neu'i gilydd roedd hi wedi llwyddo i osgoi edrych ar Alecs o'r foment y daeth i mewn i'r stafell – fel pe bai'n cymryd arni nad oedd o ddim yno o gwbl.

Edrychodd Alecs o'r naill i'r llall. Y peth rhyfedd oedd bod Tom Turner a Belinda Troy, er gwaethaf y gwahaniaethau rhyngddynt, mewn rhyw ffordd yn hynod debyg i'w gilydd, fel pe bai'r ddau wedi goroesi'r un ddamwain ddifrifol. Roedden nhw'n groengaled, yn ddideimlad, yn wag. Sylweddolai Alecs nawr pam fod y CIA ei angen o. Pe baen nhw wedi ceisio cael y ddau yma i mewn i Draeth Sgerbwd ar eu pennau'u hunain, fe fydden nhw wedi cael eu nabod fel ysbïwr hyd yn oed cyn gadael yr awyren.

114

'Hyfryd cwrdd â ti, Alecs,' meddai Turner mewn ffordd oedd gwneud iddo swnio'n hollol i'r gwrthwyneb.

'Shwd oedd y daith awyren?' gofynnodd Troy. Ac yna, cyn i Alecs gael cyfle i ateb, ychwanegodd, 'Mae'n siŵr ei fod e'n brofiad braidd yn ddychrynllyd. Teithio ar dy ben dy hunan.'

'Roedd yn rhaid imi gau fy llygaid pan oedd yr awyren yn codi,' meddai Alecs, 'ond mi wnes i lwyddo i stopio crynu pan gyrhaeddon ni dri deg pum mil o droedfeddi.'

'Rwyt ti'n ofni hedfan?' Roedd Turner wedi'i synnu.

'Mae hynna'n wallgof!' Trodd Troy at Byrne. 'Ry'ch chi'n dewis y bachgen yma ar gyfer ymgyrch CIA, a'r funed nesaf ry'n ni'n clywed 'i fod e'n ofni hedfan!'

'Na, na, Belinda! Tom!' meddai Byrne yn chwithig. 'Rwy'n credu taw tynnu coes oedd Alecs.'

'Tynnu coes?'

'Ie. Mae gydag e synnwyr digrifwch ... gwahanol.'

Roedd gwefusau Troy'n dynn. 'Wel, dw i ddim yn meddwl ei fod e'n ddoniol,' meddai. 'A dweud y gwir, dw i'n credu bod yr holl syniad yn wallgo.

Mae'n ddrwg 'da fi, syr …' Aeth yn ei blaen yn gyflym, cyn i Byrne gael cyfle i dorri ar ei thraws. 'Ry'ch chi'n dweud wrthon ni fod gyda'r bachgen yma enw da. Ond plentyn yw e o hyd! Beth os bydd e'n dweud rhyw jôc ddwl pan ry'n ni yn y maes? Fe allai ddifetha'r holl gynllun! A beth am yr acen yna sy gyda fe? Dy'ch chi ddim am weud wrtha i taw Americanwr yw e?'

'Dyw e ddim yn swno fel Americanwr,' cytunodd Turner.

'Fydd dim angen i Alecs ddweud gair,' meddai Byrne. 'Ac os bydd raid, rwy'n siŵr y gall e ffugio acen.'

Pesychodd Turner. 'Caniatâd i siarad, syr?'

'Dos yn dy flaen, Turner.'

'Rwy'n cytuno gant y cant ag asiant arbennig Troy, syr. Does gyda fi ddim byd yn erbyn Alecs. Ond dyw e ddim wedi'i hyfforddi. Dyw e ddim wedi cael ei brofi. Dyw e ddim yn Americanwr!'

'Mawredd!' Roedd Byrne yn sydyn wedi gwylltio. 'Ry'n ni wedi bod trwy hyn i gyd. Ry'ch chi'n gwybod pa mor gaeth yw gwarchodaeth yr ynys – a gydag arlywydd Rwsia ar ei ffordd, mae'n mynd i fod yn waeth nag erioed. Os ewch chi i mewn i faes awyr Santiago ar eich pennau'ch hunan, wnewch chi ddim dod mas y pen arall. Cofiwch beth ddigwyddodd i Johnson!

Fe aeth e i mewn ar ei ben ei hun, wedi'i wisgo fel adarwr. Roedd hynny dri mis yn ôl, a dy'n ni ddim wedi clywed gair ganddo fe oddi ar hynny!'

'Fe ddown ni o hyd i grwt o America yn lle hwn!'

'Dyna ddigon, Turner. Mae Alecs wedi hedfan filoedd o filltiroedd er mwyn ein helpu ni, ac rwy'n credu y gallet ti o leiaf ddangos tamed o werthfawrogiad. Y ddau ohonoch chi. Alecs … ' Amneidiodd Byrne ar Alecs ac eisteddodd yntau. 'Hoffet ti ddiod? Coke?'

'Dw i'n iawn,' meddai Alecs gan eistedd.

Agorodd Byrne ddrôr yn ei ddesg ac estyn bwndel o bapurau a dogfennau swyddogol ohoni. Roedd clawr gwyrdd y pasbort Americanaidd yn gyfarwydd i Alecs. 'Nawr, dyma sut ry'n ni'n mynd i weitho pethau,' dechreuodd Byrne. 'Y peth cyntaf yw, bydd angen ID ffug arnoch eich tri pan ewch i mewn i Cayo Esqueleto. Fe feddylies i y byddai'n haws cadw'ch enwau cyntaf – felly bydd Alecs Gardiner yn teithio gyda'i fam a'i dad, Tom a Belinda Gardiner. Carcwch y dogfennau hyn yn ofalus, gyda llaw. Mae'r asiantaeth wedi'i gwahardd rhag cynhyrchu pasborts ffug, ac fe ges i drafferth i gael gafael arnyn nhw. Pan fydd y cyfan ar ben, rwy'n moyn 'u cael nhw'n ôl.'

117

Agorodd Alecs y pasbort a synnu wrth weld ffotograff ohono'i hun yn ei le'n barod. Roedd ei oedran yn gywir, ond yn ôl y pasbort roedd wedi'i eni yng Nghaliffornia. Meddyliodd tybed sut roedd y pasbort wedi'i gynhyrchu. A pha bryd.

'Rwyt ti'n byw yn Los Angeles,' eglurodd Byrne, 'ac yn mynd i'r ysgol uwchradd yng ngorllewin Hollywood. Mae dy dad yn y diwydiant ffilmiau, ac rwyt ti ar wythnos o wyliau i wneud chydig o blymio a gweld yr atyniadau. Fe rof i damed o waith darllen iti heno, ac wrth gwrs mae popeth wedi cael ei ôl-osod.'

'Be ydi ystyr hynny?' gofynnodd Alecs.

'Mae'n golygu os bydd unrhyw un yn holi am deulu'r Gardiners sy'n byw yn LA, caiff y cyfan ei gadarnhau. Yr ysgol, y gymdogaeth, popeth. Mae 'na bobl sy'n mynd i ddweud eu bod nhw wedi dy nabod ti ar hyd dy oes.' Oedodd Byrne. 'Gwranda, Alecs. Mae'n rhaid iti ddeall. Dyw Unol Daleithiau America ddim mewn rhyfel yn erbyn Ciwba. Odyn, ry'n ni wedi cael ambell anghydfod, ond ar y cyfan ry'n ni wedi llwyddo i fyw'n weddol gytûn ar bwys ein gilydd. Ond maen nhw'n gwneud pethau yn ei ffordd eu hunain. Mae Ciwba – ac mae hynny'n golygu Cayo Esqueleto – yn wlad yn ei hawl ei hunan.

118

Os byddan nhw'n darganfod taw ysbïwr wyt ti, fe gei di dy daflu i'r carchar. Fe fyddan nhw'n dy holi di. Fallai y byddan nhw'n dy ladd di – a does dim allwn ni 'i wneud i'w rhwystro nhw. Mae 'na dri mis er pan glywson ni gan Johnson, ac rwy'n teimlo ym mêr fy esgyrn na fyddwn ni byth yn ei weld e eto.'

Bu tawelwch hir.

Sylweddolodd Byrne ei fod wedi mynd yn rhy bell. 'Ond does dim byd yn mynd i ddigwydd i ti,' meddai. 'Dwyt ti ddim yn rhan o'r cynllun hwn. Dim ond gwylio o'r cyrion fyddi di.' Trodd at y ddau asiant. 'Y peth pwysig yw eich bod yn dechrau ymddwyn fel uned. Dim ond dau ddiwrnod sydd gyda chi cyn gadael. Mae hynny'n golygu treulio amser gyda'ch gilydd. Mae'n siŵr bod Alecs yn rhy flinedig i gael cinio gyda chi heno, ond fe allwch chi ddechrau trwy gael brecwast gyda'ch gilydd fory. Treuliwch y diwrnod gyda'ch gilydd. Dechreuwch feddwl fel teulu. Dyna mae'n rhaid i chi fod.'

Roedd yn deimlad rhyfedd. Wrth orwedd yn ei wely yng Nghernyw, roedd Alecs wedi dymuno cael bod yn rhan o deulu. A nawr roedd ei ddymuniad wedi dod yn wir – er bod hynny wedi digwydd mewn ffordd wahanol i'r hyn roedd wedi'i ddisgwyl.

'Unrhyw gwestiyne?' gofynnodd Byrne.

'Oes, syr. Mae gyda fi gwestiwn,' meddai Turner yn bwdlyd. Doedd ei geg yn fawr fwy na llinell syth wedi'i thynnu'n sydyn ar draws ei wyneb golygus. 'Ry'ch chi'n moyn inni chware teulu bach hapus fory. Iawn, syr, os taw gorchymyn yw hynna fe wnaf fy ngore. Ond rwy'n credu'ch bod chi'n anghofio taw fory rwy'i fod i gwrdd â'r Gwerthwr. Sa i'n credu y bydd e'n moyn imi droi lan gyda 'ngwraig a 'mhlentyn.'

'Y Gwerthwr?' holodd Byrne yn ddig.

'Rwy'n cwrdd ag e ganol dydd.'

'Beth am Troy?'

'Fe fydda i yno wrth gefn,' meddai Troy. 'Dyma'r drefn arferol.'

'O'r gorau!' Meddyliodd Byrne am foment. 'Mae'r Gwerthwr ar y dŵr, cywir? Turner – fe gei di fynd ar y bad, a chaiff Alecs aros gyda Troy, ar y tir. Yn ddiogel mas o'r ffordd.'

Cododd Byrne. Roedd y cyfarfod ar ben. Teimlodd Alecs don arall o flinder yn rhuthro drwyddo a bu raid iddo frwydro yn erbyn yr awydd i ddylyfu gên. Roedd Byrne wedi sylwi, meddyliodd. 'Cer di i orffwys, Alecs,' meddai. 'Cawn gwrdd eto, rwy'n siŵr. Ac rwy'n wirioneddol ddiolchgar i ti am gytuno i helpu.' Estynnodd ei law. Ysgydwodd Alecs hi.

Ond roedd golwg sarrug ar wyneb Troy o hyd. 'Fe gawn ni frecwast am hanner awr wedi deg,' meddai. 'Fe fydd hynny'n rhoi amser iti ddarllen yr holl waith papur. Nid dy fod ti'n debygol o gysgu rhyw lawer ta beth. Ble rwyt ti'n sefyll?'

Cododd Alecs ei ysgwyddau.

'Rwy'i wedi trefnu stafell iddo yn y Delano,' meddai Byrne.

'Iawn. Fe wnawn ni dy godi di yno.'

Trodd Turner a Troy a gadael y stafell, heb ffarwelio o gwbl.

'Paid becso amdanyn nhw,' meddai Byrne ar ôl iddyn nhw fynd. 'Mae hon yn sefyllfa gwbl newydd iddyn nhw. Ond maen nhw'n asiantiaid da. Ymunodd Turner â'r fyddin yn syth o'r coleg, ac mae Troy wedi gweitho gydag e sawl tro o'r blaen. Fe wnân nhw dy garco di pan fyddwch chi allan yn y maes. Rwy'n siŵr y bydd popeth yn gweitho mas yn iawn.'

Ond rywsut roedd Alecs yn amau hynny. Ac roedd o mewn penbleth o hyd. Roedd llawer o waith a llawer o feddwl wedi mynd i mewn i'r cynllun yma. Roedd dogfennau ffug – ynghŷd â'i ffotograff – wedi cael eu paratoi cyn iddo hyd yn oed wybod ei fod yn dod. Roedd hunaniaeth gyfan wedi'i chreu ar ei gyfer yn Los Angeles. Ac roedd asiant arall, Johnson, o bosib wedi marw.

Cynllun gwylio syml? Roedd Byrne yn nerfus. Roedd Alecs yn sicr o hynny. Fallai bod Turner a Troy yn nerfus hefyd.

Beth bynnag oedd yn digwydd ar Draeth Sgerbwd, doedden nhw ddim wedi dweud popeth wrtho. Rywsut neu'i gilydd, byddai'n rhaid iddo ddarganfod hynny drosto'i hun.

Roedd hi'n stafell nad oedd mewn gwirionedd yn edrych fel stafell o gwbl. Roedd hi'n rhy fawr, a gormod o ddrysau ynddi – ac nid drysau'n unig, ond bwâu, alcofau a theras yn agored i'r haul. Marmor oedd y llawr, bwrdd gwyddbwyll o sgwariau gwyrdd a gwyn oedd rywsut fel petaent yn chwyddo'i faint. Roedd y dodrefn – llwythi o eitemau – yn addurnedig a hynafol. Byrddau a chadeiriau wedi'u cwyro'n loyw. Pedestalau'n dal cawgiau a cherfluniau bychain. Drychau anferth mewn fframiau aur. Siandelïerau hynod. Gorweddai crocodeil enfawr wedi'i stwffio o flaen lle tân swmpus. Gyferbyn â'r crocodeil, eisteddai'r dyn oedd yn gyfrifol am ei ladd.

Roedd y Cadfridog Sarov yn sipian coffi du o gwpan porslen bach, bach. Dim ond un llond gwniadur o goffi unwaith y dydd roedd Sarov yn ei ganiatáu iddo'i hun, oherwydd y caffîn ynddo. Hwn oedd ei unig bechod, ac roedd yn ei werthfawrogi. Heddiw roedd wedi'i wisgo mewn siwt anffurfiol o liain main, ond ar y dyn hwn edrychai bron yn ffurfiol, heb yr un crych ynddi. Roedd coler ei grys yn agored, gan ddangos gwddf allai fod wedi'i gerfio allan o garreg lwyd. Roedd gwyntyll yn y nenfwd yn troi'n ara deg, fetr neu ddau uwchben y ddesg lle roedd yn eistedd. Blasodd Sarov y gegaid olaf o goffi cyn gosod y cwpan a'r soser yn ôl ar ei ddesg. Wnaeth y porslen ddim smic o sŵn wrth iddo lanio ar yr wyneb gloyw.

Daeth cnoc ar un o'r drysau, a cherddodd dyn i mewn i'r stafell. Ond nid *cerdded*, chwaith, fyddai'r gair cywir i'w ddisgrifio. Doedd 'run gair addas i ddisgrifio'n union sut roedd yn dyn yma'n symud.

Roedd popeth yn ei gylch yn anghywir. Gorffwysai ei ben ar ogwydd ar ysgwyddau oedd eu hunain yn gam ac wedi crymu. Roedd ei fraich dde'n fyrrach na'i fraich chwith a'i goes dde, i'r gwrthwyneb, yn hirach o sawl centimetr na'r chwith. Am ei draed gwisgai sgidiau lledr du, gydag un yn drymach ac yn fwy o faint na'r llall. Gwisgai siaced ledr ddu a jîns, ac wrth iddo nesáu at Sarov crychai ei gyhyrau dan y brethyn

123

fel pe bai ganddyn nhw eu bywyd eu hunain. Doedd dim un rhan o'i gorff fel petai mewn cytgord â'r gweddill, felly er ei fod yn symud yn ei flaen, edrychai fel pe bai'n ceisio mynd am yn ôl neu i'r ochr. Ei wyneb oedd y rhan waethaf ohono. Roedd fel pe bai wedi'i dynnu'n ddarnau ac yna wedi'i roi'n ôl at ei gilydd gan blentyn oedd â dealltwriaeth niwlog iawn o'r corff dynol. Roedd oddeutu dwsin o greithiau ar ei wddf, ac yma ac acw ar hyd ei fochau. Roedd un o'i lygaid yn goch a gwaedlyd. Roedd ganddo wallt hir, di-liw ar un ochr i'w ben, gyda'r hanner arall yn gwbl foel.

Er y byddai'n amhosib barnu hynny wrth edrych arno, dim ond wyth ar hugain oed oedd y dyn yma, a hyd at rai blynyddoedd yn ôl ef oedd prif derfysgwyr Ewrop, a ofnid gan bawb. Ei enw oedd Conrad. Chydig iawn roedd neb yn ei wybod amdano, er y dywedai rhai ei fod wedi'i eni yn Istanbwl, yn fab i gigydd, a phan oedd yn naw oed ei fod wedi ffrwydro'i ysgol â bom a adeiladodd yn y wers gemeg pan gafodd orchymyn i aros ar ôl yr ysgol am ei fod yn hwyr.

Wyddai neb pwy oedd wedi hyfforddi Conrad, na chwaith pwy oedd wedi'i gyflogi. Cameleon oedd o. Doedd ganddo ddim daliadau gwleidyddol, ac roedd yn gweithredu er mwyn yr arian a dim byd mwy. Credai rhai mai ef oedd yn gyfrifol am ymosodiadau ym Mharis, Madrid, Athen a Llundain. Roedd un peth yn sicr. Roedd gwasanaethau diogelwch naw o wahanol wledydd ar ei ôl, ac ef oedd rhif pedwar ar restr y CIA o bobl i'w dal. Roedd bownti swyddogol o ddwy filiwn o ddoleri ar ei ben.

Daethai ei yrfa i ben yn sydyn ac annisgwyl yn ystod gaeaf 1998 pan oedd y bom a gariai – wedi'i fwriadu ar gyfer gorsaf filwrol – wedi ffrwydro'n rhy fuan. Roedd y bom yn llythrennol wedi'i rwygo'n ddarnau, ond heb lwyddo i'w ladd. Cafodd ei bwytho'n ôl at ei gilydd gan dîm o feddygon o Albania mewn canolfan ymchwil ger Elbasan. Eu gwaith llaw nhw oedd mor weladwy erbyn hyn.

Gweithiai Conrad fel cynorthwy-ydd personol ac ysgrifennydd i Sarov, a hynny ers dwy flynedd. Ar un adeg byddai gwaith o'r fath wedi bod yn israddol yn ei olwg, ond erbyn hyn doedd gan Conrad fawr o ddewis. A sut bynnag, roedd yn deall ehangder gweledigaeth Sarov. Yn y byd newydd roedd y Rwsiad yn bwriadu'i greu, byddai Conrad yn derbyn ei wobr.

'Bore da, gymrawd,' meddai Sarov mewn Saesneg rhugl. 'Gobeithio'n bod ni wedi llwyddo i gael gafael ar weddill yr arian papur o'r gors.'

Nodiodd Conrad. Roedd yn well ganddo beidio siarad.

'Ardderchog. Bydd yn rhaid londro'r arian, wrth gwrs, cyn gallu ei drosglwyddo i 'nghyfrif i.' Estynnodd Sarov am ddyddiadur clawr lledr. Roedd nifer o bytiau ynddo, pob un mewn llawysgrifen berffaith. 'Mae popeth yn mynd yn ei flaen yn ôl yr amserlen,' meddai wedyn. 'Adeiladu'r bom ...?'

'Cyflawn.' Edrychai Conrad fel pe bai'n cael anhawster i gael y gair allan o'i geg. Roedd yn rhaid iddo ystumio'i wyneb cyn gwneud i hynny ddigwydd o gwbl.

'Fe wyddwn y gallwn ddibynnu arnat ti. Bydd arlywydd Rwsia'n cyrraedd yma ymhen pum niwrnod. Fe gefais e-bost ganddo'n cadarnhau hynny heddiw. Mae Boris yn dweud ei fod yn edrych ymlaen yn fawr at ei wyliau.' Gwenodd Sarov. 'Fe fyddan nhw, wrth gwrs, yn wyliau nad yw e'n debygol o'u hanghofio. Rwyt ti wedi paratoi'r stafelloedd?'

Nodiodd Conrad.

'Y camerâu?'

'Odw, gadfridog.'

'Iawn.' Rhedodd Sarov ei fys i lawr tudalennau'r dyddiadur. Stopiodd ger un gair oedd wedi'i danlinellu ynghyd â marc cwestiwn.

'Mae mater yr wraniwm yn sefyll o hyd,' meddai. 'Ro'n i'n gwybod yn iawn y byddai prynu a dosbarthu deunydd niwclear yn beth peryglus a sensitif. Fe gefais fy mygwth gan y dynion yn yr awyren, ac maen nhw wedi talu'r pris. Ond roedden nhw, wrth gwrs, yn gweithio i rywun arall.'

'Y Gwerthwr,' meddai Conrad.

'Yn wir. Erbyn hyn, fe fydd y Gwerthwr wedi clywed beth ddigwyddodd i'w weision bach. Pan na fydd taliad pellach yn ei gyrraedd oddi wrtha i, fallai y bydd yn penderfynu mynd ymlaen â'i fygythiad a hysbysu'r awdurdodau. Mae'n annhebygol, ond mae'n risg nad wy'i fodlon ei chymryd. Mae gyda ni lai na phythefnos hyd nes caiff y bom ei ffrwydro, a'r byd yn cael ei ffurfio yn ôl fy nymuniad i. Allwn ni ddim mentro dim. Ac felly, Conrad annwyl, mae'n rhaid iti fynd i Miami a chael gwared o'r Gwerthwr o'n bywydau ni – yr hyn fydd, rwy'n ofni, yn cynnwys cael gwared â'i fywyd yntau.'

'Ble mae e?'

'Mae'n gweithredu o fad, llong teithiau pleser o'r enw *Mayfair Lady*, sydd fel arfer wedi'i hangori ger Marchnad y Bae. Mae'r Gwerthwr yn teimlo'n fwy diogel ar y dŵr. O'm rhan i fy hun, byddaf yn teimlo'n fwy diogel pan fydd e o dan y dŵr.' Caeodd Sarov y dyddiadur. Roedd y cyfarfod ar ben. 'Gelli gychwyn yn syth. Gad i mi wybod pan fydd y cyfan wedi'i wneud.'

Nodiodd Conrad am y trydydd tro. Crychodd y croen dros y pinnau metel yn ei wddf am foment wrth i'w ben symud i fyny ac i lawr. Yna trodd a cherdded, hercian, *llusgo'i* hun o'r stafell.

MARWOLAETH GWERTHWR

Cafodd y tri frecwast hwyr mewn caffi yn union ar y cei, ger yr hen farchnad, y cychod wedi'u clymu ar bob ochr a thacsis dŵr gwyrdd a melyn llachar yn gwibio'n ôl a blaen. Roedd Tom Turner a Belinda Troy wedi curo ar ddrws Alecs am ddeg o'r gloch y bore hwnnw. Fel roedd hi'n digwydd, roedd Alecs wedi bod yn effro ers oriau. Roedd wedi syrthio i gysgu'n gyflym, wedi cysgu'n drwm ac wedi deffro'n rhy gynnar – patrwm clasurol *jet-lag* croesi'r Iwerydd. Ond o leiaf roedd wedi cael digon o amser i ddarllen drwy'r papurau roedd Joe Byrne wedi'u rhoi iddo. Erbyn hyn roedd yn gwybod popeth am ei gymeriad newydd – y ffrindiau gorau nad oedd erioed wedi cwrdd â nhw, y ci anwes nad oedd erioed wedi'i weld, hyd yn oed y graddau ysgol nad oedd erioed wedi'u hennill.

A nawr roedd yn eistedd gyda'i fam a'i dad newydd yn gwylio'r twristiaid wrth iddynt grwydro i mewn ac allan o'r siopau bach tlws oedd yn britho'r lle. Roedd yr haul eisoes yn uchel yn yr awyr, a'r golau oedd yn codi oddi ar y môr bron â dallu rhywun. Gwisgodd Alecs ei sbectol haul grand, a daeth y byd y tu draw i'r gwydrau iridiwm du yn feddalach ac yn haws ei drin. Anrheg gan Jac oedd y sbectol haul. Doedd o ddim wedi disgwyl y byddai ei hangen mor fuan.

Roedd llyfryn o fatsys ar y bwrdd a'r geiriau THE SNACKYARD wedi'u hargraffu ar y clawr. Cododd Alecs y llyfryn a'i droi rhwng ei fysedd. Teimlai'r matsys yn gynnes – rhyfedd nad oedd yr haul wedi'u cynnau. Daeth gweinydd, wedi'i wisgo mewn du a gwyn a thei-bô, draw i gymryd eu harcheb. Taflodd Alecs gipolwg ar y fwydlen. Doedd o erioed wedi dychmygu y byddai'n bosib cael cymaint o ddewis i frecwast. Ar y bwrdd nesaf roedd dyn hanner ffordd drwy domen o grempogau a bacwn, *hash browns* ac wyau wedi'u sgramblo. Roedd awydd bwyd ar Alecs, ond roedd yr olygfa'n ddigon i wneud i'w archwaeth ddiflannu.

'Chymera i ddim ond sudd oren a thôst,' meddai.

'Bara cyflawn ynte bara gwyn?'

'Cyflawn. A menyn a jam –'

'Jeli, ti'n feddwl!' Arhosodd Troy nes bod y gweinydd wedi mynd. 'Does yr un crwt o Americanwr yn gofyn am jam.' Gwgodd Troy. 'Gofynna di am hynna ym Maes Awyr Santiago ac fe fyddwn ni yn y carchar – neu waeth – cyn iti droi.'

'Wnes i ddim meddwl,' cyfaddefodd Alecs.

'Ti ddim yn meddwl, ti'n cael dy ladd. Yn waeth fyth, fe gawn ni i gyd ein lladd.' Ysgydwodd ei phen. 'Rwy'n dal i ddweud bod hyn yn syniad gwael.'

'Shwd mae Lucky?' gofynnodd Turner.

Roedd pen Alecs yn troi. Am beth oedd o'n sôn? Wedyn cofiodd. Lucky oedd y ci Labrador oedd i fod i fyw efo'r teulu Gardiner yn ôl yn Los Angeles. 'Mae e'n iawn,' meddai Alecs. 'Mae Mrs Beach yn ei garco fe.' Hi oedd y ddynes oedd yn byw drws nesaf.

Ond doedd Turner ddim yn fodlon. 'Ddim digon cyflym,' meddai. 'Os wyt ti'n gorfod aros i feddwl am y peth, bydd y gelyn yn gwybod dy fod ti'n dweud celwydd. Mae'n rhaid iti siarad am dy gi a'r cymdogion fel taset ti wedi'u nabod nhw ar hyd dy oes.'

Doedd hi ddim yn deg, wrth gwrs. Doedd Turner a Troy ddim wedi'i baratoi. Doedd o ddim wedi sylweddoli bod y prawf wedi dechrau'n barod. Mewn gwirionedd, dyma'r trydydd tro i Alecs weithio'n gudd dan enw newydd. Pan gafodd ei yrru i Gernyw, Felix Lester oedd o, ac Alecs Friend, mab i luosfiliwnydd, oedd o yn Alpau Ffrainc. Y ddau dro roedd wedi llwyddo i chwarae'r rhan yn effeithiol a gwyddai y gallai wneud hynny eto fel Alecs Gardiner.

'Felly ers pryd dach chi gyda'r CIA?' gofynnodd Alecs.

'Mae'r wybodaeth yna'n gyfrinachol,' atebodd Turner. Gwelodd yr olwg ar wyneb Alecs a meddalu. 'Ar hyd fy oes,' meddai. 'Ro'n i'n fôr-filwr. Dyna beth ro'n i wastod moyn wneud, hyd yn oed pan o'n i'n grwt … ifancach na ti. Rwy'n moyn marw dros fy ngwlad. Dyna yw mreuddwyd i.'

'Ddylen ni ddim bod yn siarad amdanon ni'n hunen,' meddai Belinda'n flin. 'Ry'n ni i fod yn deulu. Felly dewch inni siarad fel teulu!'

'Ocê, Mom,' mwmiodd Alecs.

Fe ofynnon nhw chydig rhagor o gwestiynau am Los Angeles wrth ddisgwyl i'r bwyd gyrraedd. Atebodd Alecs yn awtomatig. Gwyliodd ddau yn eu harddegau'n mynd heibio ar sglefrfyrddau; byddai wedi hoffi ymuno â nhw. Dyna ddylai plentyn pedair ar ddeg oed fod yn ei wneud yn heulwen Miami. Nid chwarae gêmau ysbïwyr efo dau oedolyn a wynebau sur oedd wedi penderfynu'n barod nad oedden nhw'n fodlon rhoi cyfle iddo.

Cyrhaeddodd y bwyd. Roedd Turner a Troy ill dau wedi archebu salad ffrwythau a *cappuccino* – digaffîn â llaeth sgim. Meddyliodd Alecs mai gwylio'u pwysau oedden nhw. Daeth ei dôst yntau – gyda jeli grawnwin. Roedd y menyn wedi'i chwipio ac yn wyn, ac roedd yn diflannu wrth gael ei daenu.

'Felly pwy ydi'r Gwerthwr?' gofynnodd Alecs.

'Does dim angen i ti wybod hynny,' atebodd Turner.

Penderfynodd Alecs ei fod wedi cael llond bol. Rhoddodd ei gyllell i lawr. 'Iawn,' meddai. 'Rydach chi wedi'i gwneud yn ddigon clir nad ydach chi ddim isio gweithio efo fi. Wel, mae hynny'n iawn, achos dydw inna ddim isio gweithio efo chi chwaith. Hefyd, tasa hynny o unrhyw bwys, fydda neb byth yn credu mai chi oedd fy rhieni i – fydda rhieni neb byth yn ymddwyn fel chi'ch dau!'

'Alecs –' dechreuodd Troy.

'Anghofiwch o! Dw i'n mynd yn ôl i Lundain. Ac os bydd eich Mr Byrne chi'n gofyn pam, mi gewch chi ddeud wrtho fo nad o'n i ddim yn licio'r jeli, felly mi es i adra i nôl pot o jam.'

Cododd. Roedd Troy ar ei thraed yr un pryd. Edrychodd Alecs ar Turner. Roedd yntau'n edrych yn ansicr hefyd. Meddyliodd y bydden nhw wedi bod yn ddigon parod i ddweud 'gwynt teg ar dy ôl di'. Ond ar yr un pryd, roedden arnyn nhw ofn eu bòs.

133

'Stedda, Alecs,' meddai Troy. 'Ocê. Dwi'n cyfadde. Roedden ni ar fai. Doedden ni ddim yn bwriadu rhoi amser caled iti.'

Edrychodd Alecs ym myw ei llygaid. Eisteddodd i lawr yn araf.

'Mae hi jest yn mynd i gymryd dipyn o amser inni ddod i arfer â'r sefyllfa,' meddai Troy. 'Turner a finne … ry'n ni wedi gweitho gyda'n gilydd o'r blaen … ond dy'n ni ddim yn dy nabod di.'

Nodiodd Turner. 'Dwed dy fod ti'n cael dy ladd – shwd mae hynny'n mynd i wneud i ni deimlo?'

'Mi ddwedon nhw wrtha i nad oedd 'na unrhyw beryg,' meddai Alecs. 'P'run bynnag, mi fedra i ofalu amdana i fy hun.'

'Sa i'n credu hynny.'

Agorodd Alecs ei geg i siarad, yna stopiodd. Doedd dim pwynt dadlau efo'r bobl yma. Roedden nhw wedi penderfynu'n barod, ac roedden nhw'r math o bobl sydd bob amser yn iawn. Roedd o wedi dod ar draws athrawon oedd yn union yr un fath â nhw. Ond o leiaf roedd o wedi ennill rhywbeth. Roedd y ddau asiant arbennig wedi penderfynu ymlacio chydig.

'Ti'n moyn gwybod rhywbeth am y Gwerthwr?' dechreuodd Troy. 'Dihiryn yw e.

Cnaf digydwybod. Yma ym Miami mae'i ganolfan e.'

'Mae e'n hanu o Ddinas Mecsico,' ychwanegodd Turner.

'Felly be ydi'i waith o?'

'Mae'n gwneud yn gwmws fel ei enw. Gwerthu pethau. Cyffuriau. Arfau. Dogfennau ffug. Gwybodaeth.' Ticiodd Troy'r rhestr ar ei bysedd. 'Os bydd angen rhywbeth arnat ti, rhywbeth anghyfreithlon, fe wneith y Gwerthwr ei gyflenwi e. Am bris, wrth gwrs.'

'Ro'n i'n meddwl eich bod chi'n gwneud ymchwiliadau am Sarov.'

'Ry'n ni.' Petrusodd Turner. 'Fallai bod y Gwerthwr wedi gwerthu rhywbeth i Sarov. Dyna'r cysylltiad.'

'Be wnaeth o 'i werthu?'

'Wyddon ni ddim i sicrwydd.' Roedd Turner yn edrych yn fwy ac yn fwy nerfus o hyd. 'Y cyfan wyddon ni yw bod dau o asiantiaid y Gwerthwr wedi hedfan i mewn i Draeth Sgerbwd yn ddiweddar, ond wnaethon nhw ddim hedfan yn ôl mas. Ry'n ni wedi bod yn ceisio darganfod beth roedd Sarov yn ei brynu.'

'Be sy a wnelo hyn i gyd ag arlywydd Rwsia?' Roedd Alecs yn dal yn ansicr eu bod nhw'n dweud y gwir wrtho.

135

'Fyddwn ni ddim yn gwybod hynny hyd nes cawn ni wybod beth brynodd Sarov,' meddai Troy, fel pe bai'n egluro wrth blentyn chwech oed.

'Rwy'i wedi bod yn gweitho gyda'r Gwerthwr dan enw ffug ers peth amser nawr,' meddai Turner wedyn. 'Rwy'n prynu cyffuriau. Gwerth hanner miliwn o ddoleri o gocên, yn cael ei hedfan i mewn o Golombia. O leiaf, dyna mae e'n ei gredu.' Gwenodd Turner. 'Mae gyda ni berthynas eitha da. Mae e'n ymddiried ynof i. Mae heddi'n digwydd bod yn ben blwydd ar y Gwerthwr, felly fe wnaeth e fy ngwahodd am ddiod ar ei fad.'

Edrychodd Alecs draw tua'r môr. 'Pa un ydi o?'

'Hwnna.' Pwyntiodd Turner at gwch wedi'i glymu ar ben glanfa oddeutu pum deg metr i ffwrdd.

'Whiw!' meddai Alecs.

Roedd yn un o'r badau harddaf a welsai erioed. Nid un cul, lliw gwyn wedi'i wneud o blastig gwydr fel cynifer o'r badau pleser roedd wedi'u gweld o amgylch Miami. Doedd o ddim yn fodern, hyd yn oed. Enw'r bad oedd *Mayfair Lady* – iot Edwardaidd glasurol, wyth deg mlwydd oed, fel rhywbeth allan o hen ffilm ddu a gwyn. Roedd y bad yn gant ac ugain o droedfeddi o hyd, a chanddo un corn a godai o'i ganol. Roedd y prif salŵn ar lefel y dec, yn union y tu ôl i'r bont lywio, a'r rhes o bymtheg neu fwy o bortyllau'n awgrymu cabanau a stafelloedd bwyta islaw'r dec. Hufen oedd lliw'r bad, gydag addurniadau o bren naturiol, dec pren a lampau pres dan y canopïau. Codai mast uchel tenau yn y pen blaen â radar arno, yr unig gysylltiad gweladwy rhwng y bad a'r unfed ganrif ar hugain. Doedd y *Mayfair Lady* ddim yn perthyn i Miami. Mewn amgueddfa oedd ei lle hi. Ac mewn cymhariaeth roedd pob cwch a ddeuai'n agos ati'n edrych yn ddiolwg.

'Cwch hyfryd,' meddai Alecs. 'Mae'n rhaid bod y Gwerthwr yn ei gwneud hi'n dda.'

'Carchar yw'r lle iawn i'r Gwerthwr,' mwmiodd Troy. Roedd hi wedi gweld yr edmygedd yn llygaid Alecs ac yn feirniadol o hynny. 'A rhyw ddiwrnod dyna ble ry'n ni am ei ddodi e.'

'Am gyfnod o rhwng tri deg mlynedd ac oes,' cytunodd Turner.

Tyrchodd Troy â'i llwy i mewn i'w salad ffrwythau. 'O'r gore, Alecs,' meddai, 'gad inni ddechre eto. Dy athrawes maths di. Beth yw ei henw?'

Trodd Alecs ei ben. 'Mrs Hazeldene ydi'i

henw hi. Hefyd – a chwarae teg i chi am drio – ond rydan ni'n dysgu maths yn Lloegr. Mae Americanwyr yn dysgu math.'

Nodiodd Troy ond wenodd hi ddim. 'Rwyt ti'n gwella,' meddai.

Fe orffennon nhw eu brecwast, gyda'r asiantiaid CIA yn profi Alecs ar chydig o fanylion eraill. Wnaethon nhw mo'i holi am ei fywyd yn Lloegr, ei ffrindiau, na sut roedd wedi taro ar y ffordd i mewn i fyd MI6. Doedden nhw ddim fel pe baen nhw isio gwybod unrhyw beth amdano.

Roedd y sglefrfyrddwyr wedi rhoi'r gorau i chwarae, ac eisteddent yn llipa y tu allan i'r caffi yn yfed Coke. Edrychodd Turner ar ei oriawr. 'Amser cychwyn,' mwmiodd.

'Fe wna i sefyll 'da'r crwt,' meddai Troy.

'Ddylen i ddim bod mwy nag ugen muned.' Cododd Turner, yna trawodd ei ben â'i law. 'Damo! Anghofies i brynu anrheg pen blwydd i'r Gwerthwr!'

'Wneith e ddim becso,' meddai Troy. 'Dwed wrtho dy fod ti wedi anghofio.'

'Ti ddim yn meddwl y bydd e'n grac?'

'Mae'n iawn, Turner. Gofynna iddo fe ddod mas am gino'n fuan. Fydd e'n hoffi hynna.'

Gwenodd Turner. 'Syniad da,' meddai.

'Pob lwc,' meddai Alecs.

Cododd Turner a mynd. Wrth iddo gerdded i ffwrdd, sylwodd Alecs ar ddyn mewn crys patrwm Hawaii llachar a throwsus gwyn yn dod o'r cyfeiriad arall. Roedd hi'n amhosib gweld wyneb y dyn am ei fod yn gwisgo sbectol haul a het wellt. Ond rhaid ei fod wedi cael rhyw fath o ddamwain erchyll – roedd ei goesau'n llusgo'n lletchwith a'i freichiau fel pe baen nhw'n ddiffrwyth. Am foment roedd wrth benelin Turner ar y llwybr bordiau. Wnaeth Turner ddim sylwi arno. Yna, gan symud yn syndod o gyflym, roedd y dyn wedi mynd.

Gwyliodd Alecs a Troy wrth i Turner gerdded bob cam o'r ffordd at y *Mayfair Lady*. Roedd ramp ar ben y lanfa, yn arwain i fyny at lefel y dec. Roedd hynny'n caniatáu i'r criw gludo nwyddau ar fwrdd y bad. Roedd cwpl o ddynion yn gorffen eu gwaith wrth i Turner gyrraedd. Siaradodd â nhw. Pwyntiodd un ohonyn nhw i gyfeiriad y caban salŵn. Aeth Turner i fyny'r esgynfa a diflannu ar fwrdd y bad.

'Be sy'n digwydd rŵan?' gofynnodd Alecs.

'Ry'n ni'n aros.'

Am ryw chwarter awr ddigwyddodd dim byd. Ceisiodd Alecs sgwrsio gyda Troy, ond roedd ei sylw wedi'i hoelio ar y bad, a ddwedodd hi 'run gair. Meddyliodd Alecs am y berthynas rhwng y ddau asiant. Roedden nhw'n amlwg yn nabod ei gilydd yn dda, ac roedd Byrne wedi dweud wrtho eu bod wedi gweithio gyda'i gilydd o'r blaen. Doedd yr un o'r ddau'n dangos eu teimladau, ond meddyliodd Alecs tybed oedd eu perthynas yn fwy nag un broffesiynol.

Yna sylwodd Alecs ar Troy'n eistedd i fyny yn ei chadair. Dilynodd ei llygaid yn ôl at y cwch. Roedd mwg yn codi o'r corn, a'r peiriannau wedi tanio. Roedd y ddau aelod o'r criw y bu Turner yn siarad â nhw bellach ar y lanfa. Datododd un raff y bad, yna dringo ar y bwrdd. Cerddodd y llall i ffwrdd. Yn araf, dechreuodd y *Mayfair Lady* symud i ffwrdd o'r angorfa.

'Mae rhywbeth wedi mynd o chwith,' sibrydodd Troy. Nid ag Alecs roedd hi'n siarad, ond â hi ei hun.

'Be dach chi'n feddwl?'

Trodd ei phen yn sydyn wrth iddi gofio'i fod o yno. 'Cyfarfod deng muned oedd e i fod. Doedd Tom ddim i fod i fynd i unman.'

Tom. Dyna'r tro cyntaf iddi ddefnyddio'i enw cyntaf.

'Fallai 'i fod o wedi newid ei feddwl,' cynigiodd Alecs. 'Fallai bod y Gwerthwr wedi'i wahodd i fynd am daith ar y cwch.'

'Fydde fe ddim wedi mynd. Ddim hebddo i.

Ddim heb neb wrth gefn. Mae hynny'n groes i'r drefn.'

'Felly ... '

'Maen nhw'n gwybod pwy yw e.' Roedd wyneb Troy wedi gwelwi'n sydyn. 'Mae'n rhaid eu bod nhw wedi sylweddoli taw asiant yw e. Maen nhw'n mynd ag e mas ar y môr gyda nhw ...'

Erbyn hyn roedd hi ar ei thraed, ond heb symud, wedi'i pharlysu â diffyg penderfyniad. Daliai'r bad i symud ymlaen yn osgeiddig, a hanner ei hyd wedi mynd heibio pen y lanfa'n barod. Hyd yn oed pe bai Troy yn rhedeg ymlaen, fyddai hi byth yn ei gyrraedd mewn pryd.

'Be dach chi'n mynd i'w wneud?' gofynnodd Alecs.

'Wn i ddim.'

'Ydyn nhw'n mynd i ...?'

'Os y'n nhw'n gwybod pwy yw e, fe wnân nhw'i ladd e.' Poerodd y geiriau fel pe bai hyn rywsut yn fai ar Alecs, fel pe bai e'n gwestiwn twp na ddylai ei ofyn. A fallai mai dyna wnaeth iddo benderfynu. Yn sydyn, cyn iddo hyd yn oed sylweddoli beth roedd yn ei wneud, roedd Alecs ar ei draed ac yn rhedeg. Teimlai'n ddig. Roedd am ddangos iddyn nhw ei fod yn fwy na rhyw

141

grwt dwl o Sais, fel roedden nhw'n meddwl amdano.

'Alecs!' gwaeddodd Troy.

Anwybyddodd hi. Roedd wedi cyrraedd y llwybr bordiau'n barod. Roedd y ddau berson ifanc a welsai'n gynharach yn eistedd yn yr haul, yn gorffen eu diodydd, a sylwon nhw ddim arno'n cipio un o'u sglefrfyrddau ac yn neidio arno. Dim ond wrth iddo'i yrru'i hun dros y llawr pren i gyfeiriad cwch oedd yn gadael y gwaeddodd un ohonyn nhw ar ei ôl, ond erbyn hynny roedd hi'n rhy hwyr.

Roedd Alecs mewn cydbwysedd perffaith. Eirafyrddau, sglefrfyrddau, byrddau syrffio – doedd dim gwahaniaeth rhyngddyn nhw. Ac roedd y sglefrfwrdd yma'n un gwych, rasiwr lawr-allt Flexdex gyda rholferynnau rasio ABEC5 ac olwynion cryptonig. Roedd yn nodweddiadol o blant Miami i brynu dim ond y gorau. Symudodd ei bwysau, gan sylweddoli'n sydyn nad oedd ganddo na helmed na phadiau pen-glin. Pe bai'n cael codwm, byddai'n brifo'n arw. Ond roedd ganddo bethau gwaeth i boeni amdanyn nhw. Roedd y cwch yn pellhau. Wrth iddo wylio, llithrodd y starn a'i bropelorau prysur heibio pen y lanfa. Bellach roedd y cwch ar y môr. Gallai weld yr enw, *Mayfair Lady,* yn mynd yn llai wrth iddo symud ymhellach i ffwrdd. Ymhen chydig eiliadau byddai'n rhy bell iddo'i gyrraedd.

Trawodd Alecs y ramp y bu'r dynion yn ei ddefnyddio i lwytho a dadlwytho'r bad. Yn sydyn roedd yn codi, roedd yn yr awyr, roedd yn hedfan. Teimlodd y sglefrfwrdd yn syrthio dan ei draed, a'i glywed yn sblasio i'r môr. Ond cariodd ei fomentwm ei hun ef yn ei flaen. Doedd o ddim am lwyddo! Roedd y cwch yn mynd yn rhy gyflym! Roedd Alecs yn plymio i lawr, yn dilyn llwybr fyddai'n methu'r starn o gentimetrau. Byddai'n syrthio'n glatsh i'r dŵr – ac wedyn beth? Y propelorau! Bydden nhw'n ei dorri'n gareiau. Estynnodd Alecs ei freichiau a rhywsut cyffyrddodd ei fysedd y canllaw oedd yn troi o amgylch cefn y cwch. Trawodd ei gorff yn galed yn erbyn y starn fetel, a blaenau'i draed yn y dŵr uwchlaw'r propelorau.

Teimlodd ei anadl yn cael ei dyrnu ohono. Rhaid bod rhywun ar y bad wedi clywed! Ond doedd dim pwynt poeni am hynny nawr. Rhaid iddo obeithio bod twrw'r peiriannau wedi boddi sŵn yr ergyd. Â'i holl nerth, tynnodd ei hun i fyny a thros y ganllaw. Ac yna, o'r diwedd, roedd o ar y dec, yn wlyb diferol, a'i gorff cyfan yn boenus. Ond roedd o ar y bad. Ac yn wyrthiol, doedd neb wedi'i weld.

Aeth ar ei gwrcwd, ac edrych o'i gwmpas. Ardal fechan ar siâp pedol, wedi hanner ei chau i mewn, oedd dec y starn. O'i flaen roedd y caban salŵn ag un ffenest yn wynebu tuag at yn ôl, a'r drws chydig pellach ar hyd yr ochr. Roedd pentwr o nwyddau o dan darpolin, a dau dun mawr. Dadsgriwiodd Alecs un o'r caeadau a sniffio. Roedd yn llawn o betrol. Roedd yn amlwg bod y Gwerthwr yn bwriadu bod i ffwrdd am beth amser.

Roedd y dec cyfan, i'r dde ac i'r chwith, wedi'i orchuddio gan ganopi'n hongian i lawr bob ochr i'r prif salŵn, a bad achub pren yn hongian o ddau bwli uwch ei ben. Gan orffwyso am eiliad yn erbyn canllaw'r starn, sylweddolodd Alecs ei fod yn ddiogel cyn belled â bod neb yn cerdded i gefn y cwch. Faint o griw oedd 'na, tybed? Mae'n debyg bod capten wrth y llyw, a gallai rhywun arall fod gydag ef. Wrth edrych i fyny cafodd Alecs gipolwg ar ddwy droed yn cerdded ar draws y dec uchaf ar do'r salŵn. Dyna dri. Gallai fod dau neu dri arall y tu mewn. Cyfanswm, fallai, o chwech?

Edrychodd yn ôl. Roedd porthladd Miami eisoes yn diflannu i'r pellter y tu ôl iddo. Cododd Alecs a thynnu'i sgidiau a'i sanau. Sleifiodd ymlaen, gan symud yn gwbl ddi-sŵn, rhag ofn i rywun ei weld o'r dec uchaf. Roedd dwy ffenest gyntaf y salŵn ar gau, ond roedd y drydedd yn agored, ac wrth gyrcydu odani clywodd lais dyn yn siarad. Roedd ganddo acen Fecsicanaidd gref, a phob tro y llefarai'r llythyren S, roedd yn chwibanu'n ysgafn.

'Rwyt ti'n ffŵl. Dy enw ydi Tom Turner. Rwyt ti'n gweithio i'r CIA. A dw i'n mynd i dy ladd di.'

'Rwyt ti'n anghywir,' meddai llais dyn arall. 'Wn i ddim am beth wyt ti'n sôn.'

Roedd Alecs yn nabod llais Turner. Edrychodd i'r dde ac i'r chwith. Yna, a'i ysgwyddau'n pwyso yn erbyn wal y caban, llithrodd ei gorff i fyny nes bod ei ben yr un lefel â'r ffenest. Gallai edrych i mewn i'r caban.

Siâp petryal oedd caban y salŵn, a llawr pren wedi'i orchuddio'n rhannol gan garped oedd wedi'i rolio'n ôl – er mwyn osgoi staeniau gwaed, debyg. Yn wahanol i'r bad, roedd y dodrefn yn fodern, yn debyg i'r hyn a geir mewn swyddfa. Eisteddai Turner mewn cadair â'i ddwylo y tu ôl i'w gefn, a defnyddiwyd tâp parseli i glymu'i freichiau a'i goesau. Roedd yn amlwg wedi cael ei guro'n barod. Roedd ei wallt golau'n wlyb, a gwaed yn diferu o ochr ei geg.

Roedd dau ddyn yn y caban gydag ef. Gweithiwr dec oedd un, mewn jîns a chrys-T du, ei stumog yn bochio dros ei felt. Rhaid mai'r Gwerthwr oedd y llall. Roedd ganddo wyneb crwn, gwallt du fel y frân a mwstás bach. Roedd wedi'i wisgo mewn siwt wen dridarn, wedi'i theilwrio'n berffaith, a sgidiau lledr gloyw. Gafaelai'r gweithiwr dec mewn dryll awtomatig mawr, trwm. Eisteddai'r Gwerthwr mewn cadair wiail, a gwydraid o win coch yn ei law. Trodd y gwydryn o flaen ei drwyn, gan fwynhau'r arogl, yna sipiodd.

'Am win hyfryd!' mwmiodd. 'O Chile mae hwn yn dod. Cabernet Sauvignon wedi'i dyfu ar fy stad fy hun. Wyt ti'n gweld, gyfaill, rydw i'n llwyddiannus. Mae gen i fusnesau dros y byd. Pobl isio prynu gwin? Dw i'n gwerthu gwin. Pobl isio cymryd cyffuriau? Maen nhw'n wallgof, ond dydi hynny'n ddim o 'musnes i. Dw i'n gwerthu cyffuriau. Be sy o'i le ar hynny? Dw i'n gwerthu beth bynnag mae rhywun yn dymuno'i brynu. Ond, ti'n gweld, dw i'n ddyn gofalus. Wnes i ddim credu dy stori di. Mi wnes i chydig o ymholiadau, a soniwyd am y CIA. Dyna pam rwyt ti'n eistedd yma.'

'Beth wyt ti'n moyn wybod?' gofynnodd Turner yn gras.

'Dw i'n moyn gwybod pan fyddwn ni awr allan o Fiami, achos dyna pryd dw i'n bwriadu dy saethu di a dy daflu dros yr ochr.' Gwenodd y Gwerthwr. 'Dyna'r cwbl.'

Cyrcydodd Alecs allan o'r golwg. Doedd dim pwrpas iddo wrando ar ragor. Allai o ddim mynd i mewn i'r caban. Roedd dau ohonyn nhw, ac er bod ganddo arf, fyddai hynny ddim yn ddigon. Ddim yn erbyn dryll. Roedd angen rhywbeth i dynnu sylw.

Yna cofiodd am y petrol. Gan daflu cipolwg sydyn ar y dec uchaf, roedd ar fin cychwyn yn ôl tua'r starn ond stopiodd yn stond pan agorwyd drws pont y capten a daeth dyn allan. Doedd dim byd y gallai Alecs ei wneud; doedd unman iddo guddio. Ond roedd yn ffodus. Roedd y dyn, wedi'i wisgo mewn hen iwnifform capten, wedi bod yn ysmygu sigarét. Stopiodd yn ddigon hir i daflu'r stwmp i'r môr, yna aeth yn ei ôl yr un ffordd heb droi'i ben. Roedd o wedi cael ddihangfa o drwch blewyn, a gwyddai Alecs y byddai'n sicr o gael ei weld yn hwyr neu'n hwyrach. Roedd yn rhaid iddo symud yn gyflym.

Rhedodd ar flaenau'i draed at y tuniau petrol. Ceisiodd droi un o'r tuniau, ond roedd yn rhy drwm. Chwiliodd o'i amgylch am gadach, ond methodd yn lân â gweld un, felly tynnodd ei grys a'i rwygo â'i ddwylo. Yn gyflym, gwthiodd y llawes i mewn i'r tun, gan ei gwlychu â'r petrol. Wedyn tynnodd hi allan, gan adael un pen y tu mewn i wneud ffiws dros dro. Beth fyddai'n digwydd wrth iddo gynnau'r petrol? Tybiai Alecs y byddai'r ffrwydrad yn ddigon i dynnu sylw pawb ar y cwch, ond ddim yn ddigon cryf i'w suddo nac i ladd neb. Gan y byddai yntau ar fwrdd y bad, doedd ond gobeithio ei fod yn iawn.

Estynnodd i'w boced a gafael yn y llyfryn matsys y bu'n chwarae â nhw yn y bwyty. Cwpanodd ei law i arbed y fflam rhag yr awel, a thaniodd un fatsien i ddechrau, yna'r llyfryn cyfan. Daliodd y fflam wrth y cadach fu unwaith yn grys iddo. Roedd yr holl beth yn wenfflam ymhen eiliad.

Gan redeg ymlaen eto, aeth yn ôl at y caban salŵn. Gallai glywed y Gwerthwr yn dal i siarad y tu mewn.

'Gwydraid arall, dw i'n meddwl. Ond wedyn mae arna i ofn y bydd raid imi dy adael di. Mae gen i waith i'w wneud.'

Edrychodd Alecs i mewn. Safai'r Gwerthwr o flaen bwrdd, yn arllwys gwydraid arall o win iddo'i hun. Edrychodd Alecs dros ei ysgwydd. Doedd neb yno. Pam nad oedd y petrol wedi tanio? Oedd y gwynt wedi diffodd ei ffiws dros dro?

Ac yna ffrwydrodd. Llamodd madarchen fawr

o fflamau a mwg du i'r awyr yng nghefn y bad, cyn i'r gwynt ei chwipio i ffwrdd ar unwaith. Gwaeddodd rhywun. Gwelodd Alecs fod y petrol wedi tasgu i bobman dros y ddau ddec. Roedd tân i bob cyfeiriad, a'r canopi uwch ei ben ar dân. Roedd beth bynnag oedd wedi'i storio o dan y tarpolin hefyd yn wenfflam. Mwy o weiddi. Sŵn traed yn dyrnu i gyfeiriad dec y starn. Nawr oedd yr amser i symud.

'Cer i weld be sy'n digwydd!'

Clywodd Alecs y Gwerthwr yn poeri'r gorchymyn, ac eiliad yn ddiweddarach daeth y decmon allan ar frys. Diflannodd heibio ochr arall y caban. Felly doedd dim ond y Gwerthwr ar ôl, ar ei ben ei hun gyda Turner. Arhosodd Alecs am eiliad neu ddwy, yna camodd at y drws, gan estyn i'w boced. Gwelodd Turner ef cyn i'r Gwerthwr sylwi arno. Agorodd Turner ei lygaid yn fawr. Trodd y Gwerthwr. Gwelodd Alecs ei fod wedi rhoi'i wydryn i lawr a chodi dryll. Am eiliad, symudodd yr un o'r ddau. Syllai'r Gwerthwr ar fachgen pedair ar ddeg oed, yn droednoeth ac yn noeth o'i ganol i fyny. Roedd yn amlwg nad oedd wedi dychmygu am eiliad y gallai Alecs fod yn beryglus iddo mewn unrhyw ffordd, nac wedi breuddwydio mai'r bachgen yma oedd wedi rhoi ei gwch ar dân. Ac yn y foment honno o betruso, fe wnaeth Alecs ei symudiad.

Pan gododd ei law, roedd ffôn symudol ynddi. Roedd eisoes wedi deialu naw ddwywaith cyn mynd i mewn. Pwysodd y botwm am y trydydd tro wrth iddo anelu â'r ffôn.

'I chi mae o!' meddai.

Teimlodd y ffôn yn crynu yn ei law; ac yn ddi-sŵn saethodd yr erial allan o'r blaen, a'r plastig yn plicio'n ôl i ddangos nodwydd loyw. Teithiodd honno ar draws y caban gan daro'r Gwerthwr ynghanol ei frest. Roedd y Gwerthwr wedi ymateb yn gyflym, gan ddechrau anelu'i ddryll. Ond eiliad yn ddiweddarach trodd ei lygaid yn ei ben a syrthiodd yn swp ar lawr. Neidiodd Alecs drosto, codi cyllell oddi ar y bwrdd, a mynd draw at Turner.

'Be gythrel …?' ebychodd dyn y CIA. Gallai Alecs weld ar unwaith nad oedd wedi'i anafu'n ddifrifol. Doedd o ddim i'w weld mewn gwell tymer chwaith. Edrychodd o'r ffôn at gorff anymwybodol y Gwerthwr. 'Beth wnest ti iddo fe?' gofynnodd.

'Mi gafodd y rhif anghywir,' meddai Alecs, gan dorri drwy'r tâp gludiog.

Cododd Turner ar ei draed a chipio'r dryll roedd y Gwerthwr wedi'i ollwng. Edrychodd ar y blwch bwledi. Roedd y dryll wedi'i lwytho'n llawn. 'Be ddigwyddodd?' gofynnodd. 'Fe glywes i ffrwydrad!'

'Do. Mi wnes i danio'r cwch.'

'Beth?'

'Mi rois i'r bad ar dân.'

'Ond ry'n ni *ar* y bad!'

'Dw i'n gwybod.'

Cyn i Alecs fedru dweud rhagor, symudodd Turner, gan ei osod ei hun mewn osgo ymladd, breichiau'n uchel, coesau ar wahân. Roedd grisiau'n mynd i lawr ym mhen draw'r caban. Doedd Alecs ddim wedi sylwi arnyn nhw o'r blaen. Roedd rhywun wedi ymddangos, yn dod i fyny o'r gwaelodion. Taniodd Turner ddwywaith. Syrthiodd y dyn yn ôl i lawr. Stopiodd Turner. Roedd mwg du'n treiglo i mewn i'r caban. Clywyd ffrwydrad arall, a siglodd y bad cyfan fel pe bai wedi'i daro gan chwa sydyn o wynt. Clywyd sŵn gweiddi y tu allan ar y dec. Wrth edrych drwy'r ffenest, gwelai Alecs y fflamau.

'Mae'n rhaid mai'r tanc arall oedd hwnna,' meddai.

'Sawl tanc sy 'na?'

'Dim ond y ddau.'

Roedd Turner yn edrych fel petai bron wedi'i

151

hurtio. Gorfododd ei hun i wneud penderfyniad. 'Y môr ...' meddai. 'Bydd raid inni nofio.'

Aeth yr asiant CIA gyntaf, gan sleifio wysg ei ochr allan o'r caban. Yn sydyn roedd y dec yn llawn o bobl – o leiaf saith ohonyn nhw. O ble y daethon nhw, tybed? meddyliodd Alecs. Roedd dau ohonyn nhw – dynion ifanc mewn crysau gwyn budr a jîns – yn ymladd y fflamau ag offer diffodd tân. Roedd dau ar y to, ac un arall ar y dec. Roedden nhw i gyd yn gweiddi.

Codai mwg yn strimyn i'r awyr y tu ôl i'r bad. Roedd y bad achub yn llosgi, a rhan o'r canopi ar dân. O leiaf doedd neb wedi gweld Alecs yn dringo ar y cwch. Roedden nhw i gyd wedi cael eu synnu gan y ffrwydradau, a'r cyfan oedd ar eu meddyliau oedd cael y tân dan reolaeth. Ond wrth i Turner ddod allan o'r caban, sylwodd un o'r dynion ar y dec arno. Gwaeddodd yn uchel mewn Sbaeneg.

'Symud!' gwaeddodd Turner.

Rhedodd am ochr y bad ac Alecs yn ei ddilyn.

Clywyd sŵn clebran byddarol dryll peiriant, a rhwygwyd gweddill y canopi uwch ei ben yn ddarnau. Dyrnodd bwledi i mewn i'r dec gan beri i sglodion o goed hedfan i bobman. Ffrwydrodd bylb golau. Doedd Alecs ddim hyd yn oed yn sicr pwy oedd yn saethu. Y cyfan a wyddai oedd ei fod wedi'i gau i mewn ynghanol y mwg a fflamau a bwledi a llwyth o ddynion oedd isio'i ladd. Gwelodd Turner yn plymio dros yr ochr. Roedd y dryll peiriant yn dal i saethu, a theimlodd Alecs y dec yn cael ei rwygo gentimetrau'n unig oddi wrth ei draed noeth. Sgrechiodd wrth i sglodion pren daro yn erbyn ei fferau a'i sodlau. Rhuthrodd ymlaen a'i daflu'i hun dros y ganllaw. Roedd popeth yn anhrefn pur. Gallai deimlo'r gwynt yn rasio dros ei ysgwyddau noeth. Clywai ragor o saethu. Yna plymiodd wysg ei ben i ddŵr yr Iwerydd a diflannu dan yr wyneb.

Gadawodd Alecs i'r cefnfor ei gofleidio. Ar ôl maes brwydr dec y *Mayfair Lady* teimlai'r dŵr yn gynnes ac yn gysurus. Nofiodd i lawr, yn ddyfnach o hyd. Suodd rhywbeth heibio iddo, a sylweddolodd eu bod yn dal i danio arno. Gorau po ddyfnaf y gallai fynd. Agorodd ei lygaid. Er bod y dŵr hallt yn llosgi, roedd angen iddo wybod pa mor bell roedd yn mynd. Edrychodd i fyny. Gwelodd olau ar wyneb y dŵr ond doedd dim golwg o'r bad. Roedd ei ysgyfaint yn boenus wrth iddo ddal ei anadl. Roedd arno angen anadlu, ond arhosodd. Byddai wedi bod yn ddigon bodlon cael aros o dan y dŵr am awr.

Ond doedd hynny ddim yn bosib. Â'i gorff yn

gweiddi am ocsigen, ciciodd Alecs yn anfodlon am yr wyneb. Llyncodd yr aer yn awchus, y dŵr yn llifo i lawr ei wyneb. Roedd Turner wrth ei ymyl, a golwg ofnadwy arno, er nad oedd unrhyw waed arno o gwbl. Fallai ei fod mewn sioc, meddyliodd Alecs.

'Dach chi'n iawn?' gofynnodd.

'Wyt ti'n gall?' Roedd Turner mor flin nes iddo lyncu llond ceg o ddŵr wrth siarad. Tagodd, a brwydro rhag suddo dan y dŵr. 'Allet ti fod wedi'n lladd ni'n dau!'

'Dw i newydd achub eich bywyd chi!' atebodd Alecs yn siarp.

'Dyna ti'n gredu? Dishgwl!'

Yn llawn arswyd, trodd Alecs yn y dŵr. Doedd y *Mayfair Lady* ddim wedi cael ei dinistrio. Roedd y tân wedi'i ddiffodd, a'r bad yn dod yn ei ôl. Bu Alecs yn y dŵr am oddeutu naw deg eiliad. Yn ystod yr amser hwnnw roedd y bad wedi hwylio yn ei flaen, y criw i gyd yn ymladd y fflamau a neb wrth y llyw. Bu'r injan yn troi'n gyflym ac erbyn hyn roedd y bad oddeutu pum can metr i ffwrdd. Ond roedd yn amlwg fod y capten bellach yn ôl ar y bont lywio wrth i'r bad droi i ddod yn ôl. Gallai Alecs weld pedwar neu bump o ddynion yn sefyll yn y pen blaen, pob un yn cario dryll. Roedden nhw wedi'i weld.

Pwyntiodd un a gweiddi. Doedd gan Turner ac yntau ddim gobaith dianc, wrth arnofio yn y dŵr ag un arf rhwng y ddau. Byddai'r bad yn eu cyrraedd ymhen dim. Roedden nhw'n darged hawdd i'w saethu, fel hwyaid tun mewn ffair.

Beth allai o ei wneud? Edrychodd ar Turner, gan obeithio y byddai gan hwnnw ryw syniad, y gallai dynnu rhywbeth allan o'r het. Doedd gan y CIA ddim dyfeisiau i'w helpu mewn argyfwng? Ble oedd y cwch achub plastig, neu'r tanc anadlu cudd? Ond roedd Turner yn gwbl ddiymgeledd. Roedd o hyd yn oed wedi llwyddo i golli'r dryll.

Roedd y *Mayfair Lady* bellach wedi gorffen troi.

Rhegodd Turner.

Roedd y bad yn dod yn nes, yn hollti'r dŵr.

Ac yna ffrwydrodd. Y tro hwn roedd y ffrwydradau'n anferth, yn derfynol. Roedd tri ohonyn nhw ar yr un pryd – yn y blaen, y canol a'r cefn. Cafodd y *Mayfair Lady* ei chwythu'n dri darn hollol ar wahân, y corn a'r prif salŵn yn lluchio'u hunain allan o'r môr fel petaen nhw'n ceisio dianc rhag gweddill y bad. Teimlodd Alecs nerth yr ergyd yn symud drwy'r dŵr. Roedd y glec yn fyddarol. Trawodd ton anferth yn ei erbyn, gan ei adael bron yn anymwybodol. O'u

cwmpas ar bob ochr cwympodd cawod o
ddarnau o bren, rhai'n llosgi. Gwyddai'n syth na
allai neb fod wedi goroesi. A chyda'r
sylweddoliad hwnnw daeth syniad ofnadwy.

Ai arno fe roedd y bai? Ai fo oedd wedi'u lladd
nhw i gyd?

Rhaid bod Turner yn meddwl yr un peth.
Ddwedodd o 'run gair. Gwyliodd y ddau wrth i'r
hyn oedd unwaith yn iot glasurol suddo a
diflannu o'r golwg.

Clywodd sŵn injan yn nesáu. Trodd Alecs, a
gweld cwch cyflym yn rasio tuag atynt. Belinda
Troy oedd wrth y llyw. Rhaid ei bod, rywsut neu'i
gilydd, wedi cael gafael ar y cwch a chychwyn
ar eu holau. Roedd hi ar ei phen ei hun.

Rhoddodd help llaw i godi Turner allan o'r dŵr
gyntaf, wedyn Alecs. Am y tro cyntaf
sylweddolodd Alecs nad oedd y tir yn y golwg.
Teimlai fod y cyfan wedi digwydd mor gyflym. Ac
eto, roedd y *Mayfair Lady* wedi llwyddo i deithio
sawl cilometr o'r lan cyn iddi gael ei dinistrio.

'Beth ddigwyddodd?' gofynnodd Troy. Roedd
y gwynt wedi cipio'i gwallt hir a'i daenu o'i
chwmpas i gyd. Edrychai'n llawn panig. 'Fe
weles i'r bad yn chwythu lan. Ro'n i'n meddwl
eich bod chi –' Stopiodd a thynnu anadl. 'Beth
ddigwyddodd?' meddai eto.

'Y crwt,' meddai Turner mewn llais niwtral. Roedd yn dal i geisio gwneud synnwyr o bopeth oedd wedi digwydd. 'Wnaeth e 'nhorri fi'n rhydd … '

'Roeddet ti wedi dy glymu?'

'Oeddwn. Roedd y Gwerthwr yn gwybod 'mod i gyda'r asiantaeth. Roedd e'n mynd i'n lladd i. Llwyddodd Alecs i'w gnoco fe mas. Roedd gyda fe ryw fath o ffôn symudol …' Roedd yn adrodd y ffeithiau moel, ond doedd dim arlliw o werthfawrogiad yn ei lais. Siglodd y cwch yn ysgafn. Symudodd neb. 'Fe ffrwydrodd e'r bad a'u lladd nhw i gyd.'

'Na.' Ysgydwodd Alecs ei ben. 'Roedd y tân wedi diffodd. Mi welsoch chi. Roedden nhw wedi cael y cwch yn ôl dan reolaeth. Roedden nhw'n troi'r cwch, ar eu ffordd yn ôl –'

'Er mwyn y tad!' Roedd y dyn CIA bron yn rhy flinedig i ddadlau. 'Beth wyt ti'n feddwl ddigwyddodd? Wyt ti'n meddwl bod un o'r goleuadau wedi ffiwsio a bod y *Mayfair Lady* jest wedi digwydd chwythu lan? Ti oedd yn gyfrifol, Alecs. Ti gyneuodd y gas, a dyna ddigwyddodd.'

Gas. Petrol yn America. Dyna un o'r geiriau roedden nhw wedi'i brofi arno yn y Snackyard y bore hwnnw. Teimlai fel oes gyfan yn ôl.

'Mi wnes i achub eich bywyd chi,' meddai Alecs.

'Do. Diolch, Alecs.' Ond doedd dim cynhesrwydd yn llais Turner.

Dringodd Troy y tu ôl i'r llyw a thanio'r peiriant. Trodd y cwch ac anelu'n ôl i gyfeiriad y lan.

GWIRIO PASBORTAU

Eisteddai Alecs mewn sedd ffenest yn agos at flaen yr awyren, gyda Troy nesaf ato a Turner y tu draw iddi, wrth yr eil. Teulu bach ar eu gwyliau (ar *vacation*, atgoffodd ei hun). Roedd Troy'n darllen cylchgrawn, a Turner yn edrych ar sgript ffilm. Cynhyrchydd oedd o i fod, a threuliodd y daith yn gwneud nodiadau ar ymyl y tudalennau, rhag ofn fod rhywun yn gwylio. Chwaraeai Alecs â Game Boy Advance roedd Turner wedi'i roi iddo chydig cyn gadael Miami. Yn ddidaro y digwyddodd y peth, wrth i'r tri aros yn y lolfa ymadael.

'Dyma ti, Alecs. Rhywbeth i dy gadw di'n brysur ar yr awyren.'

Teimlai Alecs yn amheus. Cofiai fod y Game Boy diwethaf a ddaliodd rhwng ei ddwylo wedi'i lenwi ag offer a ddyfeisiwyd gan Smithers yn MI5. Ond hyd y gwelai, roedd hwn yn un hollol gyffredin. O leiaf roedd wedi cyrraedd lefel pump yn y gêm a hyd yma doedd y teclyn ddim wedi ffrwydro yn ei ddwylo.

Edrychodd allan drwy'r ffenest. Roedden nhw wedi bod yn yr awyr am oddeutu awr, ar ail ehediad y dydd. Roedden nhw wedi teithio o Fiami i Kingston, Jamaica, ac wedi dal yr ail awyren yno. Fe gawson nhw'r math o fyrbryd y bydd pobl yn ei ddisgwyl, ond byth yn ei fwynhau, ar awyren. Brechdan, sgwaryn bach o deisen, a thwbyn plastig o ddŵr. Nawr daeth y stiwardés yn ei hôl, gan gasglu'r hambyrddau'n frysiog.

'Eich capten sy'n siarad. Clymwch eich gwregysau, os gwelwch yn dda a gosod eich seddau'n unionsyth. Byddwn yn glanio'n fuan.'

Edrychodd Alecs drwy'r ffenest eto ar y môr o liw gwyrddlas rhyfeddol. Doedd o ddim yn edrych fel dŵr o gwbl. Yna gwyrodd blaen yr awyren ac yn sydyn gwelodd yr ynys. Y ddwy ynys. Roedd Ciwba ei hun tua'r gogledd, a Cayo Esqueleto'n bellach i'r de. Doedd dim un cwmwl yn yr awyr, ac am foment roedd y tir i'w weld yn berffaith eglur, wedi'i osod allan fel petai ar wyneb y byd – dau glwt o wyrdd emrallt ac arfordir oedd fel petai'n pefrio o las trydanol. Gwyrodd yr awyren. Diflannodd yr ynysoedd, a'r tro nesaf y gwelodd Alecs nhw roedd yr awyren yn dod i mewn yn isel, gan ruthro tuag at lanfa oedd yn edrych bron yn amhosib ei chyrraedd, wedi'i hamgylchynu â swyddfeydd, gwestai, ffyrdd a choed palmwydd. Roedd yna dŵr rheoli di-lun a di-siâp, ac adeilad terminws isel o goncrid a gwydr. Roedd dwy awyren arall ar y llawr yn barod, wedi'u hamgylchynu gan dryciau gwasanaeth. Teimlwyd ysgytwad wrth i'r olwynion ôl ddod i gysylltiad â'r tarmac. Roedden nhw wedi glanio

Datododd Alecs ei wregys.

'Aros funed, Alecs,' meddai Troy. 'Mae'r golau gwregysau'n dal ymlaen.'

Roedd hi'n ymddwyn fel mam, ond roedd hi wedi dewis bod yn fam awdurdodol oedd yn cadw rheolaeth. Roedd yn rhaid i Alecs gyfaddef bod y rôl honno'n gweddu iddi. Gallai unrhyw un oedd yn eu gwylio gredu eu bod nhw'n deulu, ond byddai'n gorfod ychwanegu mai teulu anhapus oedden nhw. Ar ôl yr hyn ddigwyddodd ym Miami, roedd y ddau asiant i bob pwrpas wedi'i anwybyddu, ac Alecs yn cael trafferth eu deall nhw. Oni bai amdano fo byddai Turner yn farw, ond doedd yr un o'r ddau'n fodlon cyfaddef hynny – fel pe bai Alecs, rywfodd, wedi brifo'u balchder proffesiynol nhw. Hefyd, roedden nhw'n mynnu mai fo oedd yn gyfrifol am ffrwydro'r *Mayfair Lady*, gan ladd pawb ar ei bwrdd. Roedd hyd yn oed Alecs yn ei chael yn anodd i osgoi rhyw deimlad o gyfrifoldeb. Roedd hi'n wir mai fo oedd wedi cynnau'r petrol. Pa reswm arall allai fod dros y ffrwydrad oedd wedi dilyn?

Ceisiodd anghofio'r peth. Roedd yr awyren bellach yn llonydd, a phawb ar eu traed, gan frwydro i estyn at y loceri uwch eu pennau yn y caban cyfyng. Wrth i Alecs estyn i fyny am ei fag ei hun, bu bron iddo ollwng y Game Boy o'i afael. Trodd Turner ei ben yn gyflym. Gwelodd Alecs fflach o bryder yn ei lygaid. 'Bydd yn garcus â hwnna!' meddai.

Roedd yn iawn, felly. Roedd 'na rywbeth wedi'i guddio y tu mewn i'r Game Boy. Gallai fod wedi disgwyl i'r asiantiaid CIA ei gadw yn y tywyllwch. Ond doedd hynny ddim wedi eu rhwystro rhag gofyn iddo gario'r teclyn i mewn i'r wlad.

Roedd hi'n ganol dydd, yr amser gwaethaf i gyrraedd. Wrth iddyn nhw ddod allan o'r awyren, teimlai Alecs y gwres yn adlewyrchu oddi ar y tarmac. Roedd hi'n anodd anadlu gan fod yr aer yn drwm ac aroglau diesel arno. Roedd yn chwysu cyn iddo hyd yn oed gyrraedd gwaelod y grisiau, a doedd y lolfa groeso'n ddim gwell. Doedd y system dymheru ddim yn gweithio, ac yn fuan cafodd Alecs ei hun wedi'i gaethiwo mewn lle cyfyng heb ffenestri, gyda dau neu dri chant o bobl. Roedd y terminws yn debycach i sied fawr nag i adeilad modern ar faes awyr. Roedd y waliau o liw gwyrdd olewydd, wedi'u haddurno â hen bosteri blêr o'r ynys. Roedd y teithwyr oddi ar yr un awyren ag Alecs wedi dal i fyny â'r teithwyr oedd yn dal i gael eu prosesu o'r ehediad cynt; y canlyniad oedd tyrfa anferth o bobl a bagiau'n ymlwybro'n araf tuag at dri swyddog mewnfudo mewn iwnifform yn eu cabanau gwydr. Doedd dim ciw trefnus. Wrth i un pasbort gael ei stampio gan adael un person arall i mewn, dim ond gwasgu ymlaen wnâi'r dorf, gan ddiferu'n araf drwy'r broses ddiogelwch.

Awr yn ddiweddarach, roedd Alecs yn dal yno. Teimlai'n fudr ac yn flêr, ac roedd arno syched ofnadwy. Edrychodd i un ochr lle roedd hen ddrysau darniog yn arwain at doiledau dynion a merched. Fallai bod 'na dap y tu mewn, ond a fyddai'r dŵr yn iach i'w yfed, hyd yn oed? Roedd gwarchodwr mewn crys a throwsus brown yn sefyll ac yn gwylio, gan bwyso yn erbyn wal yn ymyl drych o'r llawr i'r nenfwd, a dryll peiriant ar draws ei stumog. Roedd Alecs isio ymestyn ei freichiau ond roedd wedi'i gau i mewn yn rhy glòs. Roedd hen wraig â gwallt gwyn a wyneb llac yn sefyll yn union wrth ei ymyl. Roedd aroglau persawr rhad arni. Wrth iddo hanner troi, cafodd Alecs ei hun bron yn cael ei gofleidio ganddi a thynnodd yn ôl, heb allu cuddio'i ddiflastod. Edrychodd i fyny a gweld bod un camera diogelwch wedi'i osod yn y nenfwd. Cofiodd mor betrusgar oedd Joe Byrne ynglŷn â diogelwch ym maes awyr Santiago. Ond meddyliodd y gallai unrhyw un fod wedi cerdded i mewn a fyddai neb wedi sylwi. Edrychai'r gwarchodwr yn ddiflas a chysglyd. Roedd y camera'n debygol o fod allan o ffocws.

O'r diwedd fe gyrhaeddon nhw'r bwth rheoli pasbortau. Dyn ifanc oedd y swyddog y tu ôl i'r sgrin wydr, â gwallt du seimllyd a sbectol. Estynnodd Turner dri phasbort a thair ffurflen fewnfudo wedi'u llenwi i'r swyddog. Agorodd yntau nhw.

'Sa'n llonydd, Alecs,' meddai Troy. 'Fe fyddwn ni drwodd ymhen muned.'

'Ocê Mom.'

Cododd y swyddog pasbortau ei ben ac edrych arnynt. Doedd dim croeso o gwbl yn ei lygaid. 'Mr Gardiner? Beth yw pwrpas eich ymweliad?' gofynnodd.

'Gwyliau,' atebodd Turner.

Gwibiodd llygaid y dyn dros y pasbortau ac yna ar eu perchnogion. Llithrodd nhw dan sganiwr, gan agor ei geg yr un pryd. Doedd dim golwg o'r gwarchodwr roedd Alecs wedi'i weld.

Roedd yn syllu drwy'r ffenest, yn gwylio'r awyrennau.

'Ble rydych chi'n byw?' gofynnodd y swyddog.

'Los Angeles.' Roedd wyneb Turner yn wag. 'Rwy'i yn y busnes ffilmiau.'

'A'ch gwraig?'

'Dw i ddim yn gweithio,' meddai Troy.

Roedd y swyddog wedi cyrraedd pasbort Alecs. Agorodd ef a gwirio'r llun yn erbyn y bachgen a safai o'i flaen. 'Alecs Gardiner,' meddai.

'Shwd mae'n mynd?' Gwenodd Alecs arno.

'Dyma'ch ymweliad cyntaf â Cayo Esqueleto?'

'Ie. Ond nid yr un diwethaf, gobeitho.'

Syllodd y swyddog pasbortau arno, ei lygaid wedi'u chwyddo gan y sbectol. Yn ôl pob golwg, doedd ganddo ddim diddordeb o gwbl. 'Ym mha westy ydych chi'n aros?' gofynnodd.

'Y Valencia,' meddai Turner yn dawel. Roedd wedi sgwennu'r enw dair gwaith yn barod ar y ffurflenni mewnfudo.

Saib arall. Yna cododd y swyddog stamp a'i ddyrnu i lawr yn glatsh deirgwaith – tair ergyd dryll yn y ciosg cyfyng. Estynnodd y pasbortau'n ôl. 'Mwynhewch eich ymweliad â Cayo Esqueleto,' meddai.

Aeth Alecs a'r ddau asiant CIA drwy'r stafell fewnfudo ac i'r cyntedd lle roedd eu bagiau'n aros amdanyn nhw, gan droi mewn cylch diddiwedd ar hen felt symudol gwichlyd. A dyna hi, meddyliodd Alecs. Yr holl ffwdan yna a doedd dim angen iddo fod yno o gwbl.

Gafaelodd yn ei fag.

Ar yr un pryd, er nad oedd yn sylweddoli hynny, roedd ei lun a manylion ei basbort eisoes yn cael eu trosglwyddo i bencadlys yr heddlu yn Havana, Ciwba, ynghŷd â rhai Turner a Troy. Mewn gwirionedd roedd y 'teulu' wedi cael tynnu eu lluniau deirgwaith. Unwaith gan y camera roedd Alecs wedi'i weld yn y lolfa groeso, oedd yn llawer mwy soffistigedig nag y byddai'n ei gredu. Er mor hen ffasiwn yr olwg yr oedd, gallai ffocysu ar dwll mewn botwm ar got dyn neu ar un gair wedi'i sgwennu mewn dyddiadur, a'i chwyddo bum deg gwaith pe bai angen. Roedden nhw wedi cael eu ffotograffu'r ail dro gan gamera y tu ôl i'r drych ger y toiledau. Ac yn olaf roedd llun agos mewn proffil wedi'i dynnu gan gamera wedi'i guddio mewn broetsh ar ddillad hen wraig ag aroglau persawr rhad arni. Doedd hi, mewn gwirionedd, heb gyrraedd ar awyren o gwbl; roedd hi yno bob amser, yn cymysgu gyda'r newydd-ddyfodiaid,

166

gan glosio at unrhyw un oedd wedi codi amheuon ar y bobl roedd hi'n gweithio iddyn nhw. Roedd y ffurflenni mewnfudo roedd Turner wedi'u llenwi hefyd ar eu ffordd, wedi'u selio mewn bag plastig. Roedd ei atebion i'r cwestiynau safonol o lai o bwys i'r awdurdodau na'r ffurflenni eu hunain. Roedd y papur wedi'i gynhyrchu'n arbennig er mwyn cofnodi olion bysedd, ac mewn llai nag awr byddai'r rhain yn cael eu sganio'n ddigidol a'u gwirio yn erbyn data-bas anferth yn yr un adeilad heddlu.

Roedd y peiriant anweledig oedd yn gweithredu yn y maes awyr yn Santiago wedi'i ffocysu ar Turner a Troy hyd yn oed cyn iddyn nhw gyrraedd. Americanwyr oedden nhw. Roedden nhw wedi dweud eu bod nhw ar eu gwyliau ac roedd eu bagiau (a oedd, wrth gwrs, wedi cael eu harchwilio'n syth ar ôl eu cario oddi ar yr awyren) yn cynnwys yr eli haul, tyweli glan môr a meddyginiaethau sylfaenol y byddech yn disgwyl i deulu o Americanwyr arferol eu pacio. Roedd y labeli ar eu dillad yn dangos eu bod nhw i gyd wedi'u prynu yn Los Angeles. Ond roedd un dderbynneb y daethpwyd o hyd iddi ym mhoced un o grysau Turner yn adrodd stori wahanol. Yn ddiweddar, roedd wedi prynu llyfr mewn siop yn Langley, Virginia. Yn Langley

167

mae pencadlys y CIA. Roedd y tamaid bach yna o bapur yn ddigon i seinio'r larwm. Hyn oedd y canlyniad.

Roedd y swyddog yng ngofal diogelwch yn y maes awyr yn eu gwylio'n ofalus. Eisteddai mewn swyddfa fach heb ffenest, ac roedd eu lluniau'n syth o'i flaen, ar resi o sgriniau teledu. Gwyliodd nhw wrth iddynt fynd yn eu blaenau allan o'r cyntedd ac i'r neuadd groeso. Oedodd ei fys am eiliad yn ymyl botwm coch ar ei fwrdd rheoli. Doedd hi ddim yn rhy hwyr. Gallai eu tynnu'n ôl i mewn cyn iddyn nhw gyrraedd y safle tacsis. A phan oedd holi arferol yn annigonol, roedd yna bob amser gyffuriau.

Ac eto …

Rodriguez oedd enw'r pennaeth diogelwch ac roedd yn dda wrth ei waith. Roedd wedi holi cymaint o ysbïwyr o America fel y byddai'n dweud weithiau y gallai nabod un gan metr i ffwrdd. Roedd wedi sbotio 'Mr a Mrs Gardiner' cyn iddyn nhw groesi'r lanfa, hyd yn oed, ac wedi anfon ei ddirprwy draw i gael gwell golwg. Hwn oedd y gwarchodwr diflas yr olwg roedd Alecs wedi sylwi arno.

Ond y tro hwn doedd Rodriguez ddim mor sicr – a doedd o ddim yn gallu fforddio gwneud camgymeriadau. Wedi'r cyfan, roedd Cayo

Esqueleto angen ymwelwyr a'r arian oedd yn dod yn sgil twristiaeth. Er bod ganddo amheuon ynglŷn â'r ddau oedolyn, roedden nhw'n teithio gyda phlentyn. Roedd wedi clustfeinio ar y sgwrs fer rhwng Alecs a'r swyddog pasbortau. Roedd meicroffonau cudd ym mhob rhan o'r neuadd fewnfudo. Faint oedd oed y bachgen? Pedair ar ddeg? Pymtheg? Dim ond crwt arall o America'n cael pythefnos o wyliau ar y traeth.

Gwnaeth Rodriguez ei benderfyniad. Cododd ei law oddi ar y botwm larwm. Byddai'n well iddo osgoi'r cyhoeddusrwydd gwael. Gwyliodd y teulu'n diflannu i mewn i'r dyrfa.

Er hynny, byddai'r awdurdodau'n cadw llygad arnynt. Yn nes ymlaen y diwrnod hwnnw, rhag ofn, byddai'n llunio adroddiad i'w anfon, ynghŷd â'r ffotos a'r olion bysedd, at yr heddlu lleol yn Cayo Esqueleto. Byddai copi'n cael ei anfon hefyd at y bonheddwr pwysig iawn oedd yn byw yn y Casa de Oro. A fallai byddai rhywun yn cael ei ddanfon i'r Gwesty Valencia i gadw llygad agos ar y newydd-ddyfodiaid.

Eisteddodd Rodriguez yn ôl yn ei gadair a thanio sigarét. Roedd awyren arall wedi glanio. Pwysodd ymlaen a dechrau craffu ar y dorf oedd ar fin cyrraedd.

Roedd y Valencia'n un o'r gwestai rhyfeddol hynny y byddai Alecs yn eu gweld fel arfer yn cael eu cynnig fel gwobrau o wyliau ar sioeau teledu. Roedd wedi'i osod o'r neilltu ar draethell siâp cilgant, gyda filas bychain wedi'u gwasgaru ar hyd y traeth ac ardal dderbyn isel bron ar goll mewn jyngl bach o lwyni a blodau ecsotig. Roedd pwll nofio siâp toesen â bar yn y cylch canol a stolion yn dangos eu pennau fymryn yn uwch na'r dŵr. Roedd naws gysglyd i'r lle. Yn sicr, roedd hyn yn wir am y chydig westeion roedd Alecs yn gallu eu gweld, yn gorwedd yn ddisymud ar welyau haul.

Roedd Alecs a'i 'rieni' yn rhannu fila â dwy stafell wely, a feranda wedi'i chysgodi rhag yr haul gan do gwellt ar ogwydd. Roedd yna nifer o goed palmwydd, tywod gwyn, yna lliw glas amhosib Môr y Caribî. Eisteddodd Alecs ar ei wely am chydig. Roedd un gynfas wen ar y gwely, a ffan yn troi'n araf yn y nenfwd. Clwydodd aderyn â phlu gwyrdd a melyn disglair am eiliad ar ei silff ffenest cyn hedfan i ffwrdd i gyfeiriad y môr, fel pe bai'n ei wahodd.

'Ga i fynd i nofio?' gofynnodd. Fyddai o ddim fel arfer wedi gofyn am ganiatâd, ond roedd yn amau bod hynny'n gweddu i'w rôl.

'Cei, 'nghariad i!' Roedd Troy'n brysur yn

dadbacio. Roedd hi eisoes wedi rhybuddio Alecs y byddai'n rhaid iddo aros yn ei gymeriad yn y fila. Gallai'r gwesty'n hawdd fod wedi'i fygio. 'Ond cymera ofal!'

Newidiodd Alecs i'w ddillad nofio a rhedeg dros y tywod ac i'r môr.

Roedd y dŵr yn berffaith, yn gynnes ac yn glir fel grisial. Doedd dim gro, dim ond y carped meddalaf erioed o dywod. Nofiai pysgod pitw bach o'i amgylch ar bob ochr, gan chwalu'n syth pan estynnai'i law. Am y tro cyntaf yn ei fywyd roedd Alecs yn falch ei fod wedi cwrdd ag Alan Blunt. Yn sicr roedd hyn yn well na thin-droi gyda'i ffrindiau yng ngorllewin Llundain. Am unwaith, roedd pethau fel petaen nhw'n edrych i fyny iddo.

Ar ôl nofio, dringodd i mewn i hamog wedi'i osod rhwng dwy goeden, ac ymlacio. Roedd hi oddeutu hanner awr wedi pedwar a'r tywydd yr un mor gynnes â phan gyrhaeddon nhw. Daeth gweinydd draw ato a gofynnodd am lemonêd, gan roi'r gost ar y bil. Byddai ei fam a'i dad yn talu.

Mam a thad.

Wrth iddo siglo'n ôl a blaen, y dŵr yn diferu drwy'i wallt ac yn sychu ar ei frest, meddyliodd Alecs tybed sut bobl fyddai ei rieni go iawn, oni bai iddyn nhw farw mewn damwain awyren yn fuan ar ôl ei eni. A sut fywyd fyddai o wedi'i gael, yn tyfu i fyny mewn cartref normal, â mam i redeg ati pan fyddai wedi brifo a thad i chwarae efo fo, i fenthyca arian ganddo neu weithiau i'w osgoi? Fyddai hynny wedi'i wneud yn wahanol o gwbl? Byddai'n fachgen ysgol cyffredin, yn poeni am arholiadau – nid am ysbïwyr a gwerthwyr a chychod yn ffrwydro. Efallai y byddai'n berson meddalach. Mae'n debyg y byddai ganddo fwy o ffrindiau. Ac yn sicr fyddai o ddim yn gorwedd mewn hamog yng ngerddi'r Gwesty Valencia.

Arhosodd yno nes bod ei wallt yn sych, ac erbyn hynny roedd yn bryd iddo fynd o'r haul. Doedd Turner a Troy ddim wedi dod allan i chwilio amdano, ac roedd yn amau eu bod nhw'n brysur â'u pethau eu hunain. Roedd yn dal i deimlo'n sicr eu bod nhw'n celu llawer o bethau oddi wrtho. Meddyliodd am y Game Boy Advance. Doedden nhw ddim wedi sôn amdano tan y funud olaf un, fel roedden nhw ar fin mynd ar yr awyren. Tybed oedden nhw am iddo fo ei gario ar yr ynys, gan wybod y byddai bachgen pedair ar ddeg oed yn llai tebygol o gael ei archwilio?

Rholiodd Alecs allan o'r hamog a disgyn ar y

tywod. Roedd dyn lleol yn cerdded heibio, yn gwerthu mwclis i'r twristiaid ar y traeth. Edrychodd ar Alecs a chodi mwclis yn ei law. Ysgydwodd Alecs ei ben, yna cerddodd y chydig lathenni'n ôl i'w fila. Roedd y Game Boy ganddo o hyd, yn ei fag. Doedd Turner ddim wedi gofyn amdano'n ôl. Aeth Alecs yn ddistaw yn ôl i'w stafell, ei estyn a syllu arno eto. Doedd dim byd anghyffredin i'w weld. Roedd yn las llachar, a'r unig gêm, Rayman, wedi'i gosod yn y cefn. Teimlodd Alecs ei bwysau yn ei law. Hyd y gallai farnu, doedd o ddim trymach nac ysgafnach nag y dylai fod.

Yna cofiodd. Roedd y Game Boy a gawsai un tro gan MI5 yn cael ei fywiogi wrth bwyso'r botwm PLAY deirgwaith. Fallai bod y model yma'n gweithio yn yr un ffordd. Trodd Alecs y peiriant drosodd a phwyso'r botwm. Unwaith, dwywaith … y trydydd tro. Ddigwyddodd dim byd. Syllodd am chydig ar y sgrin wag, yn flin ag ef ei hun. Roedd yn anghywir. Dim ond gêm oedd hi, wedi'i rhoi iddo er mwyn ei gadw'n dawel ar yr awyren. Roedd hi'n bryd iddo wisgo amdano. Gosododd y Game Boy ar y bwrdd wrth y gwely a chodi ar ei draed.

Crawciodd y Game Boy.

Trodd Alecs yn syth, gan nabod y sŵn heb

wybod eto beth oedd ei ystyr. Roedd y Game Boy yn dal i grawcian, sŵn rhyfedd, gan wneud ratlo metelaidd. Roedd y sgrin wedi dod yn fyw yn sydyn gan fflachio'n wyrdd ac yn wyn. Beth oedd ystyr hynny? Cododd y peiriant eto. Ar unwaith distawodd y sŵn a diflannodd y goleuadau ar y sgrin. Symudodd y Game Boy yn ôl tua'r bwrdd wrth ei wely. Bywiogodd yn sydyn unwaith yn rhagor.

Edrychodd Alecs eto ar y bwrdd bach. Doedd dim byd arno heblaw am cloc larwm hen ffasiwn, wedi'i osod yno gan y gwesty. Agorodd y drôr. Roedd Beibl y tu mewn, wedi'i argraffu yn Sbaeneg a Saesneg. Dim byd arall. Felly beth oedd yn achosi i'r Game Boy ymddwyn fel hyn? Trodd y peiriant i'r ochr. Distawodd. Symudodd ef yn ôl at y bwrdd. Dechreuodd eto.

Y cloc …

Craffodd Alecs ar y deial. Roedd y rhifau mewn paent goleuol. Daliodd y Game Boy'n union wrth y gwydr a chododd sŵn y crawcian yn uwch nag erioed. Deallodd Alecs. Roedd ymbelydredd isel y rhifau ar wyneb y cloc. I hynny roedd y Game Boy yn ymateb.

Yn gudd y tu mewn i'r Game Boy roedd mesurydd Geiger. Gwenodd Alecs yn sarrug. Roedd Rayman, yn wir, yn enw priodol ar y peiriant hwn. Heblaw bod y pelydrau roedd yn chwilio amdanyn nhw'n rhai ymbelydrol.

Beth oedd hynny'n ei olygu? Doedd Turner a Troy ddim ar yr ynys i wneud gwaith gwyliadwraeth syml. Roedd o wedi dyfalu'n gywir. Roedden nhw ill dau – Blunt yn Llundain a Byrne ym Miami – wedi bod yn dweud celwydd wrtho o'r cychwyn cyntaf. Gwyddai Alecs ei fod yn eistedd dim ond chydig gilometrau i'r de o Giwba. Daeth rhywbeth a ddysgodd un tro mewn gwers hanes i'w gof. Ciwba. Y 1960au. Argyfwng taflegrau Ciwba. Arfau niwclear wedi'u hanelu at America …

Doedd o ddim yn gwbl sicr eto. Fallai ei fod yn neidio i gasgliad heb brawf. Ond y ffaith amdani oedd bod y CIA wedi smyglo mesurydd Geiger i mewn i Draeth Sgerbwd, ac er mor wallgof roedd hynny'n swnio, dim ond un rheswm allai fod pam bod arnyn nhw ei angen.

Roedden nhw'n chwilio am fom niwclear.

SGWÂR BRAWDGARWCH

Roedd Alecs yn dawedog iawn dros ginio'r noson honno. Er bod y gwesty i'w weld yn wag yn gynharach yn y dydd, synnodd wrth weld faint o'r gwesteion oedd wedi ymddangos amser cinio yn eu sgertiau llac, eu crysau a'u lliw haul, a doedd dim modd iddo siarad yn agored nawr.

Roedden nhw'n eistedd ar deras yr ystafell fwyta a edrychai allan dros y môr, yn bwyta pysgod ffres wedi'u gweini â reis, salad a ffa duon. Ar ôl gwres ffyrnig y pnawn, roedd yr aer yn oer ac yn ddymunol. Roedd dau gitarydd yn chwarae cerddoriaeth Ladinaidd, dawel, yng ngolau cannwyll. Cleciai sicadâu wrth y fil yn gras yn y llwyni.

Siaradai'r tri ohonynt fel y byddai unrhyw deulu'n ei wneud. Y trefi roedden nhw am eu gweld, y traethau roedden nhw'n bwriadu nofio arnynt. Adroddodd Turner stori ddigri a chwarddodd Troy'n ddigon uchel i droi pennau. Ond ffug oedd y cyfan. Doedden nhw ddim yn bwriadu mynd i unman, a doedd y stori ddim yn ddoniol. Er gwaetha'r bwyd a'r amgylchiadau, cafodd Alecs ei hun yn casáu pob munud o'r rôl roedd wedi'i orfodi i'w chwarae. Y tro diwethaf iddo eistedd gyda theulu oedd gyda Sabina a'i rhieni yng Nghernyw. Roedd hynny'n teimlo fel oes gyfan yn ôl, ac roedd y pryd bwyd yma, gyda'r bobl yma, rywsut yn suro'r atgof.

Ond o'r diwedd roedd y pryd bwyd ar ben a gallai Alecs ei esgusodi'i hun a mynd i'r gwely. Aeth yn ôl i'w stafell, gan glepian y drws ynghau ar ei ôl. Am foment safodd yno a'i ysgwyddau'n pwyso ar y pren. Edrychodd o'i amgylch. Camodd ymlaen, ar bigau'r drain. Roedd rhywun wedi bod yno. Roedd ei gês, oedd ar gau pan adawodd, yn agored. Oedd rhywun o'r gwesty wedi dod i mewn ac archwilio'r stafell tra oedd o wrth ei ginio? Oedden nhw'n dal i fod yno? Edrychodd yn y stafell molchi a thu ôl i'r llenni. Neb. Yna aeth draw at y cês. Ymhen eiliad neu ddwy sylweddolodd mai dim ond y Game Boy oedd ar goll. Felly dyna oedd wedi digwydd! Rhaid bod Turner neu Troy wedi sleifio i'r stafell tra oedd o allan. Roedd y Game Boy a'i fesurydd Geiger yn holl bwysig i'w tasg. Roedden nhw wedi'i gymryd yn ôl.

Tynnodd Alecs amdano'n gyflym a mynd i'r gwely, ond yn sydyn doedd o ddim yn flinedig. Gorweddodd yn y tywyllwch, yn gwrando ar y tonnau'n taro ar y tywod. Gallai weld miloedd o sêr drwy'r ffenest agored. Doedd o erioed wedi sylweddoli bod yna gymaint ohonyn nhw, na'u bod nhw'n gallu disgleirio mor llachar. Daeth Turner a Troy'n ôl i'w stafell oddeutu hanner awr yn ddiweddarach. Clywodd nhw'n siarad mewn islais, ond ni allai ddeall beth oedden nhw'n ei ddweud. Tynnodd y gynfas dros ei ben a'i orfodi'i hun i gwympo i gysgu.

Y peth cyntaf a welodd pan ddeffrodd y bore wedyn oedd nodyn wedi'i wthio dan ei ddrws. Cododd o'r gwely ac estyn amdano. Roedd wedi'i sgwennu mewn priflythrennau.

WEDI MYND AM DRO. MEDDWL DY FOD ANGEN GORFFWYS. DALA LAN Â TI NES YMLAEN.

MOM XXX

Rhwygodd Alecs y nodyn yn ei hanner – ac yna yn ei hanner eto. Taflodd y darnau i mewn i'r fasged sbwriel ac aeth allan i gael ei frecwast. Pâr o rieni od, meddyliodd, yn medru cerdded i ffwrdd gan adael eu mab ar ôl. Ond wedyn, mae'n debyg bod digonedd o deuluoedd – rhai oedd â nani neu *au pair* – oedd yn gwneud yr un peth yn aml. Treuliodd y bore ar y traeth, yn darllen. Roedd chydig o fechgyn eraill oddeutu'r un oedran ag ef yn chwarae yn y môr a meddyliodd am fynd atynt. Ond doedden nhw

178

ddim yn siarad Saesneg ac edrychent yn rhy annibynnol. Erbyn un ar ddeg doedd dim golwg o'i 'rieni'. Yn sydyn teimlodd Alecs yn ddiflas, yn eistedd yno ar ei ben ei hun yng ngerddi'r gwesty. Roedd ar ynys yr ochr draw i'r byd. Waeth iddo gael golwg ar rywfaint ohoni! Gwisgodd amdano a chychwyn am y dref.

Trawyd ef gan y gwres y foment y camodd allan oddi ar dir y gwesty. Roedd y ffordd yn troi am y tir, i ffwrdd o'r môr, gan ddilyn llinell o dir gwyllt ar un ochr a'r hyn a edrychai fel planhigfa dybaco – llwyth o ddail bras, gwyrdd yn tyfu hyd uchder brest – ar yr ochr arall. Roedd y tir yn wastad, ond doedd dim chwa o awel yn dod o'r môr. Roedd yr aer yn drwm ac yn llonydd. Cyn hir roedd Alecs yn chwysu ac yn gorfod hel y pryfed i ffwrdd – roedden nhw'n benderfynol o'i ddilyn bob cam o'r ffordd. Daeth at glwstwr o adeiladau, a adeiladwyd o haearn rhychog a phren wedi gwynnu yn yr haul. Suodd pry yn ei glust. Curodd ef i ffwrdd.

Cymerodd ugain munud iddo gyrraedd Puerto Madre, pentref pysgota oedd wedi tyfu i fod yn dref boblog, flêr. Roedd yr adeiladau'n gymysgfa ryfeddol o wahanol arddulliau: siopau simsan o bren, tai o farmor a brics, eglwysi carreg anferth. Roedd popeth wedi cael ei grasu'n ulw gan yr haul – ac roedd golau haul ymhobman; yn y llwch, yn y lliwiau llachar, yn arogleuon y sbeis a'r ffrwythau goraeddfed.

Roedd y sŵn yn fyddarol. Taranai miwsig radio – jazz a salsa – o ffenestri agored. Roedd y strydoedd yn orlawn o geir Americanaidd rhyfeddol, hen Chevrolets a Studebakers fel teganau mewn lliwiau disglair, eu cyrn yn bloeddio wrth iddynt geisio ymlwybro heibio ceffylau a throliau, *rickshaws* â pheiriant, gwerthwyr sigaréts a bechgyn yn glanhau esgidiau. Eisteddai hen ddynion mewn festiau y tu allan i gaffis, yn blincio yn yr haul. Safai merched mewn ffrogiau tyn yn ddioglyd yn y drysau. Doedd Alecs erioed wedi bod mewn lle mwy swnllyd, mwy budr na mwy byw.

Rywsut neu'i gilydd cafodd ei hun yn y brif sgwâr a cherflun enfawr yn ei chanol; milwr y chwyldro a reiffl wrth ei ochr a grenâd yn hongian o'i wregys. Roedd o leiaf gant o stondinau marchnad wedi'u gwasgu i mewn i'r sgwâr, yn gwerthu ffrwythau a llysiau, ffa coffi, swfenîrau, hen lyfrau a chrysau-T. Ac ymhobman roedd tyrfaoedd, yn crwydro i mewn ac allan o'r siopau doler a'r siopau hufen iâ, yn eistedd wrth fyrddau dan golonadau urddasol, yn ciwio yn y bwytai bwyd cyflym a'r *paladares* sef bwytai bychain wedi'u lleoli mewn tai preifat.

Roedd arwydd stryd yn sownd wrth y wal: PLAZA DE FRATERNIDAD. Roedd gan Alecs ddigon o Sbaeneg i wybod mai ei ystyr oedd Sgwâr Brawdgarwch. Doedd o ddim yn debygol o ddod o hyd i lawer o frawdgarwch yma. Yn sydyn, gwegiodd dyn tew mewn hen siwt fudr o liain main draw ato.

'Ti isio sigârs? Sigârs Hafana gorau. Ond am bris rhad, rhad.'

'Hei, *amigo*. Fi'n gwerthu crys-T iti …'

'*Muchacho!* Ti dod â rhieni ti i bar fi …'

Cyn iddo droi, roedd wedi'i amgylchynu. Sylweddolodd Alecs ei fod yn sefyll allan yn y dyrfa hon o bobl groenddu, drofannol, oedd yn gwau o amgylch yn eu crysau llachar a'u hetiau gwellt. Teimlai'n boeth ac yn sychedig. Edrychodd o'i amgylch am rywle lle câi rywbeth i'w yfed.

A dyna pryd y gwelodd Turner a Troy. Roedd y ddau asiant arbennig yn eistedd wrth fwrdd haearn o flaen un o'r bwytai crand, yng nghysgod gwinwydden fawr a dyfai'n flêr a gwasgarog dros y wal frau. Hongiai arwydd neon drostynt, yn hysbysebu sigârs Montecristo. Roedd dyn gyda nhw, brodor o'r ynys, a'r tri yn amlwg wedi ymgolli mewn sgwrs

181

wrth sipian eu diodydd. Symudodd Alecs tuag atynt, gan feddwl tybed a allai glywed beth oedden nhw'n ei ddweud.

Roedd y dyn roedden nhw'n sgwrsio ag ef yn edrych oddeutu saith deg oed; roedd wedi'i wisgo mewn crys tywyll, trowsus llac a beret. Ysmygai sigarét oedd yn edrych fel pe bai wedi'i gwthio drwy'i wefusau gan lusgo'r croen ar ei hôl. Roedd lliw haul ar ei wyneb, ei freichiau a'i wddf a'r croen yn grychlyd. Ond wrth iddo ddod yn nes, gallai Alecs weld y golau a'r nerth yn ei lygaid. Dwedodd Troy rywbeth, a chwarddodd y dyn, gan godi'i wydryn â llaw oedd yn ddim ond croen ac esgyrn, a thaflu'r cynnwys yn ôl ar un llwnc. Sychodd ei geg â chefn ei law, dwedodd rywbeth a cherdded i ffwrdd. Roedd Alecs wedi cyrraedd yn rhy hwyr i glustfeinio ar y sgwrs. Penderfynodd ei ddangos ei hun.

'Alecs!' Fel ar unrhyw adeg arall, doedd Troy ddim yn edrych yn falch o'i weld.

'Hai, Mom.' Eisteddodd Alecs heb aros am wahoddiad. 'Oes siawns am ddiod?'

'Beth wyt ti'n wneud yma?' gofynnodd Turner. Unwaith eto roedd ei geg yn llinell syth a'i lygaid yn wag. 'Wedon ni wrthot ti am aros yn y gwesty.'

'Ro'n i'n meddwl mai gwyliau teuluol oedd hyn

i fod,' meddai Alecs. 'A ph'run bynnag, mi wnes i orffen archwilio'r gwesty bore 'ma. Does 'na ddim arfau niwclear yno, rhag ofn 'ych bod chi'n poeni ...'

Rhythodd Turner. Edrychodd Troy o'i hamgylch yn nerfus. 'Cadwa ly lais i lawr!' brathodd, fel pe bai gan unrhyw un obaith o'i glywed yng nghanol dwndwr y sgwâr.

'Ddaru chi ddweud celwydd wrtha i,' meddai Alecs. 'Beth bynnag ydi'r rheswm pam dach chi yma, ddim jest ysbïo ar y Cadfridog Sarov ydach chi. Pam na wnewch chi ddweud y gwir wrtha i?'

Bu tawelwch hir.

'Beth ti'n moyn i yfed?' gofynnodd Troy.

Taflodd Alecs gipolwg ar wydryn Troy. Roedd hylif melyn gwan ynddo oedd yn edrych yn ddymunol. 'Be 'di hwnna sy ganddoch chi?' gofynnodd.

'*Mojito*. Diod arbennig yr ardal. Cymysgedd o rym, sudd lemon ffres, iâ wedi'i falu, soda a dail mintys.'

'Swnio'n wych. Gymera i yr un peth. Heb y rym.'

Galwodd Turner weinydd ato a siarad chydig eiriau mewn Sbaeneg. Nodiodd y gweinydd a brysio i ffwrdd.

Yn y cyfamser, roedd Troy wedi gwneud penderfyniad. 'O'r gore, Alecs,' meddai. 'Fe ddwedwn ni wrthot ti beth ti isie wybod –'

'Mae hynna'n groes i'r gorchymyn!' meddai Turner, gan dorri ar ei thraws.

Edrychodd Troy arno'n flin. 'Pa ddewis sy gyda ni? Mae'n amlwg bod Alecs yn gwybod am y Game Boy.'

'Y mesurydd Geiger,' meddai Alecs.

Nodiodd Troy. 'Ie, Alecs, dyna beth yw e. A dyna'r rheswm pam ein bod ni yma.' Cododd ei diod ei hun a llyncu cegaid ohono. 'Doedden ni ddim am iti wybod hyn am nad oedden ni isie hala ofon arnot ti.'

'Dach chi'n ffeind iawn.'

'Fe gelon ni orchymyn i beido gwneud!' Gwgodd. 'Ond … o'r gore, gan dy fod ti'n gwybod cyment, cystel iti glywed y gweddill. Ry'n ni'n credu bod dyfais niwclear wedi'i chuddio ar yr ynys yma.'

'Y Cadfridog Sarov …? Dach chi'n meddwl bod ganddo fo fom niwclear?'

'Ddylen ni ddim bod yn gwneud hyn,' mwmiodd Turner.

Ond y tro yma chymerodd Troy ddim sylw ohono. 'Mae rhywbeth yn digwydd, yma, ar Draeth Sgerbwd,' meddai wedyn. 'Dy'n ni ddim

184

yn gwybod beth yw e, ond os wyt ti'n moyn y gwir, mae e wirioneddol yn codi ofn arnon ni. Ymhen diwrnod neu ddau mae Boris Kiriyenko, arlywydd Rwsia, yn cyrraedd am bythefnos o wyliau. Does dim rhyw arwyddocâd mawr yn hynny. Mae e'n nabod Sarov ers blynydde. Roedden nhw'n gryts 'da'i gilydd. A dyw hi ddim fel pe bai'r Rwsiaid yn elynion inni erbyn hyn.'

Roedd Alecs yn gwybod hyn i gyd yn barod. Dyna roedd Blunt wedi'i ddweud wrtho yn Llundain.

'Ond yn ddiweddar, ac yn gwbl ddamweiniol, fe ddaeth Sarov i'n sylw ni. Roedd Turner a finne'n gwneud ymholiadau am y Gwerthwr. Ac fe wnaethon ni ddarganfod ei fod e, ymysg yr holl bethe eraill roedd e'n eu gwerthu, wedi llwyddo i gael gafael ar gilogram o wraniwm gradd arfau, wedi'i smyglo allan o ddwyrain Ewrop. Waeth iti wybod taw hyn yw un o hunllefau gwaethaf y gwasanaethe diogelwch y dyddie hyn – gwerthu wraniwm. Ond roedd e wedi llwyddo – a phetai hynny ddim yn ddigon drwg, y person roedd e wedi'i werthu iddo –'

'–oedd Sarov.' Gorffennodd Alecs y frawddeg.

'Ie. Hedfanodd awyren i mewn i Draeth Sgerbwd a wnaeth hi ddim hedfan mas. Roedd

Sarov yno i gwrdd â hi.' Seibiodd. 'A nawr, yn sydyn, mae 'na gyfarfod rhwng y ddau ddyn yma – yr hen gadfridog a'r arlywydd newydd – a falle bydd 'na fom niwclear yn y fargen. Felly wnei di ddim synnu clywed bod 'na dipyn go lew o bobl nerfus iawn yn Washington. Dyna pam ry'n ni yma.'

Ystyriodd Alecs beth oedd wedi'i glywed. Tu mewn, roedd yn corddi. Roedd Blunt wedi addo pythefnos yn yr haul iddo. Ond yn ôl pob tebyg roedd wedi cael ei yrru i flaen y gad yn y Trydydd Rhyfel Byd.

'Os mai bom ydi o, be mae Sarov yn fwriadu'i wneud ag o?' gofynnodd Alecs.

'Petaen ni'n gwybod hynny fydden ni ddim yma!' meddai'n frathog. Craffodd Alecs arni. Synnodd o weld ei bod yn wirioneddol ofnus. Roedd hi'n ceisio cuddio'r peth, ond roedd yr ofn yno, yn ei llygaid ac yn nhyndra'i gên.

'Ein jobyn ni yw dod o hyd i'r deunydd niwclear,' meddai Turner.

'Efo'r mesurydd Geiger.'

'Ie. Mae'n rhaid inni dorri i mewn i'r Casa de Oro a dishgwl o amgylch y lle. Am hynny roedden ni'n siarad nawr.'

'Pwy oedd o? Y dyn oedd efo chi?'

Ochneidiodd Turner. Roedd eisoes wedi

dweud llawer mwy nag a fwriadai. 'Ei enw yw Garcia. Mae e'n un o'n hasede ni.'

'Asede …?'

'Ystyr hynny yw ei fod e'n gweitho inni,' eglurodd Troy. 'Ry'n ni wedi bod yn talu iddo fe dros y blynydde i roi gwybodeth inni, ac i'n helpu ni pan ry'n ni yma.'

'Mae bad ganddo fe,' ychwanegodd Turner, 'ac fe fydd ei angen arnon ni oherwydd does dim ond un ffordd i mewn i'r Casa de Oro – ar y môr. Mae'r tŷ'n sefyll ar ryw wastadedd ym mhen pellaf un yr ynys. Hen blanhigfa siwgwr yw e. Roedden nhw'n arfer tyfu cansenni siwgwr yno ac mae gyda nhw hen felin sy'n dal i weithio. Ta beth, dim ond un heol sydd i fynd yno ac mae honno'n gul, gyda chlogwyn serth i lawr i'r môr ar bob ochr. Mae 'na ddynion diogelwch a gât. Allen ni fyth lwyddo i fynd i mewn ffordd yna.'

'Ond mewn cwch –' dechreuodd Alecs.

'Nid mewn cwch …' Oedodd Turner, yn ansicr a ddylai fynd yn ei flaen. Edrychodd ar Troy; nodiodd hithau. 'Ry'n ni am ddefnyddio sgwba. Ti'n gweld, ry'n ni'n gwybod rhywbeth nad yw Sarov falle'n gwybod amdano. Mae 'na ffordd i mewn i erddi'r fila sy'n mynd heibio'i amddiffyniade fe. Mae toriad naturiol, nam ar y graig, yn creu siafft o fewn y clogwyn sy'n

187

rhedeg yr holl ffordd o'r pen uchaf i'r gwaelod.'

'Ydach chi am ei dringo hi?'

'Mae grisie haearn i gael. Mae teulu Garcia wedi bod ar yr ynys ers canrifoedd ac maen nhw'n nabod pob modfedd o'r glannau. Mae e'n dweud ar ei lw bod yr ysgol yno o hyd. Tair canrif yn ôl roedd hi'n cael ei defnyddio gan smyglwyr i fynd o'r fila i'r traeth heb i neb eu gweld. Roedd ogof yn y gwaelod. Mae'r siafft – Simdde'r Diafol maen nhw'n ei galw hi – yn rhedeg yr holl ffordd lan ac yn dod mas rywle yn yr ardd. Dyna'r ffordd mewn inni.'

'Hanner munud.' meddai Alecs yn ddryslyd. 'Mi sonioch chi am ddefnyddio sgwba.'

Nodiodd Troy ei phen. 'Mae lefel y dŵr wedi codi'r holl ffordd o amgylch yr ynys ac mae'r fynedfa i'r ogof bellach dan lefel y môr. Mae hi ryw ugen metr dan y dŵr. Ond i ni mae hynny'n wych. Mae'r rhan fwyaf o bobl wedi anghofio am fodolaeth yr ogof. Yn sicr, fydd 'na ddim gwarchodaeth yno. Byddwn ni'n nofio i lawr gydag offer sgwba, yn dringo'r ysgol a mynd i mewn i'r gerddi. Byddwn ni'n archwilio'r fila.'

'Ac os dewch chi o hyd i'r bom?'

'Nage'n problem ni yw hynny, Alecs. Bydd ein gwaith ni ar ben.'

Daeth y gweinydd â diod Alecs. Cododd y

gwydryn. Roedd hyd yn oed ei deimlo, yn oer yn erbyn ei groen, yn rhyddhad. Yfodd chydig ohono. Roedd yn felys ac yn annisgwyl o flasus. Rhoddodd y gwydryn i lawr.

'Dw i isio dod efo chi,' meddai.

'Anghofia'r peth. Dim peryg!' Roedd Troy'n swnio'n anghrediniol. 'Pam wyt ti'n meddwl 'mod i wedi dweud hyn i gyd wrthot ti? Dim ond am dy fod ti'n gwybod gormod yn barod ac rwy'i am iti gredu'n bod ni o ddifri. Mae'n rhaid iti gadw mas o'r ffordd. Nage whare plant yw hyn. Dy'n ni ddim yn zapo'r bachan drwg ar sgrin cyfrifiadur! Hwn yw'r peth go iawn, Alecs. Ac fe fyddi di'n sefyll yn y gwesty a dishgwl inni ddod 'nôl!'

'Dw i'n mynd i ddod efo chi,' mynnodd Alecs. 'Fallai'ch bod chi wedi anghofio, ond gwyliau teuluol ydi hyn i fod. Os gadewch chi fi ar 'y mhen fy hun yn y gwesty am yr ail dro, fallai bydd rhywun yn sylwi ac yn dechrau meddwl ble rydach chi.'

Byseddodd Turner goler ei grys. Edrychodd Troy i ffwrdd.

'Fydda i ddim dan draed,' ochneidiodd Alecs. 'Dw i ddim yn gofyn am gael dod i blymio sgwba efo chi. Na dringo. Dim ond bod ar y cwch. Meddyliwch am y peth. Os awn ni'n tri efo'n gilydd, mi fydd yn edrych yn debycach i drip teuluol.'

189

Nodiodd Turner yn araf. 'Wyddost ti beth, Troy, mae gyda'r crwt bwynt.'

Cododd Troy ei diod a syllu i mewn i'r gwydryn yn ddifrifol, fel pe bai'n chwilio am ateb yn y gwaelod. 'O'r gore,' meddai o'r diwedd. 'Fe gei di ddod gyda ni os taw dyna ti wir yn moyn. Ond dwyt ti ddim yn rhan o hyn, Alecs. Dy jobyn di oedd helpu i'n cael ni ar yr ynys, ac os wyt ti'n gofyn i mi, doedden ni mo dy angen di hyd yn oed i hynny. Fe welest ti'r diogelwch yn y maes awyr – jôc oedd y cyfan! Ond, gan dy fod ti yma, waeth iti ddod i gael trip bach ar y bad. Ond sa i'n moyn dy glywed ti. Sa i'n moyn dy weld ti. Sa i'n moyn gwybod dy fod ti yna.'

'Beth bynnag ddeudwch chi.' Eisteddodd Alecs yn ôl. Roedd o wedi cael ei ffordd, ond roedd yn rhaid iddo ofyn iddo'i hun pam ei fod mor benderfynol. O ddewis, byddai'n well ganddo fod ar yr awyren gyntaf oedd yn gadael yr ynys a chael mynd mor bell i ffwrdd â phosib oddi wrth y CIA a Sarov a'r cwbl lot ohonyn nhw.

Ond doedd y dewis yna ddim ar gael iddo. Y cyfan wyddai Alecs oedd nad oedd o'n fodlon treulio amser yn y gwesty ar ei ben ei hun yn poeni. Os oedd 'na fom rywle ar yr ynys go iawn, roedd o isio bod y cyntaf i glywed amdano. Ac roedd un peth arall. Roedd Turner a Troy fel petaen nhw'n ddigon hyderus ynglŷn â Simdde'r Diafol. Roedden nhw wedi cymryd yn ganiataol nad oedd hi'n cael ei gwarchod ac y byddai'n eu harwain nhw'r holl ffordd i fyny. Ond roedden nhw wedi bod yr un mor hyderus ynghylch parti pen-blwydd y Gwerthwr, a bu bron i Turner gael ei ladd o ganlyniad.

Gorffennodd Alecs ei ddiod. 'Iawn,' meddai. 'Felly pryd 'dan ni'n mynd?'

Ddwedodd Troy 'run gair. Estynnodd Turner ei waled a thalu am y diodydd. 'Yn syth bìn,' meddai. 'Ry'n ni'n mynd heno.'

SIMDDE'R DIAFOL

Roedd hi'n hwyr yn y pnawn pan gychwynnon nhw o Puerto Madre, gan adael y porthladd a'i farchnadoedd pysgod a'i fadau pleser y tu ôl iddyn nhw. Roedd Turner a Troy am blymio tra oedd hi'n dal yn olau dydd. Roedden nhw'n mynd i ddod o hyd i'r ogof ac aros yno tan y machlud, yna dringo i fyny i mewn i'r Casa de Oro dan gysgod nos. Dyna oedd y cynllun.

Roedd gan Garcia gwch oedd wedi gweld dyddiau gwell. Tagodd a ffrwtiodd ei ffordd allan o'r harbwr, gan lusgo cwmwl o fwg drewllyd y tu cefn iddo. Roedd rhwd wedi crychu pob darn ohono fel rhyw haint croen difrifol. Doedd dim enw i'w weld ar ochr y cwch. Roedd baner neu ddwy'n cyhwfan o'r mast, ond doedden nhw fawr gwell na chadachau, ac unrhyw ôl o'u lliwiau gwreiddiol wedi hen ddiflannu. Roedd chwe silindr aer wedi'u clymu wrth fainc o dan ganopi. Rheiny oedd yr unig offer newydd yn y golwg.

Roedd Garcia'i hun wedi croesawu Alecs â chymysgedd o elyniaeth ac amheuaeth. Yna roedd wedi siarad â Turner am gryn amser, yn Sbaeneg. Roedd Alecs wedi treulio rhai misoedd yn Barcelona gyda'i ewythr ac roedd yn deall digon o'r iaith i allu dilyn eu sgwrs.

192

'Wnaethoch chi ddim sôn am fachgen. Beth 'ych chi'n feddwl yw hyn? Trip twristiaid? Pwy yw e? Pam ddaethoch chi â fe?'

'Dyw e'n ddim o'ch busnes chi, Garcia. Gadewch inni fynd.'

'Fe daloch chi am ddau deithiwr.' Daliodd Garcia ddau fys gwywedig i fyny, pob asgwrn a gewyn yn y golwg. 'Dau deithiwr … dyna gytunon ni.'

'Rych chi'n cael eich talu'n ddigon teg. Does dim pwynt dadle. Mae'r crwt yn dod, a dyna ddiwedd arni!'

Ar ôl hynny cwympodd Garcia i ryw ddistawrwydd sarrug. Nid y byddai fawr o bwrpas iddo siarad p'un bynnag. Roedd sŵn injan y cwch yn rhy uchel.

Gwyliodd Alecs wrth i arfordir Cayo Esqueleto lithro heibio. Roedd yn rhaid iddo gyfaddef bod Blunt yn iawn – roedd rhyw harddwch dieithr yn perthyn i'r ynys, ei lliwiau cryf, eithriadol; y coed palmwydd yn gwasgu at ei gilydd, wedi'u gwahanu oddi wrth y môr gan ruban llachar o dywod gwyn. Roedd yr haul yn hofran, yn gylch perffaith, uwchben y gorwel. Saethodd pelican brown – aderyn lletchwith a digri pan oedd ar y llawr – allan o goeden binwydd a hedfan i fyny'n osgeiddig uwch eu pennau. Teimlodd Alecs ryw llonyddwch meddwl anghyffredin. Roedd hyd yn oed sŵn yr injan fel pe bai wedi llifo i ffwrdd i rywle.

Ar ôl oddeutu hanner awr, dechreuodd y tir godi a sylweddolodd eu bod nhw wedi cyrraedd pen gogleddol yr ynys. Roedd llawer llai o wyrddni, ac yn sydyn edrychai ar glogwyn serth o graig a ddisgynnai'r holl ffordd, yn ddi-dor, i'r môr. Rhaid mai hwn oedd y culdir y clywodd amdano, a'r ffordd yn arwain at y Casa de Oro ar ei ben yn rhywle. Doedd dim golwg o'r tŷ ei hun, ond wrth ymestyn ei wddf, gallai Alecs weld ben uchaf tŵr, gwyn a chain ei olwg, â tho pigfain o lechi coch. Tŵr gwylio. Roedd siâp corff i'w weld, wedi'i fframio mewn bwa, prin yn fwy na smotyn. Gwyddai Alecs ar unwaith mai gwarchodwr arfog oedd yno.

Diffoddodd Garcia'r injan a symud i gefn y cwch. O ddyn mor oedrannus, roedd yn ymddangos yn heini iawn. Cododd angor a'i daflu dros yr ochr, yna cododd faner – un haws ei nabod na'r lleill – gyda streipen wen yn groes-gongl ar gefndir coch. Roedd Alecs yn nabod yr arwydd rhyngwladol am blymio sgwba.

Daeth Troy draw ato. 'Fe awn ni lawr yn fan hyn a nofio at y lan,' meddai.

Edrychodd Alecs i fyny ar y ffigur yn y tŵr.

194

Roedd fflach o olau haul yn adlewyrchu oddi ar rywbeth. Sbienddrych? 'Dw i'n meddwl bod rhywun yn ein gwylio ni,' meddai.

Nodiodd Troy. 'Oes. Ond does dim gwahanieth. Does dim caniatâd i fad plymio ddod yma, ond maen nhw'n dod ambell waith. Maen nhw wedi hen arfer â'r peth. Does neb yn cael glanio, ond mae 'na longddrylliad yn rhywle … mae pobl yn aml yn nofio at hwnnw. Fe fyddwn ni'n iawn, os na wnawn ni dynnu sylw aton ni'n hunen. Nawr paid ti â gwneud dim byd dwl, Alecs. Ti'n deall?'

Hyd yn oed nawr allai hi ddim peidio â rhoi pregeth iddo. Beth tybed, meddyliodd Alecs, fyddai'n rhaid iddo'i wneud i greu argraff ar y bobl yma? Ddwedodd o 'run gair.

Roedd Turner wedi tynnu'i grys, gan ddangos brest ddi-flew, gyhyrog. Gwyliodd Alecs wrth iddo dynnu amdano hyd at ei drowsus nofio, yna tynnodd amdano siwt wlyb roedd wedi'i hestyn o gaban bach islaw. Yn gyflym, paratôdd y ddau asiant CIA eu hunain, gan osod silindrau aer yn sownd yn eu siacedi hynofiant – BCDau – cyn ychwanegu gwregysau pwysau, masgiau a snorceli. Roedd Garcia'n ysmygu, yn eistedd ar un ochr ac yn gwylio'r cyfan yn dawel, fel pe bai a wnelo'r cyfan ddim byd â fe.

O'r diwedd roedden nhw'n barod. Roedd Turner wedi dod â bag oedd yn dal dŵr gydag ef, ac agorodd ei sip. Sylwodd Alecs ar y Game Boy wedi'i selio mewn bag plastig tu mewn. Roedd yno fapiau, tortshys, cyllyll a dryll harpŵn hefyd.

'Gad y cyfan, Turner,' meddai Troy.

'Y Game Boy …?'

'Fe ddewn ni'n ôl i'r cwch i gasglu e wedyn.' Trodd Troy at Alecs. 'O'r gore, Alecs,' meddai. 'Gwranda nawr! Ry'n ni am wneud plymiad archwilio i ddechre. Fyddwn ni oddi yma am oddeutu ugen muned. Dim mwy. Mae angen inni ddod o hyd i geg yr ogof a gwneud yn sicr nad oes dim dyfeisiade diogelwch ar waith.' Taflodd gipolwg ar ei horiawr. Dim ond hanner awr wedi chwech oedd hi. 'Fydd yr haul ddim yn machlud am awr arall,' meddai hi wedyn. 'Smo ni'n mynd i dreulio cyment â hynna o amser yn ishte yn yr ogof, felly fe ddewn ni'n ôl i'r bad i gasglu gweddill yr offer, newid tancie a gwneud yr ail siwrne'n ôl. Does dim angen iti fecso am ddim byd. Am a ŵyr y bobl yn y fila, dim ond twristied yn gwneud plymiad machlud haul y'n ni.'

'Rydw i wedi cael fy hyfforddi i blymio,' meddai Alecs.

'I'r diawl â 'nny!' ebychodd Turner ar ei draws.

Cytunodd Troy. 'Fe wnest ti'n perswadio i adael i ti ddod ar fwrdd y cwch,' meddai. 'Iawn. O'm rhan fy hun, bydde'n well 'da fi petaet ti wedi sefyll yn y gwesty. Ond roeddet ti'n iawn am hynny, falle – fe alle fod wedi codi amheuon.'

'Nagwyt ti'n dod gyda ni,' meddai Turner. Edrychodd yn oeraidd ar Alecs. 'Smo ni'n moyn gweld rhagor yn cael eu lladd. Sefyll di yma 'da Garcia a gad y gweddill i ni.'

Gwnaeth y ddau asiant y gwaith hollbwysig o wirio offer ei gilydd. Dim tro mewn pibelli. Aer yn y tanciau. Pwysau ac offer rhyddhau. O'r diwedd aethant draw at ochr y cwch ac eistedd â'u cefnau at y môr. Gwisgodd y ddau eu hesgyll am eu traed. Rhoddodd Turner yr arwydd popeth-yn-barod i Troy: ail fys a bawd yn gwneud siâp O, a'r bysedd eraill wedi'u codi. Tynnodd y ddau eu masgiau i lawr a phowlio drosodd wysg eu cefnau, gan ddiflannu'n syth i ddyfnderoedd y môr.

Dyna'r tro olaf i Alecs eu gweld yn fyw.

Eisteddodd gyda Garcia ar y cwch oedd yn siglo'n ysgafn. Roedd yr haul bron â chyffwrdd y gorwel a chwmwl neu ddau o liw coch tywyll wedi ymwthio i'r awyr. Roedd yr aer yn gynnes braf. Sugnodd Garcia ar ei sigarét a gloywodd ei blaen.

'Americanwr wyt ti?' gofynnodd yn sydyn, yn siarad yn Saesneg.

'Nage. Sais.'

'Pam ti yma?' Gwenodd Garcia fel pe bai'r syniad o fod ar ei ben ei hun ar y môr gyda bachgen o Sais yn ddigri.

'Wn i ddim.' Cododd Alecs ei ysgwyddau. 'Be amdanoch chi?'

'Arian.' Roedd yr ateb un gair yn ddigon.

Daeth Garcia draw ac eistedd nesaf at Alecs, gan syllu arno â dau lygad tywyll oedd yn sydyn yn ddifrifol iawn. 'Dy'n nhw ddim yn dy hoffi di,' meddai.

'Dw i ddim yn meddwl eu bod nhw,' cytunodd Alecs.

'Ti'n gwybod pam?'

Ddwedodd Alecs 'run gair.

'Oedolion y'n nhw. Maen nhw'n credu eu bod nhw'n dda am beth maen nhw'n wneud. Ac wedyn maen nhw'n dod o hyd i blentyn sy'n well. Ac nid hynna'n unig. Plentyn o Sais yw e. Nid Americano!' Chwarddodd Garcia a meddyliodd Alecs tybed faint oedden nhw wedi'i ddweud wrtho. 'Mae'n gwneud iddyn nhw deimlo'n anghyfforddus. Mae hi'r un fath dros y byd i gyd.'

'Wnes i ddim gofyn am gael bod yma,' meddai Alecs.

'Ond eto fe ddoist ti. Fydden nhw wedi bod yn hapusach hebddot ti.'

Gwichiodd y cwch. Roedd awel ysgafn wedi codi, gan gynhyrfu'r baneri. Suddai'r haul yn gyflymach bellach gan droi'r awyr i gyd yn lliw gwaed. Edrychodd Alecs ar ei oriawr. Deng munud i saith. Roedd yr ugain munud wedi hedfan. Craffodd ar wyneb y môr, ond doedd dim golwg o Turner na Troy.

Aeth pum munud arall heibio a dechreuodd Alecs deimlo'n anesmwyth. Doedd o ddim yn nabod y ddau asiant yn dda, ond roedd ganddo syniad eu bod nhw'n bobl oedd yn gwneud popeth yn ôl y rheolau. Roedd ganddyn nhw eu dulliau, ac os oedden nhw'n dweud ugain munud, yna ugain munud roedden nhw'n ei olygu. Bellach, roedden nhw wedi bod dan y dŵr am bum munud ar hugain. Wrth gwrs, roedd ganddyn nhw ddigon o ocsigen i bara am awr. Ond hyd yn oed wedyn, roedd Alecs yn pendroni pam eu bod nhw mor hir.

Chwarter awr yn ddiweddarach, doedden nhw byth wedi dod i'r golwg. Allai Alecs ddim cuddio'i bryder. Troediai ar draws y dec, gan edrych i'r dde ac i'r chwith, yn chwilio am y swigod aer fyddai'n dangos eu bod nhw ar y ffordd i fyny, gan obeithio gweld eu breichiau a'u pennau'n torri drwy wyneb y dŵr. Doedd Garcia ddim wedi symud. Tybed oedd yr hen ddyn yn effro, hyd yn oed, meddyliodd Alecs. Roedd o leiaf ddeugain munud wedi mynd heibio er pan blymiodd Turner a Troy i'r dŵr.

'Mae 'na rywbeth mawr o'i le,' meddai Alecs. Atebodd Garcia ddim. 'Be wnawn ni?' Roedd Garcia'n dal i wrthod ateb ac aeth Alecs yn flin. 'Doedd ganddyn nhw ddim cynllun wrth gefn? Be ddywedon nhw wrthoch chi?'

'Maen nhw'n dweud wrtha i am aros amdanyn nhw.' Agorodd Garcia'i lygaid. 'Rwy'n aros awr. Rwy'n aros dwyawr. Rwy'n aros drwy'r nos … '

'Ond mewn deg neu bymtheg munud arall fydd ganddyn nhw ddim ocsigen ar ôl.'

'Falle'u bod nhw'n mynd i mewn i Simdde'r Diafol. Falle'u bod nhw'n dringo lan!'

'Na. Nid dyna oedd eu cynllun nhw. A beth bynnag, maen nhw wedi gadael eu hoffer i gyd ar ôl.' Yn sydyn, roedd Alecs wedi gwneud ei benderfyniad. 'Oes ganddoch chi ragor o offer scwba? BCD arall?'

Syllodd Garcia yn syn ar Alecs. Yna nodiodd yn araf.

Bum munud yn ddiweddarach, roedd Alecs yn sefyll ar y dec yn gwisgo dim ond siorts a chrys-T, gyda silindr ocsigen wedi'i glymu ar ei gefn a dau anadlydd – un i anadlu drwyddo, y llall wrth gefn – yn hongian wrth ei ochr. Byddai wedi hoffi gwisgo siwt wlyb, ond doedd o ddim wedi gallu dod o hyd i un o'r maint cywir. Dim ond gobeithio, meddyliodd, na fyddai'r dŵr ddim yn rhy oer. Roedd y BCD yn hen ac yn rhy fawr iddo, ond o leiaf roedd yn gweithio. Edrychodd ar y consol dyfeisiau: mesurydd pwysedd, mesurydd dyfnder a chwmpawd. Roedd ganddo bwysedd o 3000yfs yn ei danc aer. Mwy nag y byddai arno ei angen. Yn olaf, roedd ganddo gyllell wedi'i strapio ar ei goes. Fwy na thebyg na fyddai'n ei defnyddio, a fyddai o byth fel arfer wedi'i gwisgo. Ond roedd arno angen y sicrwydd. Aeth draw at ochr y cwch ac eistedd.

Ysgydwodd Garcia'i ben; doedd o ddim o blaid y syniad. Gwyddai Alecs ei fod yn iawn. Roedd yn torri'r rheol bwysicaf un ym myd plymio sgwba, sef na ddylai neb byth blymio ar ei ben ei hun. Roedd ei ewythr wedi dysgu'r grefft iddo pan oedd yn un ar ddeg oed, a phe bai Ian Rider yma nawr byddai'n fud o ddicter ac anghrediniaeth. Os ewch i drafferthion – pibell aer wedi'i dal yn sownd neu falf yn methu – a chithau ar eich pen eich hun, mae hi ar ben arnoch chi. Mor syml â hynny. Ond roedd hyn yn argyfwng. Roedd Turner a Troy wedi cychwyn ers tri chwarter awr. Roedd yn rhaid i Alecs helpu.

'Cymer di hwn,' meddai Garcia'n sydyn, gan estyn cyfrifiadur plymio oedd wedi gweld dyddiau gwell. Byddai'n dangos i Alecs pa mor ddwfn oedd o, ac am faint roedd wedi bod dan y dŵr.

'Diolch,' meddai Alecs gan afael yn y teclyn.

Tynnodd Alecs y masg i lawr, gwthio'r darn ceg rhwng ei wefusau ac anadlu i mewn. Gallai deimlo'r gymysgedd o ocsigen a nitrogen yn llifo heibio cefn ei wddf. Roedd blas chydig yn hen arno, ond gwyddai ei fod yn lân. Croesodd ei ddwylo, gan ddal y masg a'r anadlydd yn eu lle, yna rholiodd drosodd din dros ben. Teimlodd ei fraich yn taro yn erbyn rhywbeth ar yr ochr wrth i'r byd droelli wyneb i waered. Llamodd y dŵr i fyny i'w gyfarch a suddodd yn ddyfnach i mewn i'r dŵr.

Roedd wedi gadael digon o aer yn y BCD i'w ddal i fyny yn y dŵr, a gwnaeth un gwiriad olaf, gan sicrhau ei fod yn gwybod pa ffordd i nofio, ac yn bwysicach fyth, sut i ddod yn ôl. O leiaf roedd y môr yn dal yn gynnes, er y gwyddai

Alecs, a'r haul yn prysur fachlud, na fyddai felly'n hir. Gelyn peryglus yw oerni i blymiwr scwba, yn effeithio ar ei nerth a'i allu i ganolbwyntio. Allai o ddim fforddio llaesu dwylo. Gollyngodd yr aer o'r BCD, ac ar unwaith dechreuodd y pwysau ei dynnu i lawr. Cododd y môr a'i lyncu.

Nofiodd am i lawr, gan wasgu'i drwyn a chwythu'n galed – cyfartalu – er mwyn stopio'r boen yn ei glustiau. Am y tro cyntaf gallai edrych o'i amgylch. Roedd digon o olau haul o hyd i oleuo'r môr, a daliodd Alecs ei wynt gan ryfeddu at harddwch syfrdanol y byd tanddŵr. Roedd y dŵr yn las tywyll ac yn berffaith glir. Gwelai chydig o bennau cwrel yma ac acw o'i amgylch, y siapiau a'r lliwiau mor ddieithr ag unrhyw beth sydd i'w weld ar wyneb y ddaear. Teimlai ryw lonyddwch meddwl llwyr, gydag atsain ei anadl ei hun i'w chlywed yn ei glustiau a phob anadl yn rhyddhau rhaeadr o swigod arian. Â'i freichiau wedi'u croesi'n llac ar ei frest, gadawodd Alecs i'w esgyll ei yrru ymlaen i gyfeiriad y lan. Roedd bymtheg metr i lawr, ac oddeutu bum metr uwchlaw gwely'r môr. Nofiodd teulu o grwperiaid lliwgar heibio; gwefusau tew, llygaid bochiog a chyrff rhyfedd, di-siâp. Roedd blwyddyn wedi mynd heibio ers y tro diwethaf i Alecs fynd i blymio; mor braf, meddyliodd, fyddai cael yr amser i fwynhau'r profiad. Ciciodd ei hun ymlaen. Saethodd y grwperiaid i ffwrdd mewn braw.

Chymerodd hi fawr o amser iddo gyrraedd ymyl y clogwyn. Roedd y morglawdd, wrth gwrs, yn llawer mwy na wal – roedd yn swmp o graig, cwrel, llysiau a physgod. Peth byw. Gwyntyllau môr anferth – dail wedi'u llunio o fil o esgyrn bach – yn chwifio'n araf o ochr i ochr. Sypiau cwrel yn ffrwydro'n loyw ym mhobman. Fflachiodd haid o filoedd o bysgod pitw bach arian heibio iddo. Gwelodd symudiad sydyn wrth i lysywen noeth ddiflannu y tu ôl i garreg. Edrychodd ar y cyfrifiadur plymio. O leiaf roedd hwnnw fel petai'n gweithio, ac yn dweud wrtho ei fod wedi bod dan y dŵr am saith munud.

Roedd yn rhaid iddo ddod o hyd i geg yr ogof. Dyna pam roedd o yma. Gorfododd ei hun i anwybyddu lliwiau a golygfeydd y deyrnas danfor a chanolbwyntio ar wyneb y graig. Roedd yr amser a dreuliodd yn gwirio'i gyfeiriad cyn plymio yn talu'i ffordd nawr. Gwyddai fwy neu lai ble roedd tŵr y Casa de Oro'n sefyll mewn perthynas â'r cwch, a nofiodd i'r cyfeiriad hwnnw, gan gadw'r graig ar ei ochr chwith. Fflachiodd rhywbeth hir, tywyll heibio iddo, yn uchel uwchben. Gwelodd Alecs ef o gil ei lygad, ond erbyn iddo droi'i ben roedd wedi diflannu. Oedd yna gwch arall ar yr wyneb? Plymiodd Alecs i lawr fetr neu ddau'n ddyfnach, yn chwilio am yr ogof.

Yn y diwedd, doedd hi ddim yn anodd dod o hyd iddi. Roedd y fynedfa'n grwn, fel ceg agored. Doedd yr ogof ddim wastad wedi bod dan y dŵr, a thros gyfnod o amser – miliynau o flynyddoedd – roedd stalactidau a stalagmidau wedi tyfu, eu pigau mor finiog â nodwyddau'n hongian i lawr o'r to ac yn gwthio i fyny o'r llawr. Fel bob amser, doedd Alecs ddim yn cofio p'un oedd p'un. Ond hyd yn oed o bellter roedd rhyw naws fygythiol i'r lle, fel edrych i mewn i geg rhyw anghenfil tanddwr anferth. Bron na allai ddychmygu'r stalactidau a'r stalagmidau'n brathu, yn cau am ei gilydd, a'r holl beth yn ei lowcio.

Ond roedd yn rhaid iddo fynd i mewn. Doedd yr ogof ddim yn ddofn iawn, ac ar wahân i siapiau'r creigiau roedd yn wag, â llawr llydan o dywod. Roedd yn ddiolchgar am hynny. Byddai nofio'n rhy bell i mewn i ogof danddwr, yn y gwyll, ar ei ben ei hun, wedi bod yn hollol wallgof. Gallai weld y wal gefn o'r fynedfa – a dacw'r grisiau metel cyntaf! Erbyn hyn roedden nhw'n goch tywyll a llysnafedd gwyrdd a chwrel drostynt, ond roedd yn amlwg mai gwaith dyn oedden nhw. Roedden nhw'n diflannu i fyny'r wal bellaf ac yn debygol o fynd wedyn, meddyliodd, yr holl ffordd i fyny i ben uchaf Simdde'r Diafol. Doedd dim golwg o Turner na Troy yn unman. Oedd y ddau asiant wedi penderfynu dringo i fyny wedi'r cwbl?

Roedd Alecs ar fin nofio yn ei flaen pan welodd symudiad arall, fymryn allan o'i olwg. Beth bynnag roedd o wedi'i weld o'r blaen, roedd wedi dod yn ei ôl, gan nofio i'r cyfeiriad arall. Edrychodd i fyny mewn penbleth. A rhewodd. Teimlodd ei anadl yn aros rywle yng nghefn ei wddf. Diflannodd y swigod aer olaf tua'r wyneb, yn chwarae mig â'i gilydd. Gorweddodd Alecs yn llonydd, yn ymladd i'w reoli'i hun. Roedd arno isio sgrechian. Ond, dan y dŵr, mae sgrechian yn amhosib.

Roedd yn edrych ar siarc mawr gwyn, o leiaf dri metr o hyd, yn cylchu'n araf uwch ei ben. Roedd yr olygfa mor afreal, mor hollol arswydus, fel bod Alecs yn llythrennol yn methu credu'i lygaid. Rhaid mai rhith oedd y cyfan, rhyw fath o dric. Roedd yr union ffaith ei fod mor agos ato yn ymddangos yn amhosib. Syllodd ar y bol gwyn, y ddau bâr o esgyll, cilgant y geg yn troi am i lawr, a'r dannedd garw, miniog fel rasel. Ac wedyn y llygaid crwn, llethol, mor ddu a maleisus ag unrhyw beth ar y blaned. Oedd y llygaid hynny wedi'i weld o eto?

Gorfododd Alecs ei hun i anadlu. Roedd ei galon yn dyrnu. Ac nid ei galon yn unig – ei gorff cyfan. Gallai glywed ei anadl yn ei ben, fel pe bai wedi'i chwyddo. Hongiai ei goesau'n llipa oddi tano, yn gwrthod symud. Roedd arno ofn am ei fywyd. Dyna oedd y gwir plaen. Doedd o erioed wedi teimlo cymaint o ofn yn ei fywyd.

Be oedd o'n ei wybod am siarcod? Oedd y gwyn mawr yn mynd i ymosod arno? Beth allai o ei wneud? Ceisiodd Alecs, yn wyllt, dynnu ar yr ychydig o wybodaeth oedd ganddo.

Roedd tri chant a hanner o rywogaethau o siarcod wedi'u cofnodi ond, yn ôl yr ystadegau, chydig iawn o'r rheini oedd wedi ymosod ar bobl. Roedd y gwyn mawr – *carcharodon carcharias* – yn bendant yn un o'r rheiny. Ddim yn addawol. Ond roedd ymosodiadau gan siarcod yn bethau prin. Dim ond oddeutu cant o bobl y flwyddyn oedd yn cael eu lladd. Roedd mwy o bobl yn cael eu lladd mewn damweiniau ceir. Ar y llaw arall, roedd gan y dyfroedd o amgylch Ciwba enw drwg am fod yn beryglus. Siarc ar ei ben ei hun oedd hwn …

… ac efallai ei fod heb ei weld eto. Na. Doedd hynny ddim yn bosib. Mae llygaid siarc ddengwaith mwy sensitif na rhai dyn. Hyd yn oed mewn tywyllwch dudew mae'n gallu gweld hyd at bellter o wyth metr. A ph'un bynnag, does dim angen llygaid arno. Mae ganddo deimlyddion ym mlaen ei drwyn sy'n ymwybodol o'r cerrynt trydanol lleiaf un. Curiad calon, er enghraifft.

Ceisiodd Alecs ei orfodi'i hun i lonyddu. Roedd ei galon ei hun yn cynhyrchu trydan ar raddfa fechan iawn. Byddai ei ofn yn arwain y creadur tuag ato. Roedd yn rhaid iddo ymlacio!

Beth arall? Paid â sblasio. Paid â gwneud unrhyw symudiad sydyn. Roedd y cynghorion a gawsai gan Ian Rider yn atseinio'n ôl iddo ar draws y blynyddoedd. Mae siarc yn cael ei ddenu gan wrthrychau metel, gloyw; gan ddillad llachar, a chan waed ffres. Trodd Alecs ei ben yn araf. Roedd ei danc ocsigen wedi'i beintio'n ddu. Roedd ei grys-T yn wyn. Doedd dim gwaed ffres yn unman. Oedd yna?

Trodd ei ddwylo, gan ei archwilio'i hun. Ac yna fe'i gwelodd. Fymryn yn uwch na'r arddwrn ar ei fraich chwith, roedd toriad bychan. Doedd o ddim hyd yn oed wedi sylwi arno, ond nawr cofiodd iddo daro'i arddwrn ar ochr y cwch wrth ddim hyd yn oed wedi sylwi arno, ond nawr cofiodd iddo daro'i arddwrn ar ochr y cwch wrth iddo ddisgyn yn ôl. Troellodd strimyn bach main o waed, yn frown yn hytrach na choch, i fyny o'r briw.

Bychan, ond yn ddigonol. Gall siarc arogli un diferyn o waed mewn pum galwyn ar hugain o ddŵr. Pwy ddysgodd y ffaith yna iddo? Roedd o wedi anghofio, ond gwyddai ei bod yn wir. Roedd y siarc wedi'i arogli …

… *ac roedd yn ei arogli o hyd, yn nesáu ato'n araf* …

Roedd y cylchoedd yn mynd yn llai. Roedd esgyll y siarc am i lawr, a'i gefn fel bwa. Symudai mewn rhyw ffordd od, herciog. Y tri arwydd clasurol bod ymosodiad ar fin digwydd. Gwyddai Alecs mai eiliadau'n unig oedd ganddo rhwng byw a marw. Yn araf, gan geisio peidio â chynhyrfu'r dŵr o gwbl, estynnodd i lawr. Roedd y gyllell yno o hyd, wedi'i strapio i'w goes, ac yn ofalus fe'i tynnodd hi'n rhydd. Peth bach iawn, iawn fyddai'r arf yn erbyn nerth y siarc mawr gwyn, a byddai'r llafn yn bathetig o'i gymharu â'r dannedd creulon yna. Ond teimlai Alecs yn fwy hyderus o'i chael yn ei law. Roedd yn well na dim.

Edrychodd o'i amgylch. Ar wahân i'r ogof ei

hun, doedd unman i guddio – a doedd yr ogof yn dda i ddim. Roedd yr agoriad yn rhy lydan. Pe bai'n mynd i mewn, byddai'r siarc yn siŵr o'i ddilyn. Ac eto, pe bai'n llwyddo i gyrraedd y grisiau, fallai y gallai eu dringo. Byddai hynny'n mynd ag ef allan o'r dŵr – i fyny Simdde'r Diafol ac ar dir sych. Digon gwir, byddai'n dod i'r wyneb yng nghanol y Casa de Oro. Ond pa mor ddrwg bynnag fyddai'r Cadfridog Sarov, allai o fod dim gwaeth na'r siarc.

Roedd wedi gwneud ei benderfyniad. Yn araf, gan gadw'r siarc yn ei olwg, dechreuodd symud tuag at fynedfa'r ogof. Am foment, meddyliodd fod y siarc wedi colli pob diddordeb ynddo. Roedd fel pe bai'n nofio i ffwrdd. Ond yna gwelodd ei fod wedi cael ei dwyllo. Trodd y creadur, yna – fel pe bai wedi'i saethu o ganon – rhuthrodd drwy'r dŵr, gan anelu'n syth amdano. Plymiodd Alecs i lawr, yr aer yn ffrwydro o'i ysgyfaint. Roedd carreg fawr ar un ochr o'r ogof, a cheisiodd ei wthio'i hun i mewn i gornel, wrth i'r graig ddod rhyngddo a'r siarc. Fe weithiodd. Trodd y siarc i ffwrdd. Yr eiliad honno, trywanodd Alecs â'r gyllell. Teimlodd ei fraich yn crynu wrth i'r llafn dorri i mewn i'r croen tew yn union o dan y ddwy asgell flaen. Wrth i'r siarc fflachio heibio, gwelodd ei fod yn gadael ffrwd o rywbeth a edrychai fel mwg brown ar ei ôl. Gwaed. Ond roedd yn gwybod ei fod prin wedi'i anafu. Pigiad pìn, dim mwy. Roedd wedi'i gynddeiriogi hefyd, debyg, gan ei wneud gymaint â hynny'n fwy penderfynol.

Yn waeth, roedd ef ei hun yn gwaedu'n drymach. Wrth geisio cuddio o'r golwg, roedd wedi mynd wysg ei gefn yn erbyn y cwrel, gan grafu'i freichiau a'i goesau. Theimlodd Alecs ddim poen. Byddai hynny'n dod yn nes ymlaen. Ond nawr roedd o wedi'i hysbysebu'i hun: swper, yn ffres ac yn gwaedu. Roedd hi'n wyrth nad oedd ffrindiau'r siarc wedi heidio i'r wledd wrth y dwsin.

Roedd yn rhaid iddo gael hyd i ffordd i mewn i'r ogof. Roedd y siarc gryn bellter i ffwrdd, i gyfeiriad y môr. Dim ond metr neu ddau i ffwrdd i'r chwith oedd mynedfa'r ogof. Dwy gic neu dair a byddai i mewn – yna heibio'r stalactidau a'r stalagmidau ac at y grisiau. Oedd ganddo unrhyw obaith o gyrraedd mewn pryd?

Ciciodd Alecs â'i holl nerth. Ar yr un pryd curodd â'i ddwylo a rhegi'n ddi-sŵn wrth ollwng y gyllell yn ddamweiniol. Wel, fyddai hi ddim o unrhyw les iddo p'un bynnag. Ciciodd am yr eildro. Roedd mynedfa'r ogof yn tyfu'n fawr o'i flaen. Erbyn hyn roedd o'i blaen, ond ddim y tu mewn ...

... Ac roedd o'n rhy hwyr! Rhuthrodd y siarc amdano fel mellten, a'i lygaid fel pe baen nhw wedi tyfu'n fwy. Roedd y geg wedi'i hymestyn led y pen mewn gwên chwyrn, gwbl atgas. Roedd hi'n rhythu, a'r dannedd ofnadwy'n tafellu drwy'r dŵr. Plyciodd Alecs ei hun yn ôl, gan rhoi ysgytwad i'w asgwrn cefn. Methodd y siarc ei nod o ychydig gentimetrau. Teimlodd hyrddiad y dŵr yn ei wthio i ffwrdd. Nawr roedd y siarc yn yr ogof ac yntau ddim. Roedd yn troi i ymosod eto, a'r tro yma fyddai o ddim yn cael ei ddrysu gan y graig a'r cerrig. Y tro yma roedd Alecs yn ei olwg yn blaen.

Ac yna digwyddodd. Clywodd Alecs sŵn metelaidd, ac o flaen ei lygaid cododd y stalagmidau o'r llawr a disgynnodd y stalactidau o'r to gan ffurfio dannedd a bicellodd y siarc nid unwaith, ond bump neu chwech o weithiau. Ffrwydrodd gwaed i'r dŵr. Gwelodd Alecs y llygaid ofnadwy wrth i ben y siarc chwipio o ochr i ochr. Bron na allai ddychmygu'r creadur yn udo mewn poen. Roedd wedi'i ddal yn llwyr, fel pe bai yng ngenau rhyw fwystfil oedd hyd yn oed yn fwy ofnadwy nag ef ei hun. Sut digwyddodd y fath beth? Hongiai Alecs yn y dŵr mewn braw ac yn ddi-ddeall. Yn araf cliriodd y gwaed. A deallodd.

Roedd Turner a Troy wedi gwneud camgymeriad arall. Roedd Sarov yn gwybod am Simdde'r Diafol ac wedi sicrhau na fyddai neb yn gallu'i chyrraedd wrth nofio drwy'r ogof. Rhai ffug oedd y stalagmidau a'r stalactidau, wedi'u gwneud o fetel nid o garreg, ac wedi'u gosod ar sbring hydrolig o ryw fath. Wrth nofio i mewn i'r ogof, rhaid bod y siarc wedi bywiogi pelydryn is-goch oedd yn ei dro wedi rhoi'r fagl ar waith. Wrth i Alecs wylio'r olygfa erchyll, tynnodd y picelli marwol eu hunain yn ôl, gan lithro unwaith eto i'r llawr a'r to. Daeth sŵn hymian o rywle, a chafodd corff y siarc ei sugno i mewn i'r ogof, gan ddiflannu drwy dwll. Roedd gan y lle ei system waredu ei hun, felly! Roedd Alecs yn dechrau deall natur y dyn oedd yn byw yn y Casa de Oro. Beth bynnag arall oedd o, doedd Sarov yn gadael dim byd i drugaredd hap a damwain.

A bellach roedd Alecs yn gwybod beth oedd wedi digwydd i'r ddau asiant CIA. Roedd y cyfan yn ffiaidd. Teimlai Alecs yn swp sâl. Yr unig beth ar ei feddwl oedd dianc o'r lle ofnadwy yma. Nid yn unig allan o'r dŵr, ond allan o'r wlad. Roedd yn difaru ei fod wedi cytuno i ddod yma o gwbl.

Roedd llawer o waed yn y dŵr o hyd. Nofiodd

Alecs yn gyflym, gan ofni y byddai'n denu rhagor o siarcod. Ond rheolodd ei gyflymder, gan fesur ei ddyfnder yn ofalus wrth godi i'r wyneb. Os bydd plymiwr yn codi'n rhy gyflym, bydd nitrogen yn cael ei gadw'n gaeth yn y gwaed gan achosi parlys môr – salwch poenus sy'n gallu bod yn farwol. Dyna'r peth diwethaf roedd ar Alecs ei angen nawr. Treuliodd bum munud ar ddyfnder o dri metr – y seibiant diogelwch olaf – yna cododd i'r wyneb am aer. Roedd y byd yn gyfan wedi newid tra oedd o wedi bod o dan y dŵr. Roedd yr haul wedi troelli y tu ôl i'r gorwel, a'r awyr, y môr, y tir a'r aer ei hun wedi'u staenio â'r lliw coch tywyllaf. Gallai weld cwch Garcia, yn gysgod tywyll ryw ugain metr i ffwrdd, a nofiodd ato. Yn sydyn teimlai'n oer. Roedd ei ddannedd yn clecian – er eu bod nhw'n clecian, fwy na thebyg, meddyliodd, o'r eiliad y gwelodd y siarc.

Cyrhaeddodd Alecs ochr y cwch. Roedd Garcia'n dal i eistedd ar y dec a sigarét rhwng ei wefusau, ond wnaeth o ddim cynnig ei helpu allan o'r dŵr.

'Wel, diolch yn dalpe,' mwmiodd Alecs.

Tynnodd ei BCD a'r tanc ocsigen a'u gwthio i fyny i'r cwch, yna tynnodd ei hun o'r dŵr. Gwingodd. Ac yntau bellach allan o'r dŵr, gallai deimlo'r briwiau a gafodd wrth bwyso'i freichiau a'i goesau ar y cwrel. Ond doedd dim amser i roi sylw i hynny nawr. Cyn gynted ag roedd yn sefyll ar y dec, dadfachodd ei wregys pwysau a'i ollwng ar un ochr gyda'i fasg a'i snorcel. Roedd tywel ym mag Turner. Estynnodd hwnnw a'i ddefnyddio i'w sychu'i hun. Yna aeth draw at Garcia.

'Rhaid inni fynd,' meddai. 'Mae Turner a Troy wedi marw. Trap ydi'r ogof. Ydach chi'n deall? Mae'n rhaid ichi fynd â fi'n ôl i'r gwesty.'

Ddwedodd Garcia 'run gair. Am y tro cyntaf, sylwodd Alecs ar rywbeth ynglŷn â'r sigarét yng ngheg y dyn. Doedd hi ddim wedi'i chynnau. Gan deimlo'n anesmwyth yn sydyn, estynnodd Alecs ei law. Syrthiodd Garcia ymlaen. Roedd cyllell yn ei gefn.

Teimlodd Alecs rywbeth caled yn ei gyffwrdd yng nghanol ei gefn a sibrydodd llais, a swniai fel pe bai'n cael anhawster i lefaru'r geiriau, o rywle y tu ôl iddo.

'Chydig yn hwyr i fod mas yn nofio, rwy'n credu. Rwy'n dy gynghori di nawr i aros yn llonydd iawn.'

Rhuodd peiriant bad cyflym fu'n llechu yn y cysgodion y tu ôl i'r cwch plymio a daeth yn agosach, ei oleuadau'n disgleirio. Safodd Alecs

215

yn ei unfan. Dringodd dau ddyn arall ar y bad, y ddau'n siarad Sbaeneg. Chafodd o ddim ond amser i gael cip ar y wên ar wyneb tywyll un o *macheteros* Sarov cyn i sach gael ei thaflu dros ei ben. Cyffyrddodd rhywbeth â'i fraich a theimlodd bigiad; sylweddolodd ei fod wedi cael chwistrelliad o nodwydd hypodermig. Bron ar unwaith, diflannodd y nerth o'i goesau a byddai wedi syrthio'n un swp heblaw bod dwylo anweledig wedi'i ddal i fyny.

Ac yna cafodd ei godi a'i gario i ffwrdd. Dechreuodd Alecs feddwl y byddai waeth i'r siarc fod wedi ei gyrraedd wedi'r cwbl. Roedd y dynion oedd yn ei gario oddi ar y cwch yn ei drin fel rhywun oedd eisoes wedi marw.

Y MALWR

Doedd Alecs ddim yn gallu symud.

Gorweddai ar wastad ei gefn ar rywbeth caled, gludiog. Pan geisiodd godi'i ysgwyddau, teimlai ei grys-T yn glynu wrth beth bynnag oedd oddi tano. Roedd beth bynnag oedd wedi'i chwistrellu i mewn iddo wedi tynnu pob gallu i symud o'i freichiau a'i goesau. Roedd y bag yn dal i orchuddio'i ben, gan ei gadw yn y tywyllwch. Gwyddai ei fod wedi cael ei roi yn y bad cyflym a'i gario'n ôl i'r lan. Roedd fan o ryw fath wedi dod ag ef yma. Roedd wedi clywed sŵn traed, a chydiodd dwylo garw ynddo, gan ei gario fel sachaid o datws. Credai fod tri neu bedwar o ddynion wedi chwarae rhan yn y cynllun, ond prin roedden nhw wedi siarad. Unwaith roedd wedi clywed llais yr un dyn oedd wedi siarad ag ef ar y bad. Roedd wedi mwmian chydig o eiriau mewn Sbaeneg. Ond roedd ei lais mor aneglur, a'r geiriau wedi'u hystumio cymaint, fel bod Alecs wedi'i chael yn anodd deall beth roedd yn ei ddweud.

Cyffyrddodd bysedd ag ochr ei wddf ac yn sydyn tynnwyd y bag i ffwrdd. Blinciodd Alecs. Gorweddai dan oleuadau llachar mewn warws neu ffatri; y peth cyntaf a welodd oedd y fframwaith o fetel yn cynnal y to, ac arc-oleuadau'n hongian ohono. Brics plaen wedi'u gwyngalchu oedd y waliau, a'r llawr o deils pridd. Roedd peiriannau ar y ddwy ochr iddo, a'r rhan fwyaf yn edrych yn debyg i offer ffermio henffasiwn. Roedd yna gadwyni a bwcedi a system gymhleth o bwlis a allai fod wedi dod allan o oriawr hynafol anferth, ac wrth eu hymyl, bâr o grochanau pridd. Trodd Alecs ei ben a gweld rhagor o grochanau ar yr ochr arall ac yn y pellter ryw fath o system hidlo a phibelli'n arwain i bob cyfeiriad. Sylweddolodd ei fod yn gorwedd ar felt symudol hir. Ceisiodd godi, neu hyd yn oed rolio i ffwrdd, ond roedd ei gorff yn gwrthod ufuddhau iddo.

Camodd dyn i'r golwg.

Edrychodd Alecs i mewn i bâr o lygaid nad oedd mewn gwirionedd yn bâr. Doedden nhw ddim wedi'u lleoli'n gywir yn wyneb y dyn, ac roedd un ohonyn nhw'n waedlyd. Tybed oedd y dyn yn gallu gweld trwy'r llygad hwnnw, meddyliodd Alecs. Roedd o'n amlwg wedi cael ei anafu'n ddifrifol rywdro. Roedd yn foel ar un ochr i'w ben, ond nid ar y llall. Roedd ei geg yn gogwyddo a'i groen yn farwaidd. Mewn cystadleuaeth harddwch, fyddai o ddim hyd yn oed wedi dod yn ail agos i'r siarc mawr gwyn.

Safai dau weithiwr tywyll, di-wên y tu ôl iddo. Roedden nhw wedi'u gwisgo'n flêr, a mwstás a bandana gan bob un. Ddwedodd yr un o'r ddau 'run gair, ond roedden nhw'n dangos diddordeb mawr yn yr hyn oedd ar fin digwydd.

'Dy enw?' Doedd symudiadau ceg y dyn ddim yn hollol gyson â'r hyn roedd yn ei ddweud, felly roedd ei wylio'n siarad yn eitha tebyg i wylio ffilm wedi'i throsleisio'n wael.

'Alecs Gardiner,' meddai Alecs.

'Dy enw cywir.'

'Rwy'i newydd ddweud wrthoch chi.'

'Fe ddwedaist gelwydd. Dy enw cywir yw Alecs Rider.'

'Pam gofyn os 'ych chi'n meddwl eich bod chi'n gwybod?'

Nodiodd y dyn fel pe bai Alecs wedi gofyn cwestiwn teg. 'Conrad yw fy enw i,' meddai. 'Ry'n ni wedi cwrdd o'r blaen.'

'Y'n ni?' Ceisiodd Alecs feddwl. Yna cofiodd. Y dyn roedd wedi'i weld yn hercian ar hyd y llwybr bordiau ym Miami mewn sbectol haul a het wellt! Yr un dyn oedd o.

Pwysodd Conrad ymlaen. 'Pam rwyt ti yma?' gofynnodd.

'Rwy'i ar fy ngwylie gyda mom a 'nhad.' Penderfynodd Alecs ei bod hi'n bryd iddo smalio nad oedd yn ddim mwy na bachgen cyffredin pedair ar ddeg oed. 'Ble maen nhw?' gofynnodd. 'Pam y'ch wedi dod â fi i fan hyn? Beth ddigwyddodd i'r dyn ar y bad? Fi'n moyn mynd sha thre!'

'Ble mae dy gartre di?' gofynnodd Conrad.

'Rwy'n byw yn LA. Stryd De Flores, gorllewin Hollywood.'

'Na.' Doedd dim amheuaeth o gwbl yn llais Conrad. 'Mae dy acen di'n dda iawn, ond nid Americanwr wyt ti. Sais wyt ti. Enwe'r pobl y dest ti gyda nhw oedd Tom Turner a Belinda Troy. Maen nhw wedi marw.'

'Sa i'n gwybod am beth rych chi'n siarad. Ry'ch chi wedi cael gafael ar y bachgen anghywir.'

Gwenodd Conrad. O leiaf, roedd un ochr i'w geg yn gwenu. Y cyfan y gallai'r ochr arall ei wneud oedd rhoi plwc bach. 'Mae dweud celwydd wrtho i yn ddwl ac yn wastraff amser. Rhaid imi wybod pam rwyt ti yma,' meddai. 'Profiad anghyffredin yw holi plentyn, ond rwy'n bwriadu ei fwynhau. Ti yw'r unig un ar ôl. Felly dwed wrtho i, Alecs Rider, pam dest ti i Cayo Esqueleto? Beth oeddet ti'n gynllunio i'w wneud?'

'Nago'n i'n cynllunio i wneud dim byd!' Ar

waethaf popeth, meddyliodd Alecs ei bod hi'n werth rhoi un cynnig olaf ac aros yn ei gymeriad. 'Mae 'nhad yn gynhyrchydd ffilmie. Does gyda fe ddim cysylltiad â'r CIA. Pwy ych chi? A pam ych chi wedi dod â fi i fan hyn?'

'Dw i'n colli amynedd!' Seibiodd Conrad, fel pe bai'r ymdrech o siarad yn ormod iddo. 'Dweda'r cyfan wrtho i.'

'Rwy'i ar fy ngwylie!' mynnodd Alecs.

'Rwyt ti wedi dweud celwydde wrtho i. Nawr rwyt ti am ddweud y gwir.'

Pwysodd Conrad i lawr a chodi bocs metel mawr a dau fotwm – un coch, un gwyrdd – yn sownd wrth gêbl trwchus. Pwysodd y botwm gwyrdd. Ar unwaith teimlodd Alecs symudiad oddi tano. Seiniodd cloch larwm. Rywle yn y pellter clywid sŵn grwnan uchel wrth i beiriant danio. Eiliad neu ddwy'n ddiweddarach, dechreuodd y belt symud.

Brwydrodd Alecs â'i holl nerth yn erbyn y cyffur oedd yn ei gorff, gan orfodi'i ben i fyny er mwyn iddo allu edrych dros ei draed. Roedd yr hyn a welodd yn ddigon i yrru ergyd o fraw yr holl ffordd drwy'i gorff. Roedd ei ben yn nofio, a meddyliodd ei fod am lewygu. Roedd y belt symudol yn ei gario i gyfeiriad dau faen malu anferth oedd yn brysur yn troelli oddeutu saith metr i ffwrdd. Roedden nhw mor agos at ei gilydd nes eu bod bron â chyffwrdd. Roedd y belt yn darfod yn union lle roedd y ddau faen yn cyfarfod. Gorweddai Alecs yn swp diymadferth ar y belt, yn symud i gyfeiriad y meini malu ar gyflymder o oddeutu deg centimetr yr eiliad. Byddai'n cymryd rhyw funud i'w cyrraedd. Yna, byddai'n cael ei falu. Dyna oedd y farwolaeth erchyll roedd y dyn yma wedi'i threfnu iddo.

'Wyt ti'n gwybod shwd roedd siwgwr yn cael ei gynhyrchu?' gofynnodd Conrad. 'Melin siwgr oedd y lle yma erstalwm. Fe fyddai'r peiriannau'n arfer cael eu gyrru gan ager, ond trydan yw'r cwbl nawr. Fe fyddai'r cansenni siwgwr yn cael eu cludo yma gan y *colonos* – y ffermwyr. Roedd y cansenni'n cael eu rhwygo ac yna'u gosod ar felt i gael eu malu. Wedyn roedden nhw'n cael eu hidlo a'r dŵr yn cael ei anweddu. Wedyn roedd y surop oedd ar ôl yn cael ei ddodi mewn crochanau a'i dwymo fel ei fod yn ffurfio crisialau.' Stopiodd Conrad i dynnu anadl. 'Rwyt ti, Alecs, ar ddechrau'r broses honno. Rwyt ti ar fin cael dy fwydo i mewn i'r malwr. Dychmyga'r boen sydd o dy flaen di. Bydd bysedd dy draed yn mynd i mewn gyntaf. Yna fe fyddi di'n cael dy sugno i mewn un centimetr ar y tro. Ar ôl dy fysedd, dy draed. Dy goesau a dy benliniau. Faint ohonot ti fydd yn mynd drwy'r felin cyn iti dderbyn cysur marwolaeth? Meddylia amdano fe! Beth bynnag arall yw e, fe alla i addo iti na fydd e ddim yn felys.'

Cododd Conrad y bocs â'r ddau fotwm. 'Dwed wrtho i beth rwy'i isie'i wybod ac fe wna i bwyso'r botwm coch i stopo'r peiriant.'

'Dyw hyn ddim yn iawn!' gwaeddodd Alecs. 'Allwch chi ddim gwneud hyn!'

'Rwy'i *yn* gwneud hyn. A rwy'i bob amser yn iawn. Plîs, paid gwastraffu rhagor o amser. Mae cyn lleied ohono fe ar ôl 'da ti ... '

Cododd Alecs ei ben eto. Roedd y cerrig malu'n dod yn nes ac yn nes bob eiliad. Gallai eu teimlo'n dirgrynu drwy'r belt symudol oddi tano.

'Faint oedd yr asiantied yn wybod?' holodd Conrad. 'Pam oedden nhw yma?'

Gollyngodd Alecs ei hun yn ôl i lawr. Roedd sŵn dyrnu'r ddau faen yn cau amdano. Edrychodd heibio Conrad ar y ddau ddyn arall. Fydden nhw'n gadael iddo wneud hyn? Roedd eu hwynebau'n gwbl ddifynegiant. 'Plîs ...!' gwaeddodd. Yna stopiodd ei hun. Doedd dim trugaredd yn y dyn yma. Roedd wedi gweld hynny ar unwaith. Gwasgodd ei ddannedd, yn brathu'i ofn yn ôl. Roedd arno isio wylo, a'r dagrau'n mynnu dod i'w lygaid. Nid dyma roedd arno isio. Doedd o erioed wedi gofyn am gael bod yn ysbïwr. Pam ddylai neb ddisgwyl iddo farw fel un?

'Mae gyda ti falle bum deg eiliad ar ôl,' meddai Conrad.

A dyna pryd y penderfynodd Alecs. Doedd dim pwrpas mynd yn dawel i'r farwolaeth waedlyd, erchyll yma. Nid ffilm am yr Ail Ryfel Byd â fo'i hun yn arwr oedd hyn. Bachgen ysgol oedd o, ac roedd pawb – Blunt, Mrs Jones, y CIA – wedi dweud celwyddau wrtho a chwarae triciau arno er mwyn ei gael o yma. P'un bynnag, roedd Conrad yn gwybod yn barod pwy oedd o. Roedd wedi galw arno wrth ei enw iawn. Roedd Conrad yn gwybod mai ysbïwyr dros America oedd Troy a Turner. Dim ond un darn arall o wybodaeth y gallai ei ychwanegu. Roedd y CIA'n chwilio am fom niwclear. A pham na ddylai ddweud hynny wrth Conrad? Fallai y byddai hynny'n ddigon i wneud iddo beidio â'i ddefnyddio.

'Roedden nhw'n chwilio am fom!' gwaeddodd. 'Bom niwclear. Roedden nhw'n gwybod bod Sarov wedi prynu wraniwm gan y Gwerthwr. Fe ddaethon nhw yma efo mesurydd Geiger.

Roedden nhw'n mynd i dorri i mewn i'r fila a chwilio am y bom.'

'Shwd oedden nhw'n gwybod?'

'Does gen i ddim syniad …'

'Tri deg eiliad.'

Roedd y sŵn chwyrnu a dyrnu'n uwch nag erioed. Edrychodd Alecs i fyny a gweld y meini lai na thri metr i ffwrdd. Roedd aer yn rhuthro rhyngddynt ac yn llifo drosto. Gallai deimlo'r awel yn oer ar ei groen. Doedd y ffaith nad oedd wedi'i glymu, bod ei freichiau a'i goesau'n rhydd, ddim ond yn gwneud y sefyllfa'n waeth. Allai o ddim symud! Roedd y cyffur wedi'i droi'n ddarn o gig byw ar ei ffordd i'r peiriant briwgig. Llifodd chwys i lawr ochr ei wyneb gan ddilyn llinell ei ên a throi y tu ôl i'w wddf.

'Turner!' gwaeddodd Alecs. 'Mi gafodd o wybod gan y Gwerthwr. Roedd o'n gweithio'n gudd. Mi glywson nhw ei fod o wedi gwerthu'r wraniwm i chi ac mi ddaethon nhw yma i chwilio am y bom.'

'Oedden nhw'n gwybod beth oedd pwrpas y bom?'

'Na! Dw i ddim yn gwybod. Wnaethon nhw ddim dweud wrtha i. Rŵan stopiwch y peiriant a ngadael i'n rhydd.'

Ystyriodd Conrad am foment. Roedd y bocs

yn dal yn ei law.

'Na,' meddai. 'Sa i'n credu.'

'BE?' Sgrechiodd Alecs y gair. Prin roedd yn gallu'i glywed ei hun dros sŵn y meini.

'Rwyt ti wedi bod yn fachgen drwg,' meddai Conrad. 'Ac mae'n rhaid i fechgyn drwg gael eu cosbi.'

'Ond mi ddwedoch chi–'

'Fe ddwedes i gelwydd. Yn gwmws fel ti. Ond wrth gwrs mae'n rhaid imi dy ladd di. Dwyt ti ddim o unrhyw ddefnydd pellach …'

Aeth Alecs yn wallgof. Agorodd ei geg a sgrechian, gan geisio cael y nerth i godi oddi ar y belt symudol. Er bod ei ymennydd yn gwybod beth i'w wneud, roedd ei gorff yn gwrthod ufuddhau. Roedd yn gwbl ddiymadferth, a'i draed yn symud yn nes ac yn nes at y cerrig. Camodd Conrad yn ôl. Roedd am wylio tra oedd Alecs yn cael ei fwydo drwy'r malwr. Byddai'r ddau weithiwr tu ôl iddo'n glanhau'r llanast pan fyddai'r cyfan ar ben.

'Na!' llefodd Alecs.

'Da bo ti, Alecs,' meddai Conrad.

Ac yna – llais arall. Yn siarad iaith arall. Un nad oedd Alecs yn ei deall.

Dwedodd Conrad rywbeth. Allai Alecs ddim clywed rhagor. Symudai gwefusau'r dyn, ond roedd unrhyw sain yn cael ei chipio i ffwrdd gan ruo'r peiriant.

Roedd bysedd traed noeth Alecs yn cael eu curo gan y gwynt oedd yn cael ei yrru rhwng y cerrig. Roedden nhw bum centimetr i ffwrdd o'r malwr. Pedwar centimetr, tri chentimetr, dau gentimetr …

Clywyd ergyd dryll.

Gwreichion. Aroglau mwg.

Roedd y meini'n dal i droelli. Ond roedd y belt symudol bellach wedi stopio. Roedd traed Alecs yn gwthio ymlaen dros ben y belt. Bron na allai deimlo'r garreg yn chwyrlïo heibio bysedd ei draed.

Yna daeth y llais eto, yn siarad Saesneg erbyn hyn.

'Alecs, 'machgen i. Rwy'i mor flin. Wyt ti'n iawn?'

Ceisiodd Alecs ateb â'r rheg waethaf oedd ganddo. Ond roedd yn gwrthod dod. Doedd o ddim hyd yn oed yn gallu anadlu.

Gan deimlo'n hynod ddiolchgar, llewygodd.

* * *

'Rhaid iti faddau i Conrad. Mae'n gynorthwy-ydd rhagorol ac yn ddefnyddiol mewn cymaint o ffyrdd. Ond hefyd mae'n gallu bod chydig yn … orfrwdfrydig.'

Roedd Alecs wedi deffro yn y stafell wely fwyaf godidog a welsai erioed. Gorweddai ar wely pedwar postyn gyferbyn â drych o'r llawr i'r nenfwd mewn ffrâm aur gain. Roedd holl ddodrefn y stafell yn hynafol, a fyddai'r un darn yn edrych allan o'i le mewn amgueddfa. Roedd cist wedi'i pheintio wrth droed y gwely, wardrob anferth a'i drysau wedi'u cerfio'n gelfydd, siandelïr a phum braich siap bwa. Roedd caeadau'r ffenestri wedi'u plygu'n ôl i ddangos balwstrâd o haearn gyr yn edrych allan dros gowrt.

Roedd y dyn, oedd wedi'i gyflwyno'i hun fel y Cadfridog Alecsei Sarov, yn eistedd ar gadair nesaf at y drych, wedi'i wisgo mewn siwt dywyll. Roedd ei goesau wedi'u croesi a'i gefn yn hollol syth. Syllodd Alecs ar yr wyneb, y gwallt brith a'r llygaid glas, deallus. Roedd yn nabod ei lais o'r felin siwgwr a gwyddai – heb wybod pam – mai'r cadfridog oedd wedi'i achub.

Roedd hi'n dywyll tu allan. Rhaid ei bod wedi hanner nos, meddyliodd Alecs. Roedd rhywun wedi rhoi crys nos gwyn amdano, a hwnnw'n cyrraedd ei benliniau. Meddyliodd tybed am ba hyd roedd wedi bod yn cysgu. Ac am ba hyd roedd y Rwsiad wedi bod yn aros iddo ddeffro?

'Hoffet ti rywbeth i'w fwyta?' Dyna oedd ei gwestiwn cyntaf.

'Dim diolch. Dydw i ddim yn llwglyd.'

'Beth am ddiod?'

'Llymaid o ddŵr … '

'Mae gen i beth fan hyn.'

Mewn jwg arian oedd y dŵr, wedi'i weini mewn gwydryn grisial disglair. Arllwysodd y cadfridog y dŵr ei hun a'i estyn i Alecs. Cymerodd Alecs y gwydryn, yn ddiolchgar fod y cyffur roedd Conrad wedi'i chwistrellu i'w gorff wedi colli'i effaith, a'i fod yn gallu symud ei freichiau eto. Cymerodd lymaid. Roedd y dŵr yn iasoer. Dyna pan ddechreuodd Sarov ymddiheuro, gan siarad mewn Saesneg perffaith.

'Doedd Conrad ddim wedi cael gorchymyn i wneud i ffwrdd â ti. I'r gwrthwyneb, pan sylweddolais i pwy oeddet ti, roeddwn i'n awyddus iawn i gwrdd â ti.'

Pendronodd Alecs am foment, ond penderfynodd anwybyddu'r peth am y tro. 'Sut sylweddoloch chi pwy o'n i?' gofynnodd. Doedd dim pwrpas gwadu'r peth bellach, meddyliodd.

'Mae ganddon ni system ddiogelwch soffistigedig iawn yma ac yn Havana.' Doedd y cadfridog ddim yn ymddangos yn awyddus i egluro rhagor. 'Rwy'n ofni dy fod ti wedi cael profiad digon echrydus.'

'Mi gafodd y bobl oedd efo fi brofiad gwaeth.'

Unwaith eto cododd y cadfridog ei law, gan ysgubo'r manylion o'r neilltu. 'Mae dy gyfeillion wedi marw. Oedden nhw'n gyfeillion iti, Alecs?' Saib fer. 'Roeddwn i, wrth gwrs, yn gwybod am Simdde'r Diafol pan symudais i gyntaf i fyw yn y Casa de Oro. Fe drefnais i greu mecanwaith amddiffyn syml. Mae plymio yr ochr yma i'r ynys wedi'i wahardd, felly pan fydd ambell blymiwr yn ddigon ffôl i fynd i mewn i'r ogof, dyw e ddim ond yn talu'r pris am ei chwilfrydedd. Maen nhw'n dweud wrtho i bod siarc wedi'i ladd yno ... '

'Gwyn mawr oedd o.'

'Fe welaist ti e?'

Ddwedodd Alecs 'run gair. Cododd Sarov ei ddwylo, gan bwyso'i ên ar flaenau'i fysedd.

'Rwyt ti'n berson arbennig, yn ôl pob sôn,' meddai wedyn. 'Rwy'i wedi darllen dy ffeil di, Alecs. Does gen ti ddim rhieni. Fe gefaist dy fagu gan ewythr oedd yn ysbïwr ei hun. Fe gefaist dy hyfforddi gan y Gwasanaeth Awyr Arbennig, yr SAS, a chael dy yrru ar dy dasg gyntaf yn ne Lloegr. Ac yna, rai wythnosau'n ddiweddarach, i Ffrainc … Byddai rhai'n dweud dy fod ti wedi cael lwc y diafol, ond dwyf i fy hun ddim yn credu yn y diafol – nac yn Nuw, o ran hynny. Ond rwy'n credu ynot ti, Alecs. Wyt, rwyt ti'n hollol unigryw.'

Roedd Alecs yn dechrau blino ar yr holl seboni yma, ac yn amheus o gymhelliad y dyn. 'Pam dw i yma?' gofynnodd. 'Be dach chi isio efo fi?'

'Fe ddylai'r rheswm dy fod ti yma fod yn gwbl amlwg,' atebodd Sarov. 'Roedd Conrad eisiau dy ladd di. Fe wnes i ei rwystro. Ond alla i ddim caniatáu iti fynd yn ôl i'r gwesty nac yn wir i adael yr ynys. Fe fydd yn rhaid iti feddwl amdanat dy hun fel carcharor imi; er hynny, os mai carchar yw'r Casa de Oro, rwy'n gobeithio y bydd e'n garchar cyfforddus. O ran beth rydw i eisiau gyda ti …' Gwenodd Sarov wrtho'i hun, a golwg bell yn ei lygaid. 'Mae'n hwyr,' cyhoeddodd yn sydyn. 'Fe allwn ni siarad am hynny fory.'

Cododd.

'Ydi hi'n wir fod ganddoch chi fom niwclear?' gofynnodd Alecs.

'Ydi.'

Disgynnodd darn o'r jig-sô i'w le. 'Mi wnaethoch chi brynu wraniwm gan y Gwerthwr.

Ond wedyn mi roesoch chi orchymyn i Conrad ei ladd o! Mi wnaethoch chi ffrwydro'i gwch o!'

'Mae hynna'n gywir.'

Felly roedd Alecs wedi bod yn iawn drwy'r amser. Roedd o wedi gweld Conrad ym Miami. Roedd Conrad wedi rhoi rhyw fath o ddyfais ffrwydrol ar y *Mayfair Lady* – a honno, nid y tân, oedd wedi achosi'r dinistr a'r marwolaethau. Roedd Turner a Troy wedi'i gyhuddo fo ar gam.

'Y bom niwclear …' meddai Alecs. 'Be dach chi'n mynd i wneud efo fo?'

'Oes arnat ti ofn?'

'Isio gwybod ydw i.'

Ystyriodd y cadfridog. 'Dyma'r unig beth rwyf am ei ddweud wrthot ti nawr,' meddai. 'Dwyf i ddim yn credu am eiliad dy fod ti'n gwybod llawer iawn am fy ngwlad i, Alecs. Undeb Sofietaidd y Gweriniaethau Sosialaidd. Yr USSR. Rwsia, fel y gelwir hi heddiw. Mae'n debg nad yw'r pethau hyn yn cael eu dysgu yn ysgolion y Gorllewin.'

'Rydw i'n gwybod bod comiwnyddiaeth wedi darfod, os mai dyna dach chi'n feddwl,' meddai Alecs. 'Ac mae hi braidd yn hwyr i gael gwers hanes.'

'Roedd fy ngwlad unwaith yn rym byd-eang,' meddai Sarov, gan ei anwybyddu. 'Yn un o'r cenhedloedd mwyaf pwerus yn y byd. Pwy anfonodd y dyn cyntaf i'r gofod? Ni! Pwy wnaeth y cynnydd mwyaf mewn gwyddoniaeth a thechnoleg? Pwy oedd yn codi ofn ar weddill y byd?' Oedodd am eiliad. 'Rwyt ti'n iawn. Mae comiwnyddiaeth wedi diflannu. A beth weli di yn ei lle hi?' Daeth fflach o ddicter ar draws ei wyneb – dim ond am eiliad, cyn diflannu. 'Mae Rwsia bellach yn wlad eilradd. Does dim cyfraith a threfn. Mae'r carchardai'n wag a'r troseddwyr yn rheoli'r strydoedd. Mae miliynau o Rwsiaid yn gaeth i gyffuriau. Mae miliynau eraill yn dioddef o AIDS. Mae merched a phlant yn gweithio fel puteiniaid. Ac mae hyn i gyd er mwyn i'r werin gael bwyta McDonald's a phrynu jîns Levis a siarad ar eu ffonau symudol yn y Sgwâr Coch!'

Cerddodd y Cadfridog Sarov draw at y drws.

'Rwyt ti'n gofyn beth rydw i am ei wneud,' meddai. 'Rwy'n mynd i droi dalen newydd a dad-wneud difrod y deng mlynedd ar hugain ddiwethaf. Rwyf am roi'n ôl i 'ngwlad ei balchder a'i safle ar lwyfan y byd. Dydw i ddim yn ddyn drwg, Alecs. Beth bynnag mae dy uwch-swyddogion di wedi'i ddweud wrthot ti, fy unig ddymuniad yw rhoi diwedd ar yr haint a gwneud y byd yn well lle. Gobeithio y gelli di gredu

233

hynny. Mae'n bwysig iawn i mi dy fod ti'n dod i weld pethau yr un ffordd â fi.'

'Mae ganddoch chi fom niwclear,' meddai Alecs, gan siarad yn araf. 'Dw i ddim yn deall. Sut mae hynny'n mynd i'ch helpu chi i gyflawni'ch breuddwyd?'

'Fe gaiff hynny 'i ddatgelu iti … maes o law. Fe gawn ni frecwast gyda'n gilydd am naw o'r gloch. Wedyn fe af â ti am dro o amgylch y stad.'

Nodiodd y Cadfridog Sarov a cherdded allan o'r stafell.

Arhosodd Alecs am funud cyn llithro allan o'i wely. Edrychodd allan dros y cowrt, yna aeth i brofi'r drws. Chafodd o mo'i synnu. Roedd Sarov wedi disgrifio'r Casa de Oro fel carchar, ac roedd o'n gywir. Doedd dim gobaith i Alecs ddringo i lawr i'r cowrt. Ac roedd drws y stafell wely dan glo.

TÝ'R CAETHWEISION

Cafodd Alecs ei ddeffro gan sŵn curo ar y drws toc wedi wyth y bore wedyn. Wrth iddo eistedd i fyny yn y gwely, daeth dynes wedi'i gwisgo mewn ffrog ddu a ffedog wen i mewn, yn cario cês – ei gês ef ei hun. Rhaid bod Sarov wedi gyrru rhywun i'r Gwesty Valencia i'w gasglu. Arhosodd Alecs nes bod y ddynes wedi mynd, yna cododd yn gyflym a'i agor. Roedd ei ddillad i gyd yno. Hefyd y ffigur bach o Michael Owen a'r gwm swigod roedd Smithers wedi'u rhoi iddo. Dim ond y ffôn symudol oedd ar goll. Yn amlwg, doedd Sarov ddim isio iddo fo ffonio adref.

Ar ôl yr hyn roedd Sarov wedi'i ddweud y noson cynt, penderfynodd adael ei jîns Levis yn y cês. Yn eu lle dewisodd bâr o siorts llac, crys-T plaen a'r sandalau Reefer roedd wedi'u gwisgo ddiwethaf pan oedd yn syrffio yng Nghernyw. Gwisgodd amdano ac aeth draw at y ffenest. Erbyn hyn roedd y cowrt a welsai'r noson cynt yn cael ei olchi gan belydrau'r haul. Roedd yn betryalog o ran siâp, wedi'i amgylchynu gan lwybr o farmor a chyfres o golonadau bwaog. Roedd dau was yn sgubo'r tywod mân a orweddai ar lawr, a dau arall yn

235

dyfrio'r planhigion. Edrychodd i fyny a gweld y tŵr gwylio roedd wedi sylwi arno o'r bad. Roedd gwarchodwr yn ei le yno o hyd, ei ddryll peiriant i'w weld yn glir.

Am ddeng munud i naw agorodd y drws eto. Y tro hwn, Conrad ddaeth i mewn, wedi'i wisgo mewn crys du wedi'i gau hyd at ei wddf, trowsus du a sandalau oedd yn dangos pedwar bys ar un droed ond dim ond tri ar y llall.

'*Desayuno!*' Roedd Alecs yn gyfarwydd â'r gair Sbaeneg am frecwast. Roedd Conrad wedi poeri'r gair allan fel pe bai'n ei ddiflasu'n llwyr i orfod ei ddweud. Roedd yn amlwg yn anhapus o weld Alecs eto – ond bryd hynny, wrth gwrs, roedd ganddo gynlluniau gwahanol.

'Bore da, Conrad!' Gorfododd Alecs ei hun i wenu. Ar ôl yr hyn oedd wedi digwydd y noson cynt, roedd yn benderfynol o ddangos nad oedd arno ofn y dyn. Pwyntiodd. 'Mae'n debyg eich bod wedi anghofio rhai o fysedd eich traed.'

Cerddodd Alecs draw at y drws. Wrth iddo gerdded yn ei flaen ar hyd y coridor, roedd Conrad yn sydyn wrth ei ymyl. 'Dydi pethe ddim drosodd eto,' sibrydodd. 'Gall y cadfridog newid ei feddwl.'

Aeth Alecs yn ei flaen gan ddod at goridor llydan uwchben cowrt arall. Edrychodd i lawr ar ffownten o garreg wedi'i hamgylchynu gan bileri gwyn. Gallai arogli persawr yn yr aer. Sibrydai sŵn dŵr drwy'r tŷ. Pwyntiodd Conrad, ac aeth Alecs i lawr grisiau ac i mewn i stafell lle roedd brecwast wedi'i osod yn barod.

Eisteddai'r cadfridog Sarov wrth fwrdd mawr gloyw, yn bwyta plataid o ffrwythau. Roedd yn gwisgo tracwisg. Gwenodd wrth i Alecs ddod i mewn, ac amneidio at gadair wag. Roedd dwsin i ddewis ohonynt.

'Bore da, Alecs. Maddeua fy nillad. Fe fyddaf bob amser yn rhedeg cyn brecwast. Tair gwaith o amgylch y blanhigfa. Pellter o bedair milltir ar hugain. Fe newidiaf yn nes ymlaen. Gysgest ti'n iawn?'

'Do, diolch.'

'Helpa dy hun i'r brecwast, os gweli di'n dda. Ffrwythau a grawnfwyd. Bara ffres. Wyau. O'm rhan fy hun, fe fyddaf yn bwyta fy wyau'n amrwd. Dyna arferiad rwyf wedi'i ddilyn ar hyd fy oes. Mae coginio bwyd yn difetha hanner ei ddaioni. Mynd gyda'r mwg!' Cododd un llaw. 'Dyn yw'r unig greadur ar y blaned sy'n gorfod llosgi neu grasu'i gig a'i lysiau cyn iddo allu'u bwyta. Ta beth, fe alla i drefnu bod yr wyau'n cael eu paratoi fel rwyt ti'n dewis.'

'Dim diolch, Gadfridog. Mi gadwa i at y ffrwyth

a'r grawnfwyd.'

Sylwodd Sarov ar Conrad yn sefyll wrth y drws. 'Does arna i mo dy angen di nawr, diolch, Conrad. Gawn ni gwrdd eto ganol dydd.'

Culhaodd Conrad ei un llygad da. Nodiodd a cherdded o'r stafell.

'Rwyn ofni nad ydi Conrad yn hoff ohonot ti,' meddai Sarov.

'Mae hynny'n iawn. Dydw inna ddim yn gwirioni arno fo chwaith.' Taflodd Alecs gip at y drws. 'Be'n union sy'n bod arno fo?' meddai. 'Dydi o ddim yn edrych yn dda.'

'Yn ôl pob rheswm, fe ddylai fod yn farw. Roedd yn gysylltiedig â ffrwydrad bom roedd yn digwydd ei gario ar y pryd. Mae Conrad yn rhyw fath o wyrth wyddonol. Mae degau o binnau metel yn ei gorff, a phlât metel yn ei benglog. Mae gwifrau metel yn ei ên ac yn y rhan fwyaf o'i brif gymalau.'

'Mae'n rhaid ei fod o'n cael tipyn o effaith ar y larymau mewn meysydd awyr,' mwmiodd Alecs.

'Fe fyddwn i'n dy gynghori i beidio â'i wawdio, Alecs. Mae'n dal i obeithio'n fawr y caiff gyfle i'th ladd di.' Cyffyrddodd Sarov ei wefusau â napcyn. 'Wna i ddim gadael i hynny ddigwydd, ond tra ydyn ni'n trafod pethau mor annymunol, fallai y dylwn i grybwyll rhai o reolau'r tŷ, mewn ffordd o siarad. Rwyf wedi cymryd gofal o'r ffôn symudol y dois i o hyd iddo yn dy gês. Rhaid i mi ddweud wrthot ti bod angen côd ar bob ffôn yn y tŷ cyn ei ddefnyddio. Dwyt ti ddim i gael unrhyw gysylltiad â'r byd tu allan.'

'Fallai bydd pobl yn poeni amdana i,' meddai Alecs.

'O'r hyn rwy'n ei wybod am Mr Blunt a'i gydweithwyr yn Llundain, mae hynny'n annhebygol. Ond peth dibwys yw hynny. Erbyn iddyn nhw ddechrau gofyn cwestiynau, fe fydd yn rhy hwyr.'

Rhy hwyr? Pam? Sylweddolodd Alecs ei fod yn dal mewn tywyllwch llwyr.

'Mae ffens yr holl ffordd o amgylch y Casa de Oro. Mae'r ffens wedi'i thrydanu. Does ond un fynedfa, ac mae honno wedi'i gwarchod yn llym. Paid â cheisio dianc, Alecs. Os gwnei di, fe elli gael dy saethu ac nid dyna rwyf wedi'i gynllunio o gwbl. Ar ôl heddiw, rwy'n ofni y byddaf yn dy symud i lety gwahanol. Fel gwyddost ti, fallai, mae gen i westeion pwysig yn cyrraedd ac fe fyddai'n well iti gael "dy ofod dy hun" – ai dyna'r ymadrodd? Mae croeso iti barhau i ddefnyddio'r tŷ, y pwll, y gerddi. Ond hoffwn iti gadw allan o'r golwg yn llwyr. Chydig iawn o Saesneg sydd gan fy ngwesteion, felly does dim pwynt ceisio siarad â nhw. Os byddi di'n peri unrhyw drafferth i mi, fe drefnaf i rywun dy chwipio di.'

Pwysodd y cadfridog Sarov ymlaen a thrywanu tafell o binafal.

'Ond dyna ddigon o'r siarad annymunol yma,' meddai. 'Mae ganddon ni fore cyfan gyda'n gilydd. Wyt ti'n marchogaeth?'

Petrusodd Alecs. Doedd o ddim yn hoff o fynd ar gefn ceffyl.

'Mae gen i rywfaint o brofiad,' meddai.

'Ardderchog.'

Estynnodd Alecs ddarn o felon iddo'i hun. 'Mi ofynnais i ichi neithiwr be' oeddech chi isio efo fi,' meddai. 'Dydach chi ddim eto wedi rhoi ateb imi.'

'Popeth yn ei dro, Alecs. Popeth yn ei dro.'

Ar ôl brecwast, cerddodd y ddau allan i'r awyr agored. Roedd Alecs yn deall nawr sut cafodd y tŷ ei enw. Cafodd ei adeiladu o ryw fath o frics melyn golau ac edrychent, â'r haul yn tywynnu arnynt, yn wirioneddol fel aur. Er mai tŷ deulawr oedd o, roedd yn ymestyn dros lain anferth o dir, a grisiau llydan o garreg yn arwain i lawr at ardd ffurfiol. Palas oedd disgrifiad Blunt o'r lle, ond roedd yn gain yn hytrach na brenhinol, â drysau a ffenestri cul, a rhagor o fwâu a balwstradau wedi'u cerfio'n gelfydd. Wrth edrych ar y tŷ, meddyliodd Alecs, teimlai fel petai dim byd wedi newid ers dechrau'r bedwaredd ganrif ar bymtheg pan gafodd ei adeiladu. Ond roedd yno hefyd warchodwyr arfog yn patrolio; a chlychau larwm a chyfres o lifoleuadau wedi'u gosod ar fracedi metel. Pethau diolwg i'w hatgoffa o'r oes fodern.

Aethant ymlaen draw at y stablau lle roedd dyn yn aros amdanynt â dau geffyl arbennig o hardd; stalwyn gwyn i Sarov, a cheffyl brith llai o faint i Alecs. Marchogaeth oedd yr unig gamp nad oedd Alecs erioed wedi'i mwynhau. Y tro diwethaf iddo fynd ar gefn ceffyl fe fu bron iddo gael ei ladd, a theimlai'n anfodlon iawn wrth afael yn yr awenau a chodi'i hun i'r cyfrwy. O gil ei lygad gwelodd Sarov yn gwneud yr un peth, a gwyddai'n syth fod y Rwsiad yn feistr ar y gamp, a bod ganddo reolaeth lwyr dros ei farch.

Marchogodd y ddau allan gyda'i gilydd, gydag Alecs yn ceisio cadw'i gydbwysedd ac osgoi edrych fel pe bai allan o reolaeth. Yn ffodus, roedd ei geffyl yn amlwg yn gwybod i ble roedden nhw'n mynd.

'Planhigfa siwgwr oedd hon ar un adeg,' eglurodd Sarov, gan ail-ddweud yr hyn roedd Troy wedi'i egluro wrtho'n barod. 'Caethweision oedd yn gweithio yma. Roedd bron i filiwn o gaethweision yng Nghiwba a Cayo Esqueleto, wedi'u cludo yma o Orllewin Affrica.' Pwyntiodd at y tŵr. 'Tŵr y gwylwyr oedd hwnna. Roedden nhw'n arfer canu cloch yno am hanner awr wedi pedwar y bore fel bod y caethweision yn dechrau gweithio. Roedden nhw'n gweithio yma. Ac roedden nhw'n marw yma.'

Daethant at adeilad isel, petryalog gryn bellter oddi wrth y tŷ. Sylwodd Alecs fod barrau ar draws yr unig ddrws a'r holl ffenestri.

'Y *barracón* yw hwnna,' meddai Sarov. 'Tŷ'r caethweision. Fe fyddai dau gant ohonyn nhw'n cysgu yno, wedi'u cau i mewn fel anifeiliaid. Os bydd amser, fe ddangosa i'r bloc cosbi i ti. Mae'r cyffion gwreiddiol ganddon ni o hyd. Fedri di ddychmygu, Alecs, cael dy glymu gerfydd dy fferau am wythnosau, neu hyd yn oed fisoedd ar y tro? Heb allu symud. Mewn newyn a syched … '

'Dydw i ddim isio'i ddychmygu o,' meddai Alecs.

'Nac oes, wrth gwrs. Mae'n well gan y Gorllewin anghofio'r troseddau a'u gwnaeth yn gyfoethog.'

Teimlodd Alecs ryddhad wrth iddynt ddechrau symud ar hanner carlam. O leiaf roedd hynny'n golygu nad oedd dim angen sgwrsio bellach. Dilynodd y ddau lwybr pridd a ddaeth â nhw i lawr at lan y môr. Wrth edrych i lawr, gallai Alecs weld lle roedd cwch Garcia wedi'i angori'r diwrnod cynt. Roedd hynny'n ei atgoffa o wir natur y dyn wrth ei ymyl. Roedd Sarov yn bod yn gyfeillgar. Roedd yn amlwg yn mwynhau cael Alecs yn westai iddo. Ond llofrudd oedd o. Llofrudd a chanddo fom niwclear.

Daethant i ddiwedd y llwybr a mynd ymlaen yn arafach, y môr ar y llaw dde iddynt. Roedd y Casa de Oro wedi diflannu y tu ôl iddyn nhw.

'Hoffwn i ddweud ryw gymaint wrthot ti amdanaf i fy hun,' meddai Sarov yn sydyn. 'A dweud y gwir, fe ddweda i fwy wrthot ti nag rwy'i erioed wedi'i ddweud wrth neb.' Marchogodd yn ei flaen am chydig heb ddweud gair.

'Cefais fy ngeni ym 1940,' meddai, 'yn ystod yr Ail Ryfel Byd, y flwyddyn cyn i'r Almaenwyr ymosod ar fy ngwlad i. Fallai mai dyna'r rheswm pam rwy'i bob amser wedi bod yn wladgarwr, pam rwy'i wastad wedi credu y dylai fy ngwlad gael blaenoriaeth. Rwy'i wedi treulio rhan helaeth o mywyd yn ei gwasanaethu hi. Yn y fyddin, yn ymladd dros yr hyn rwy'n credu ynddo. Rwy'n dal i gredu fy mod i'n ei gwasanaethu hi nawr.'

243

Stopiodd ei geffyl a throi at Alecs, oedd wedi stopio wrth ei ymyl.

'Fe briodais i pan oeddwn i'n dri deg oed. Flwyddyn yn ddiweddarach, fe roddodd fy ngwraig imi rywbeth roeddwn wedi bod ei isio erioed. Mab. Vladimir oedd ei enw, ac o'r foment y tynnodd ei anadl gyntaf, ef oedd y peth gorau yn fy mywyd i. Fe dyfodd i fod yn fachgen golygus, a gad imi ddweud hyn, allai'r un tad fod wedi bod yn falchach nag oeddwn i ohono fe. Fe wnaeth yn dda yn yr ysgol, y gorau ym mhob dosbarth bron. Roedd yn athletwr penigamp. Rwy'n credu y gallai ryw ddydd fod wedi cystadlu ar lefel y Gêmau Olympaidd. Ond nid felly roedd hi i fod … '

Roedd Alecs yn gwybod diwedd y stori'n barod. Cofiodd beth oedd Blunt wedi'i ddweud wrtho.

'Roeddwn i'n credu ei bod hi'n iawn i Vladimir wasanaethu'i wlad, fel roeddwn i wedi'i wneud,' meddai Sarov wedyn. 'Roeddwn am iddo ymuno â'r fyddin. Roedd ei fam yn anghytuno. Yn anffodus, fe ddaeth yr anghydfod yna â'n priodas ni i ben.'

'Mi wnaethoch chi ofyn iddi fynd?'

'Na. Wnes i ddim gofyn iddi fynd. Gorchymyn iddi wnes i. Fe adawodd hi fy nhŷ, a welais i byth mohoni wedyn. Ac fe wnaeth Vladimir ymuno â'r fyddin. Roedd hyn ym 1988 pan oedd e'n un ar bymtheg oed. Cafodd ei hedfan i Affganistan lle roedden ni'n ymladd rhyfel caled, anodd. Dim ond am dair wythnos roedd e wedi bod yno pan gafodd e 'i anfon i ragchwilio pentref fel aelod o batrôl. Ymosododd saethwr cudd arno, a bu farw.'

Torrodd llais Sarov am eiliad a stopio. Ond y foment wedyn aeth yn ei flaen mewn llais gofalus, pwyllog.

'Daeth y rhyfel i ben ymhen blwyddyn. Roedd ein llywodraeth ni, un wan a chachgïaidd, wedi colli'r awydd i ymladd. Fe dynnon ni'n ôl. Roedd y cyfan yn ofer. A dyma beth sy'n rhaid iti ei ddeall. Dyma'r gwir. Does dim byd mwy ofnadwy yn y byd yma nag i dad golli'i fab.' Tynnodd anadl. 'Roeddwn i'n credu fy mod i wedi colli Vladimir am byth. Hyd nes imi gwrdd â ti.'

'Fi?' Bron nad oedd Alecs wedi synnu gormod i siarad.

'Dwyt ti ddim ond dwy flynedd yn ieuengach na Vladimir pan fu farw. Ond mae cymaint yn gyffredin rhyngddo ef a ti, Alecs – er dy fod wedi dy fagu yr ochr arall i'r byd! Mae 'na, yn gyntaf, debygrwydd bychan iawn. Ond nid yn

245

unig dy ymddangosiad corfforol. Rwyt tithau hefyd yn gwasanaethu dy wlad. Pedair ar ddeg oed ac yn ysbïwr! Mae'n beth prin iawn i daro ar unrhyw berson ifanc sy'n barod i ymladd dros ei ddaliadau!'

'Wel, faswn i ddim yn mynd cyn belled â hynny,' mwmiodd Alecs.

'Rwyt ti'n ddewr. Byddai'r busnes yna yn y ffatri siwgwr ac yn yr ogof yn profi'r peth hyd yn oed pe bai'r hyn rwyt ti eisoes wedi'i gyflawni ddim yn siarad cyfrolau. Rwyt ti'n siarad nifer o ieithoedd a rhyw ddiwrnod, yn fuan, fe allet ddysgu Rwseg. Rwyt ti'n marchogaeth, rwyt ti'n plymio, rwyt ti'n ymladd ac rwyt ti'n ddi-ofn. Chwrddais i erioed â bachgen tebyg iti. Heblaw un. Rwyt ti'n debyg i fy Vladimir i, Alecs, a dyna rwy'n gobeithio fyddi di.'

'Dw i ddim yn siŵr 'mod i'n eich dilyn chi,' meddai Alecs. Roedden nhw'n dal heb symud ymlaen ac roedd yn dechrau teimlo gwres yr haul. Roedd y ceffyl yn chwysu ac yn denu pryfed. Roedd y môr ymhell oddi tanynt a doedd dim chwa o awel yn cyrraedd atyn nhw.

'Dyw hi ddim yn amlwg? Rwy'i wedi darllen dy ffeil. Rwyt ti wedi tyfu i fyny ar dy ben dy hun. Roedd gen ti ewythr, ond wyddet ti ddim hyd yn oed beth oedd e nes ei fod e wedi marw. Does dim rhieni gen ti. Does gen i ddim mab. Rydyn ni'n dau ar ein pennau'n hunain.'

'Mae 'na fyd o wahaniaeth rhyngddon ni, Gadfridog.'

'Ddim o reidrwydd. Rwy'n cynllunio rhywbeth wnaiff newid y byd am byth. Ar ôl imi orffen, fe fydd y byd yn lle gwell, cryfach, iachach. Fe ddoist ti yma i rwystro hynny rhag digwydd. Ond pan fyddi di'n deall beth rwy'n ei wneud, fe weli di nad oes raid inni fod yn elynion. I'r gwrthwyneb! Fe hoffwn i dy fabwysiadu!'

Syllodd Alecs arno'n gegrwth. Wyddai o ddim beth i'w ddweud.

'Fe fyddi di'n fab imi, Alecs, ac fe ei di ymlaen o'r fan lle gorffennodd Vladimir. Fe fydda i'n dad iti ac fe wnawn ni rannu'r byd newydd rwy'i am ei greu. Paid â dweud gair nawr! Dim ond ystyried. Petawn i'n credu mewn gwirionedd dy fod yn elyn i mi, fe fyddwn wedi gadael i Conrad dy ladd di. Ond y funud y sylweddolais i pwy oeddet ti, fe wyddwn na allwn adael i hynny ddigwydd. Mae ganddon ni'r un enw, hyd yn oed, ti a minnau. Alexei ac Alecs. Fe wna i dy fabwysiadu di, Alecs. Fi fydd y tad gollaist ti.'

'A be os bydda i'n dweud na?'

'Wnei di ddim dweud na!' Roedd golwg dreisgar wedi llithro i'w lygaid fel mwg tu ôl i wydr. Roedd pob cyhyr yn ei wyneb yn edrych fel pe bai mewn poen. Anadlodd Sarov yn ddwfn. 'Pan fyddi di'n gwybod beth yw'r cynllun fe wnei di ymuno â mi,' meddai'n dawel.

'Felly pam na wnewch chi esbonio'r cynllun wrtha i? Dwedwch wrtha i be dach chi'n bwriadu ei wneud!'

'Ddim eto, Alecs. Dwyt ti ddim yn barod eto. Ond fe fyddi di. A bydd y cyfan yn digwydd yn fuan iawn.'

Tynnodd y Cadfridog Alexei Sarov ar y ffrwyn. Trodd y ceffyl yn sydyn a charlamu i ffwrdd, gan adael y môr y tu ôl iddo. Ysgydwodd Alecs ei ben mewn syndod. Yna ciciodd ochrau ei geffyl ei hun a'i ddilyn.

Y noson honno, bwytodd Alecs ei swper ar ei ben ei hun. Roedd Sarov wedi'i esgusodi'i hun, gan ddweud fod ganddo waith i'w wneud. Doedd gan Alecs fawr o awydd bwyd. Safodd Conrad yn y stafell gan wylio pob cegaid, ac er na ddywedodd air roedd dicter a gelyniaeth yn pelydru ohono. Y foment y gorffennodd Alecs ei fwyd, gwnaeth Conrad ystum ac un llaw'n pwyntio at y drws.

Dilynodd Conrad allan o'r tŷ, i lawr y grisiau ac i lety'r caethweision, y *barracón* roedd Sarov wedi'i ddangos iddo'n gynharach. Fan hyn oedd ei lety newydd i fod. Roedd tu mewn yr adeilad wedi'i rannu'n gyfres o gelloedd â waliau brics noeth a drysau trwchus, bob un â grid metel sgwâr yn y canol. Ond o leiaf roedd wedi cael ei foderneiddio. Roedd trydan a dŵr glân yno, a hefyd – yn gwbl angenrheidiol yng ngwres y nos – system awyru. Gwyddai Alecs ei fod yn llawer mwy ffodus na'r miloedd o eneidiau coll oedd wedi'u carcharu yno ar un adeg.

Roedd basn molchi a thoiled o'r golwg y tu ôl i sgrin yn ei gell. Gosodwyd cês Alecs ar wely â ffrâm fetel a matres denau, ond a oedd yn ddigon cyfforddus. Roedd Sarov hefyd wedi darparu llyfrau iddo eu darllen. Taflodd Alecs olwg ar eu cloriau. Cyfieithiadau Saesneg oedden nhw o glasuron Rwsaidd: Tolstoi a Dostoieffsci. Hoff awduron Sarov, mae'n debyg, meddyliodd.

Caeodd Conrad y drws a'i gloi.

'Nos da, Conrad,' galwodd Alecs. 'Mi waedda i arnoch chi os bydda i angen unrhyw beth.'

Llwyddodd i ddal cip ar lygad gwaedlyd yn sbecian drwy'r rhwyll, a gwyddai ei fod wedi sgorio pwynt. Yna roedd Conrad wedi mynd.

Gorweddodd Alecs ar y gwely am beth amser, yn meddwl am yr hyn roedd Sarov wedi'i ddweud. Mabwysiadu! Roedd y peth yn ormod bron i'w gymryd i mewn. Dim ond wythnos yn ôl roedd wedi meddwl sut beth, tybed, fyddai cael tad, ac roedd dau wedi dod i'r golwg efo'i gilydd – Tom Turner yn gyntaf a rŵan Sarov! Yn bendant roedd pethau'n mynd o ddrwg i waeth.

Taniodd goleuadau y tu allan i'r ffenest; a golau trydan, caled yn cymryd lle tywyllwch y nos. Rholiodd Alecs oddi ar y gwely a mynd draw at y ffenest farrog. Roedd honno'n edrych allan dros y sgwâr mawr o flaen y tŷ. Roedd y goleuadau trydan y sylwodd arnynt yn gynharach i gyd wedi'u troi ymlaen, a'r sgwâr yn llawn o bobl. Roedd y gwarchodwyr – dwsin ohonyn nhw – wedi sefyll mewn rhes, eu drylliau peiriant yn gorffwys ar eu brestiau. Roedd gweision a gweithwyr y blanhigfa wedi ymgynnull o amgylch y drws. Roedd Sarov ei hun yno, mewn iwnifform gwyrdd tywyll, a nifer o fedalau ar ei frest. Safai Conrad y tu ôl iddo.

Wrth i Alecs wylio, daeth pedwar limwsîn du i'r golwg, yn gyrru'n araf ar hyd y lôn a arweiniai i fyny o'r gatws. Roedd dau feic modur yn eu hebrwng, a'u gyrwyr, fel Sarov, mewn lifrai milwyr. Cododd cwmwl o lwch y tu ôl i'r fintai, gan droelli i fyny i'r golau trydan.

Arhosodd y confoi. Agorwyd drysau'r ceir a

daeth rhyw bymtheg o ddynion allan. Prin y gallai Alecs weld eu hwynebau yn erbyn y golau llachar. Doedden nhw'n fawr mwy na silwétau. Ond gwelodd ddyn – un byr, main a moel, wedi'i wisgo mewn siwt. Symudodd Sarov ymlaen i'w gyfarfod. Ysgydwodd y ddau ddwylo, yna cofleidio. Roedd yn arwydd i bawb ymlacio. Amneidiodd Sarov, a dechreuodd pawb symud i gyfeiriad y tŷ, gan adael y gyrwyr beiciau modur ar ôl.

Roedd Alecs yn sicr ei fod wedi gweld llun o'r dyn pen moel o'r blaen, yn y papurau newydd. Gwyddai bellach pam ei fod wedi cael ei gloi'n ddiogel yn llety'r caethweision. Beth bynnag oedd cynllun Sarov, roedd y rhan nesaf newydd gychwyn.

Roedd arlywydd Rwsia wedi cyrraedd.

CURIAD CALON

Cafodd Alecs ei ollwng o dŷ'r caethweision y bore wedyn. Yn ôl pob golwg roedd am gael treulio'r diwrnod yn rhydd yn y Casa de Oro … ond nid ar ei ben ei hun. Roedd gwarchodwr arfog wedi cael y gwaith o ofalu amdano. Dyn yn ei ddau ddegau oedd y gwarchodwr, wedi'i eillio'n flêr. Doedd o'n siarad dim Saesneg.

Arweiniodd Alecs i gael brecwast, ar ei ben ei hun yn y gegin, nid yn y stafell fwyta lle bu'n bwyta gyda Sarov. Tra oedd Alecs yn bwyta, safai yn y drws gan ei wylio'n nerfus, fel pe bai Alecs yn dân gwyllt oedd newydd fethu ffrwydro.

'*Como se llama usted?*' gofynnodd Alecs. '*Beth ydi'ch enw chi?*'

'Juan …' Roedd y gwarchodwr yn anfodlon rhannu hyd yn oed y tamaid yna o wybodaeth, ac atebodd gwestiynau eraill Alecs â geiriau unsill neu dawelwch.

Roedd yn ddiwrnod arall o haul tanbaid, a'r ynys fel pe bai wedi'i dal yng ngafael rhyw haf diddiwedd. Gorffennodd Alecs ei frecwast ac aeth allan i'r brif gyntedd, lle roedd rhai o'r gweision, fel bob amser, yn sgubo'r llawr neu'n cario nwyddau i'r gegin. Roedd y gwarchodwyr yn dal yn eu lle, ar ben y tŵr ac o gwmpas y terfyn allanol. Cerddodd Alecs draw at y stablau. Tybed a gâi fynd i farchogaeth eto, meddyliodd, ac er syndod iddo cafodd y pleser o weld y gwarchodwr yn cerdded ei geffyl brith allan iddo, wedi'i gyfrwyo ac yn barod.

Cychwynnodd am yr eildro, a Juan chydig gamau y tu ôl iddo ar gaseg winau. Doedd gan Alecs ddim awydd arbennig i fynd i farchogaeth – roedd ei gluniau a'i ben-ôl yn dal yn boenus ar ôl y diwrnod cynt. Ond roedd ganddo ddiddordeb yn ffens y terfyn roedd Sarov wedi sôn amdani. Dwedodd ei bod wedi'i thrydanu. Ond bydd hyd yn oed ffensys trydan weithiau'n mynd heibio coed y gellid eu dringo. Ac roedd Alecs wedi penderfynu'n barod bod raid iddo ddod o hyd i ffordd allan.

Doedd ganddo ddim syniad beth roedd Sarov yn ei gynllunio. Roedd wedi siarad am newid y byd. Ei wneud yn well, yn gryfach, yn iachach. Roedd yn amlwg yn meddwl amdano'i hun fel rhyw fath o arwr – ond roedd yn arwr a chanddo fom niwclear fel arf. Wrth iddo farchogaeth dros y glaswellt hir, meddyliodd Alecs beth, tybed, oedd Sarov yn bwriadu'i wneud. Ei syniad cyntaf oedd bod Sarov yn mynd i ffrwydro un o ddinasoedd America. Onid America, ar un adeg, oedd gelyn pennaf Rwsia? Ond doedd hynny'n gwneud dim synnwyr. Er y byddai miliynau o bobl yn marw, fyddai hynny ddim yn newid y byd. Yn sicr ddim er gwell. Tybed ai rhywle yn Ewrop oedd ei darged? Neu a oedd Sarov fallai am ddefnyddio'r bom i flacmelio llywodraethau'r byd i roi ei ddymuniad iddo? Roedd hynny'n swnio'n fwy tebygol, ond ar yr un pryd teimlai Alecs yn ansicr. Roedd beth bynnag roedd Sarov yn ei gynllunio yn cynnwys arlywydd Rwsia, ryw ffordd neu'i gilydd.

Rwy'i am droi dalen newydd a dad-wneud difrod y tri deg mlynedd ddiwethaf.

Yn sydyn, roedd Alecs yn gwybod – er eu bod nhw'n gyfeillion bore oes – bod Sarov yn casáu arlywydd Rwsia ac am gymryd ei le. Dyna oedd pwrpas yr holl fusnes yma. Rwsia newydd, a fyddai'n rym byd-eang. A Sarov yn bennaeth arni.

Ac roedd yn bwriadu cyflawni hynny ag un ffrwydrad niwclear.

Roedd yn rhaid i Alecs ddianc. Roedd yn rhaid iddo ddweud wrth y CIA bod Turner a Troy wedi marw a bod gan Sarov fom. Unwaith roedden nhw'n gwybod hynny, fe fydden nhw'n cymryd gofal o bopeth. Ac roedd yn bwriadu rhoi cymaint o bellter ag y gallai rhyngddo'i hun a'r Casa de Oro. Roedd teimladau Sarov tuag ato, ei awydd i'w fabwysiadu, yn gymaint o boendod iddo â dim arall. Roedd yr hen ddyn yn gwallgofi ryw gymaint. Gwir, roedd Sarov wedi arbed ei fywyd. Ond Sarov oedd wedi rhoi ei fywyd mewn peryg yn y lle cyntaf. Er gwaethaf gwres y bore, crynodd Alecs. Roedd yr holl antur yma'n prysur fynd allan o reolaeth.

Roedden nhw wedi cyrraedd ymyl y blanhigfa, y tro yma ar yr ochr bellaf o'r môr. Ac yno, yn ddigon gwir, oedd y ffens – oddeutu pum metr o uchder, o ddur solet, a ffens is yn cyrraedd uchder brest ar bob ochr. Roedd yna arwyddion mawr coch a'r un gair PELIGRO mewn llythrennau bras gwyn arnynt. Hyd yn oed heb y rhybudd, roedd y ffens yn drewi o beryg. Clywid sŵn hymian isel oedd fel pe bai'n codi o'r ddaear. Sylwodd Alecs ar sgerbwd aderyn, wedi'i dduo a'i falu, yn hongian ar y wifren. Rhaid ei fod wedi hedfan yn erbyn y ffens a chael ei ladd yn syth. Wel, roedd un peth yn sicr. Doedd o ddim yn mynd i ddringo dros y ffens, oedd yn ymestyn dros dir gwelltog heb yr un goeden bron yn y golwg.

Trodd Alecs ei geffyl tua phen isaf y blanhigfa a gât y fynedfa. Fallai y byddai'n dod o hyd i fwlch yn fanno. Cymerodd oddeutu hanner awr i gyrraedd, gan farchogaeth dim cyflymach na cherddediad. Âi'r ffens yn ei blaen yr holl ffordd. Ar safle'r fynedfa roedd gwarchoty adfeiliog heb ddarn o wydr yn y ffenestri, a'r drws yn hongian yn gam ar un colyn. Roedd dau ddyn y tu mewn a thrydydd dyn a dryll peiriant yn sefyll ger rhwystr. Fel roedd Alecs yn cyrraedd daeth car drwodd wrth i un o'r limwsinau a welsai'r noson cynt adael y stad. Rhoddodd hynny syniad iddo. Doedd ond un ffordd allan o'r lle, ac mewn car oedd hynny. Roedd yn debygol y byddai staff yr arlywydd yn gwneud sawl taith. Gallai hynny roi cyfle iddo …

Aethant yn ôl i'r stablau a disgyn oddi ar gefnau'r ceffylau. Cerddodd Alecs yn ôl i mewn i'r tŷ, gyda Juan yn ei ddilyn gam neu ddau y tu ôl iddo. Bron ar unwaith clywodd leisiau'n dod o'r ochr draw, a sŵn sblashio dŵr. Aeth ar draws y cowrt mewnol heibio'r ffownten a than fwa. Roedd pwll nofio hir a phetryalog yno, a choed palmwydd yn tyfu ar bob ochr, gan daflu cysgodion naturiol dros y byrddau a'r gwelyau torheulo. Yn y pellter gwelai gwrt tennis newydd sbon gyda stafelloedd newid, sawna a bar awyr-agored. O'r tu ôl, edrychai'r Casa de Oro'n debyg i faes chwarae lluosfiliwnydd.

Eisteddai Sarov wrth fwrdd gyda'r arlywydd, a'r ddau â gwydryn yn ei law; dŵr i Sarov, coctel i'w westai. Roedd yr arlywydd wedi newid i siorts coch a chrys llewys cwta blodeuog oedd yn hongian yn llac am ei gorff main. Safai pedwar dyn yn agos ato – gwarchodwyr personol yr arlywydd, mae'n amlwg. Roedd y dynion yn anferth, wedi'u gwisgo mewn du, gyda sbectol dywyll unffurf a rholyn o weiren yn diflannu i'w clustiau. Roedd rhywbeth bron yn chwerthinllyd ynghylch yr olygfa. Y dyn bychan yn ei ddillad hamdden. Y cewri o warchodwyr. Edrychodd Alecs ar y pwll. Roedd tair o ferched hynod ddeniadol yn eistedd ar yr ochr, eu traed yn hongian yn y dŵr. Roedden nhw i gyd yn eu dau ddegau, ac yn gwisgo bicinis. Yn ôl eu golwg, merched lleol oedden nhw. Synnodd Alecs o'u gweld. Roedd wedi meddwl bod Sarov yn gymeriad rhy oeraidd i fwynhau cwmni o'r fath. Ynteu a oedden nhw wedi'u gwahodd yno i blesio'r arlywydd?

Meddyliodd Alecs tybed a oedd ganddo hawl i fod yn y rhan yma o'r gerddi, ac roedd ar fin gadael pan welodd Sarov ef a chwifio'i law, gan amneidio arno i fynd atynt. Cerddodd Alecs draw. Siaradodd Sarov yn gyflym â'r arlywydd; nodiodd hwnnw a gwenu.

'Bore da, Alecs!' Roedd Sarov mewn hwyliau anarferol o dda. 'Rwy'n deall dy fod ti wedi bod allan yn marchogaeth eto. Gad imi dy gyflwyno di i'm hen ffrind, Boris Kiriyenko, arlywydd

Rwsia. Boris, dyma'r bachgen roeddwn i'n sôn wrthot ti amdano.'

Estynnodd yr arlywydd ac ysgwyd llaw ag Alecs. Gallai Alecs arogleuo'r alcohol ar ei anadl. Beth bynnag oedd yn y coctel, roedd wedi cael gormod ohono. 'Mae'n bleser,' meddai, mewn acen drom. Pwyntiodd ei fys at wyneb Alecs a siarad Rwseg. Clywodd Alecs yr enw Vladimir yn cael ei ddweud ddwywaith.

Atebodd Sarov yn fyr, yna cyfieithodd er mwyn Alecs. 'Dweud mae e dy fod ti'n ei atgoffa o'm mab.' Gwenodd. 'Fyddet ti'n hoffi nofio, Alecs? Fe fyddai'n gwneud lles iti, yn ôl dy olwg.'

Taflodd Alecs olwg ar y tair merch. 'Achubwyr bywyd anghyffredin,' meddai.

Chwarddodd Sarov. 'Tipyn o gwmni i'r arlywydd. Wedi'r cyfan, mae e ar ei wyliau er bod ganddon ni, yn anffodus, chydig o waith i'w wneud. Mae'n gorsaf deledu leol, yn naturiol, wedi dangos diddordeb yn y ffaith bod ganddon ni ymwelydd mor bwysig, ac mae Boris wedi cytuno i roi cyfweliad byr iddyn nhw. Bydd y criw'n cyrraedd unrhyw funud.'

Nodiodd yr arlywydd ei ben, ond doedd Alecs ddim yn sicr a oedd wedi deall geiriau Sarov ai peidio.

'Fe gei di'r pwll i ti dy hun. Ry'n ni'n mynd i

258

Santiago ar ôl cinio, ond rwy'n gobeithio y gwnei di ymuno â ni i swper, Alecs. Mae'r cogydd wedi paratoi syrpréis arbennig ar gyfer y prif gwrs.'

Roedd pobl yn symud ger y bwa oedd yn arwain at y tŷ. Roedd Conrad wedi dod i'r golwg, gyda dynes fer, ddifrifol yr olwg, mewn ffrog o liw melynwyrdd diflas. Roedd dau ddyn yn cerdded y tu ôl iddi â chamerâu ac offer goleuo.

'A! Dyma nhw!' Trodd Sarov yn ôl at yr arlywydd, ac yn sydyn roedd Alecs wedi mynd yn angof.

Tynnodd amdano hyd at ei siorts nofio a phlymio i'r pwll. Ar ôl bod ar gefn ceffyl am amser hir teimlai'r dŵr yn oer braf. Sylwodd ar y tair merch yn ei wylio wrth iddo nofio heibio. Winciodd un ohonyn nhw arno a giglodd un arall. Yn y cyfamser roedd y criw camera'n gosod eu hoffer yng nghysgod y coed palmwydd. Chwifiodd yr arlywydd ei law a daeth un o'i warchodwyr â choctel arall iddo. Roedd Alecs yn synnu bod dyn mor ddibwys yr olwg yn bennnaeth ar wlad mor enfawr. Ond wedyn, meddyliodd, mae'r rhan fwyaf o wleidyddion yn fyr ac yn ddi-raen, y math o bobl sydd wedi cael eu bwlio yn yr ysgol. Dyna pam eu bod nhw'n dewis bod yn wleidyddion.

Rhoddodd y gorau i feddwl am yr arlywydd a

chanolbwyntio ar ei nofio. Aeth dros eiriau Sarov yn ei feddwl. Roedden nhw am yrru i mewn i'r ddinas ar ôl cinio, felly byddai'r ceir yn gadael y stad. Dyma oedd ei unig gyfle. Gwyddai Alecs nad oedd unrhyw ffordd o adael yr ynys. Yr eiliad y byddai rhywun yn sylwi ei fod ar goll, byddai'r larymau'n seinio. Byddai pob gwarchodwr yn y maes awyr ar ei wyliadwraeth amdano, ac roedd yn amheus ganddo a fyddai'n gallu mynd ar fwrdd bad. Ond pe bai o leiaf yn gallu dod o hyd i ffôn oedd yn gweithio heb gôd mynediad, gallai gysylltu â thir mawr America a châi rhywrai eu hanfon i'w achub.

Gorffennodd ei wythfed hyd o'r pwll a throi i ddechrau'r nawfed. Roedd arlywydd Rwsia'n eistedd mewn cadair, a thechnegwyr wrthi'n gosod yr offer sain. Roedd Juan, gwarchodwr personol Alecs, yn aros amdano ym mhen pellaf y pwll. Ochneidiodd Alecs. Byddai'n rhaid iddo wneud rhywbeth ynghylch Juan.

Dechreuodd y cyfweliad teledu. Roedd Sarov yn gwylio'n ofalus, ac unwaith eto cafodd Alecs yr argraff fod mwy i'r busnes yma nag oedd i'w weld ar yr wyneb.

Tynnodd ei hun allan o'r pwll a mynd yn ôl i'w lety i newid.

Gwisgodd Alecs bâr arall o siorts a chrys, y ddau wedi'u dewis am eu bod o liwiau naturiol, gan adael iddo ymdoddi i'r cefndir. Yn ei boced roedd ganddo ddarn o'r gwm swigod a gafodd gan Smithers. Pe bai popeth yn gweithio yn ôl ei gynllun, byddai ei angen arno.

Safai Juan y tu allan i'r stafell, ac yn sydyn teimlai Alecs yn nerfus ynghylch yr hyn roedd ar fin ei wneud. Wedi'r cyfan, roedd Sarov wedi'i rybuddio beth fyddai'n digwydd pe bai'n ceisio dianc. Byddai'n cael ei saethu – neu o leiaf yn cael ei chwipio. Ond wedyn meddyliodd am y bom niwclear. Roedd yn rhaid rhwystro Sarov. Roedd o wedi penderfynu.

Stopiodd yn sydyn a griddfan. Ystumiodd ei wyneb cyfan mewn poen, a gwegiodd i un ochr gan estyn ei law i'w rwystro'i hun rhag syrthio. Camodd Juan i mewn i'r stafell, ei wyneb yn llawn pryder. Yr eiliad honno, sythodd Alecs. Saethodd ei droed allan â chic wedi'i hamseru'n berffaith gan daro'n galed yn erbyn cnawd meddal stumog y dyn. Wnaeth Juan ddim gweiddi hyd yn oed. Â phob mymryn o anadl wedi'i ddyrnu allan ohono, syrthiodd yn swp i'r llawr a gorwedd yn llonydd. Nid am y tro cyntaf, diolchodd Alecs am y bum mlynedd o hyfforddi oedd wedi rhoi'r gwregys du iddo – *Dan* gradd un – mewn karate. Nawr symudodd yn gyflym. Tynnodd y gynfas oddi ar y gwely a'i rhwygo'n stribedi. Clymodd y defnydd am ddwylo a thraed y dyn, yna gosododd fwgwd dros ei geg. Yn olaf, sleifiodd allan o'r stafell, gan ei chloi ar ei ôl. Byddai oriau'n mynd heibio cyn i neb ddod o hyd i'r gwarchodwr. Erbyn hynny byddai yntau wedi hen fynd.

Cerddodd allan o'r *barracón*. Roedd y limwsinau du'n dal i sefyll o flaen y fila, yn aros i'r arlywydd a'i ddynion adael. Doedd neb yn y golwg. Rhedodd Alecs ymlaen. Roedd Sarov wedi rhoi caniatâd iddo grwydro gerddi'r blanhigfa, ond dim ond gyda rhywun yn ei wylio. Petai rhywun yn ei weld heb ei warchodwr, fe allen nhw ddyfalu beth oedd wedi digwydd. Cyrhaeddodd y tŷ a stopio, wedi colli'i anadl, ei gefn yn erbyn y wal. Roedd hyd yn oed rhedeg am gyfnod byr wedi gwneud iddo chwysu yng ngwres tanbaid y pnawn. Syllodd ar y ceir – tri ohonyn nhw. Doedd y car oedd wedi gadael yn gynharach y bore hwnnw byth wedi dod yn ei ôl. Y cwestiwn mawr oedd, pan âi'r arlywydd i Santiago, ym mha gar fyddai o'n teithio? Neu a fyddai'r tri'n mynd gydag o?

Roedd Alecs ar fin gwibio ymlaen pan glywodd sŵn traed yn dod at gornel y tŷ.

Roedden nhw naill ai'n warchodwyr neu'n weithwyr – a'r foment y bydden nhw'n troi'r gornel, byddent yn ei weld. Roedd drws cul ar un ochr iddo. Doedd o ddim wedi sylwi arno o'r blaen. Ymbalfalodd am ddwrn y drws, ac yn ffodus doedd o ddim wedi'i gloi. Fel roedd dau ddyn mewn lifrai milwyr yn dod i'r golwg rai metrau i ffwrdd, y ddau'n cario dryll, llithrodd i mewn gan gau'r drws ar ei ôl.

Llifodd oerni system awyru drosto wrth iddo edrych o'i amgylch. Roedd mewn rhan o'r tŷ a edrychai'n hollol wahanol i'r gweddill. Yma, yn lle lloriau pren a dodrefn hynafol, roedd popeth yn fodern a thechnegol yr olwg. Arweiniai goleuadau halogen i lawr coridor byr a drysau gwydr ar bob ochr. Aeth Alecs ymlaen ar flaenau'i draed, yn llawn chwilfrydedd. Daeth at y drws cyntaf ac edrych i mewn.

Roedd dau dechnegydd yn eistedd ac yn syllu ar resi o sgriniau teledu. Doedd y stafell ddim yn fawr ac edrychai'n debyg i stafell olygu mewn stiwdio deledu. Agorodd Alecs y drws yn ofalus. Doedd dim peryg i'r technegwyr ei glywed gan fod y ddau'n gwisgo clustffonau, a'r rheiny wedi'u cysylltu â'r peiriannau o'u blaenau. Edrychodd Alecs ar y sgriniau.

Roedd pob stafell yn y prif adeilad yn cael ei

gwylio. Gwelodd ar unwaith y stafell lle roedd o wedi deffro. Dacw'r gegin, y stafell fwyta, y prif gowrt, a dau o ddynion yr arlywydd yn cerdded ar ei draws. Trodd at sgrin arall a syllu. Roedd yn ei wylio'i hun yn nofio hyd ar ôl hyd yn y pwll. Roedd hynny wedi cael ei recordio hefyd. A dyna lle roedd Sarov, yn eistedd a'i wydraid o ddŵr, tra ar y sgrin nesaf ato roedd yr arlywydd yn cael ei gyfweld gan y criw roedd Alecs wedi'i weld yn cyrraedd.

Cymerodd rai eiliadau i Alecs ddeall yn union beth roedd yn ei weld. Roedd popeth yn cael ei recordio a'i olygu. Dyna roedd y ddau dechnegydd yn ei wneud ar hyn o bryd. Ar un sgrin, roedd Boris Kiriyenko'n cyrraedd. Ar yr un nesaf, gwagiodd yr arlywydd wydraid o frandi – y noson cynt, mae'n siŵr. Ar drydedd sgrin, roedd y merched roedd Alecs wedi'u gweld wrth y pwll nofio yn cael eu cyflwyno iddo. Roedden nhw'n giglo ac yn gwenu mewn ffrogiau â gyddfau mwy na digon isel i ddenu llygad. Oedd yr arlywydd wedi mynd â nhw i'w stafell? Os felly, roedd hynny hefyd wedi'i recordio, mae'n siŵr.

Goleuodd sgrin arall i ddangos yr arlywydd yn cael ei gyfweld. Rhaid bod un o'r technegwyr wedi cael y fideo oddi ar y ddynes yn y ffrog felynwyrdd. Roedd Kiriyenko'n siarad yn syth tua'r camera yn null mil o wleidyddion ar raglenni teledu am wleidyddiaeth. Roedd yn gwbl ddifrifol – er ei fod yn edrych braidd yn ddoniol yn ei grys blodeuog. Ar y sgrin nesaf roedd yr un Kiriyenko'n nofio yn y pwll gydag un o'r merched.

Beth oedd ystyr yr holl beth? Pam bod gan Sarov diddordeb yn y pethau hyn? Oedd y Casa de Oro'n ddim mwy na rhyw drap pot mêl cymhleth roedd arlywydd Rwsia wedi crwydro i mewn iddo'n ddiarwybod?

Allai Alecs ddim aros eiliad yn hirach. Roedd popeth a welai'n ei gwneud yn bwysicach fyth ei fod yn dianc ac yn rhybuddio'r Americanwyr. Ofnai y byddai'n colli'r ceir yn gadael – a fyddai yna ddim cyfle arall.

Agorodd y drws eto ac edrych allan. Roedd y ceir yn dal yno ond roedd y gwarchodwyr wedi mynd. Edrychodd ar ei oriawr. Roedd hi'n ddau o'r gloch. Os nad oedd amser cinio drosodd yn barod, fe fyddai'n fuan. Dyma ei gyfle! Rhedodd yn ei flaen at y car agosaf a theimlo am glicied y gist. Fyddai hi ar glo? Daeth o hyd i'r botwm arian â'i fawd a phwyso, ac er mawr ryddhad iddo, agorodd y caead. Roedd yn gar mawr a digon o le ynddo. Taflodd ei hun i mewn, yna estynnodd i fyny a thynnu'r caead yn ôl i lawr, gan ei gloi. Ar unwaith roedd wedi'i garcharu mewn tywyllwch dudew, a bu raid iddo'i orfodi'i hun i beidio panicio. Teimlai fel pe bai wedi'i gladdu'n fyw. Ceisiodd ymlacio. Roedd hyn yn mynd i weithio. Oni bai bod rhywun yn agor y gist i roi bagiau i mewn, fyddai neb yn ei weld. Byddai'r limwsîn yn ei yrru allan o'r blanhigfa, ac ar ôl iddyn nhw barcio yn Santiago byddai'n dianc.

Wrth gwrs, roedd y rhan anoddaf eto i ddod. Allai Alecs ddim gweld allan o'r car. Doedd o ddim hyd yn oed yn gallu gweld ei law ei hun o flaen ei wyneb. Byddai'n rhaid iddo ddyfalu pan oedd y gyrrwr a'i gyd-deithwyr wedi mynd, a gobeithio'r gorau. Hefyd, doedd dim modd agor y gist o'r tu mewn. Oherwydd hyn roedd wedi dod â'r gwm yn ei boced. Byddai'n dewis yr amser yn ofalus a defnyddio'r gwm i ffrwydro'i ffordd allan. Gyda chydig o lwc, gallai sleifio i ffwrdd i ganol y dorf cyn i neb sylweddoli beth oedd wedi digwydd.

Ond roedd yn dechrau amau'n barod nad oedd hyn yn syniad da. Roedd hi'n boeth y tu mewn i'r gist. Gallai ddychmygu'r haul yn taro ar y car, a sylweddolodd ei fod wedi'i gloi ei hun mewn ffwrn. Roedd ei ddillad yn wlyb o chwys yn barod, a gallai glywed sŵn diferion chwys yn taro'r wyneb metel oddi tano. Faint o aer oedd yn y gist? Os na fyddai Sarov yn symud yn fuan, byddai'n gorfod ffrwydro'r car yn agored tra oedd yn dal ar y stad, a wynebu'r canlyniadau.

Brwydrodd yn erbyn ei ofnau a cheisio anadlu mor ysgafn ag y gallai. Dyrnai ei galon yn ei glustiau, a gallai deimlo'r cyhyr yn gweithio'n galed yn ei frest wrth iddo bwmpio'r gwaed o amgylch ei gorff. Byddai wedi hoffi ymestyn ei goesau ond feiddiai o ddim symud rhag ofn iddo siglo'r car. Aeth y munudau heibio fesul un – ac yna clywodd leisiau a sŵn drws yn agor. Symudodd y cerbyd cyfan o un ochr i'r llall wrth i'r teithwyr ddod i mewn. Tynnodd Alecs ei gorff ato fel babi yn y groth, a disgwyl i'r gist gael ei hagor, ond roedd yn ymddangos bod yr arlywydd, neu bwy bynnag oedd yn y limwsîn, wedi penderfynu peidio dod ag unrhyw fagiau. Taniwyd injan y car. Teimlodd Alecs y crynu ac yna, yn sydyn, roedden nhw'n symud, ac Alecs yn cael ei sgrytio i fyny ac i lawr wrth i'r car deithio ar hyd y ffordd.

Ar ôl dim mwy na munud dechreuodd y car arafu eto, a gwyddai Alecs eu bod nhw'n dod at y gât a'r siecbwynt. Rheswm arall i bryderu. Fyddai'r gwarchodwyr yn archwilio'r car? Ond roedd wedi gweld un limwsîn yn gadael y fila'r bore hwnnw, ac er bod y gwarchodwyr yno doedd o ddim wedi gweld neb yn agor y gist. Roedd y car wedi stopio. Arhosodd Alecs yn llonydd. Roedd popeth yn ddu. Clywodd leisiau fel petai o bellter. Gwaeddodd rhywun rywbeth, ond allai o ddim deall yr un gair. Teimlai fel pe bai'r car wedi bod yno am hydoedd. Pam eu bod nhw'n cymryd cymaint o amser? Dewch ymlaen! Roedd Alecs yn ei chael yn anoddach i anadlu, a'r aer yn mynd yn brinnach bob eiliad.

Ac yna cychwynnodd y car eto ac ochneidiodd Alecs mewn rhyddhad. Gallai ddychmygu'r rhwystr yn codi i'w gollwng nhw drwodd. Fe fyddai'r Casa de Oro y tu ôl iddyn nhw erbyn hyn. Pa mor bell oedd Santiago? Sut y byddai'n gwybod i sicrwydd eu bod nhw wedi cyrraedd?

Stopiodd y car eto.

Agorodd y gist.

Rhuthrodd y golau haul creulon i mewn. Blinciodd Alecs, gan godi'i law i'w amddiffyn ei hun.

'Tyrd allan!' meddai llais, yn Saesneg.

Dringodd Alecs allan, yn chwys diferol drosto. Safai Sarov o'i flaen. Nesaf ato roedd Conrad, yn dal dryll awtomatig, heb hyd yn oed geisio cuddio'r pleser yn ei lygaid. Edrychodd Alecs o'i amgylch. Doedd y car ddim hyd yn oed wedi gadael y stad. Doedd o ddim ond wedi rholio ymlaen a throi i wynebu'n ôl. Dyna'r symudiad roedd wedi'i deimlo. Roedd dau warchodwr yn ei wylio, eu hwynebau'n wag. Roedd un yn dal dyfais oedd yn edrych yn debyg i gorn siarad, y math fydd athrawon yn ei ddefnyddio ar ddiwrnod mabolgampau, a hwnnw wedi'i gysylltu â gwifren hir i focs y tu mewn i'r adeilad.

'Petait ti'n awyddus i ymweld â Santiago, dim ond gofyn oedd raid iti,' meddai Sarov. 'Ond dydw i ddim yn credu dy fod ti am ymweld â'r ddinas. Rwy'n credu mai dianc oeddet ti.'

Ddwedodd Alecs 'run gair.

'Ble mae Juan?' gofynnodd Sarov.

Dim ateb.

Syllodd Sarov ar y bachgen. Roedd golwg boenus arno, fel pe bai'n methu'n lân â deall pam bod Alecs wedi bod yn anufudd iddo ac yn ceisio penderfynu beth i'w wneud. 'Rwyt ti wedi fy siomi, Alecs,' meddai o'r diwedd. 'Roeddet ti i lawr yn yr ogof. Fe welaist pa mor drylwyr oedd fy nhrefniadau diogelwch yn fanno. Oeddet ti'n wirioneddol gredu am eiliad y byddwn i'n gadael i gar yrru i mewn neu allan o'r stad yma heb wybod yn fanwl pwy neu beth oedd y tu mewn

269

iddo?'

Yn sydyn estynnodd ei law a chymryd y ddyfais corn siarad oddi ar y gwarchodwr. Anelodd y ddyfais at frest Alecs a phwyso botwm. Ar unwaith clywodd Alecs sŵn dyrnu'n atseinio drwy'r awyr. Cymerodd eiliad neu ddwy iddo sylweddoli mai ei galon ei hun oedd yn gwneud y sŵn, wedi'i chwyddo a'i ddarlledu gan y system uchelseinyddion oedd ynghudd yn rhywle yn y gwarchoty.

'Cafodd y car ei sganio ger y rhwystr,' eglurodd Sarov. 'Maen nhw'n sganio pob car gan ddefnyddio'r peiriant sydd yn fy llaw i nawr. Dyma glywodd y gwarchodwr. Fe gei di ei glywed nawr.'

Bwm ... bwm ... bwm ...

Gwrandawodd Alecs ar ei galon ei hun.

Yn sydyn roedd Sarov yn flin. Doedd ei wyneb ddim wedi newid, ond roedd ei lygaid glas golau wedi troi'n iasoer ac roedd rhyw olwg farwaidd arno, fel pe bai ei fywyd ei hun yn sydyn wedi llifo ohono. 'Dwyt ti ddim yn cofio beth ddwedais i wrthot ti?' sibrydodd. 'Pe bait ti'n ceisio dianc fe fyddet ti'n cael dy saethu. Mae Conrad yn awyddus iawn i dy saethu di. Mae'n credu fy mod i'n ffôl yn dy gael di yma fel gwestai imi. Mae e'n iawn.'

Camodd Conrad ymlaen, gan anelu'i ddryll.

Bwm … bwm … bwm … bwm …

Yr anifail tu mewn iddo oedd calon Alecs, tu hwnt i'w reolaeth, yn ymateb i'r ofn a deimlai. Roedd y galon yn curo'n uwch ac yn gyflymach, yn atseinio allan o'r uchelseinyddion.

'Dw i ddim yn dy ddeall di, Alecs. Oes gen ti unrhyw syniad o'r hyn rwy'n ei gynnig iti? Chlywaist ti 'run gair o'r hyn ddwedais i? Rwy'n cynnig fy ngofal, ac rwyt ti'n gwneud gelyn ohono i! Rwy'i am iti fod yn fab imi, ond yn lle hynny rwyt ti'n fy ngorfodi fi i dy ddinistrio.'

Gosododd Conrad y dryll gyferbyn â chalon Alecs.

Bwmbwmbwmbwmbwmbwmbwm …

'Gwranda ar sŵn dy arswyd dy hun. Wyt ti'n ei glywed? A phan glywi di dawelwch – fe allai fod eiliad neu ddwy i ffwrdd – dyna pryd y byddi di'n gwybod dy fod ti wedi marw.'

Tynhaodd bys Conrad ar glicied y dryll.

Yna diffoddodd Sarov y synhwyrydd.

Stopiodd y curiad calon.

Teimlodd Alecs fel pe bai wedi cael ei saethu. Trawodd y distawrwydd sydyn ef fel ergyd morthwyl. Fel bwled o ddryll. Syrthiodd ar ei liniau, yn wag a phrin yn gallu anadlu. Penliniodd yno yn y llwch, ei ddwylo wrth ei ochr.

Doedd ganddo mo'r nerth i godi. Edrychodd Sarov arno, a doedd dim byd bellach ond tristwch yn ei wyneb.

'Mae e wedi dysgu'i wers,' meddai. 'Ewch ag e'n ôl i'w stafell.'

Gosododd y synhwyrydd i lawr, a chan droi ei gefn ar y bachgen, oedd yn dal ar ei liniau, dringodd yn araf yn ôl i'r car.

Y BIN SBWRIEL NIWCLEAR

Am saith o'r gloch y noson honno, agorwyd drws cell Alecs ac yno safai Conrad, yn gwisgo siwt a thei. Roedd y dillad trwsiadus yn gwneud i'w ben hanner moel, ei wyneb maluriedig a'i lygad coch, gwinglyd, edrych hyd yn oed yn hyllach nag arfer. Roedd yn atgoffa Alecs o Guto Ffowc drud ar noson tân gwyllt.

'Rwyt ti'n cael dy wahodd i swper,' meddai Conrad.

'Dim diolch, Conrad,' atebodd Alecs. 'Does gen i ddim awydd bwyd.'

'Dyw'r gwahoddiad ddim yn un y cei di ei wrthod.' Trodd ei law i edrych ar ei oriawr. Doedd y llaw ddim wedi'i chysylltu'n gywir â'r arddwrn. Roedd yn gorfod ei throi'n bell iawn i weld wyneb yr oriawr. 'Mae gen ti bum munud,' meddai. 'Mae disgwyl iti wisgo'n ffurfiol.'

'Mae arna i ofn 'mod i wedi gadael fy siaced ginio yn Llundain.'

Anwybyddodd Conrad hyn a chau'r drws.

Cododd Alecs oddi ar y bync lle bu'n gorwedd. Roedd wedi bod yn y gell byth ers gael ei ddal wrth y gât, gan geisio meddwl beth fyddai'n digwydd nesaf. Gwahoddiad i swper oedd y peth olaf oedd ar ei feddwl. Doedd dim

273

golwg o Juan yn unman. Mae'n debyg bod y gwarchodwr ifanc wedi cael ei geryddu am fethu cadw llygad ar Alecs, a bellach wedi'i anfon adref. Neu'i saethu. Roedd Alecs yn dechrau sylweddoli bod y bobl yn y Casa de Oro yn hollol o ddifrif. Doedd ganddo ddim syniad beth oedd gan Sarov mewn golwg ar ei gyfer, ond gwyddai mai o drwch blewyn roedd wedi osgoi cael ei ladd y tro diwethaf iddyn nhw gyfarfod. Roedd yn debyg o ran pryd a gwedd i'r Vladimir un ar bymtheg oed, y mab roedd Sarov wedi'i golli. Rhaid bod gan Sarov ryw freuddwyd o hyd am ei fabwysiadu. Fel arall, fe fyddai'n gelain erbyn hyn.

Penderfynodd mai peth doeth fyddai derbyn y gwahoddiad i swper. O leiaf efallai y câi gyfle i ddeall ychydig mwy am beth oedd ar droed. Meddyliodd tybed a fyddai'r pryd bwyd yn cael ei ffilmio. Ac os felly, pa ddefnydd fyddai'n cael ei wneud o'r ffilm? Estynnodd Alecs grys glân a throwsus du Evisu o'i gês. Cofiodd fod y prifathro gwallgof, Dr Grieff, wedi defnyddio camerâu cudd yn academi Pic Blanc i gadw golwg ar y bechgyn oedd yno. Ond roedd hyn yn wahanol. Roedd y ffilm a welsai yn y stafell olygu'n cael ei thorri, ei hailosod, ei haildrefnu. Roedd hi'n mynd i gael ei defnyddio i ryw bwrpas. Ond i beth?

Daeth Conrad yn ei ôl ymhen pum munud i'r eiliad. Roedd Alecs yn barod amdano. Unwaith eto cafodd ei hebrwng allan o dŷ'r caethweision ac i fyny'r grisiau i'r fila. Tu mewn, gallai glywed sain cerddoriaeth glasurol. Cyrhaeddodd y cowrt a gwelodd driawd llinynnol – dau fiolinydd mewn oed a dynes lond ei chroen â soddgrwth – yn chwarae cerddoriaeth gan Bach, gyda'r ffownten yn tincial yn dawel tu ôl iddyn nhw. Roedd oddeutu dwsin o bobl wedi ymgynnull yno, yn yfed siampên ac yn bwyta *canapés* yn cael eu cario ar hambyrddau arian gan weinyddesau mewn ffedogau gwyn. Safai'r pedwar gwarchodwr personol gyda'i gilydd mewn cylch clós, gwyliadwrus. Roedd chwech o ddynion eraill o blith yr ymwelwyr o Rwsia yn sgwrsio â'r merched oedd yn y pwll nofio, eu dillad yn pefrio o secwinau a thlysau.

Roedd yr arlywydd ei hun yn siarad â Sarov, gan ddal gwydryn mewn un llaw a sigâr enfawr yn y llall. Dwedodd Sarov rywbeth a chwarddodd yn uchel, ei wefusau'n gollwng cymylau o fwg. Sylwodd Sarov ar Alecs yn cyrraedd a gwenodd.

'A, Alecs! Dyna ti! Beth gymeri di i'w yfed?'

Roedd fel pe bai popeth a ddigwyddodd y pnawn hwnnw wedi cael ei anghofio. O leiaf, doedd dim rhagor o sôn amdano. Gofynnodd

Alecs am sudd oren ffres, a chyrhaeddodd hwnnw ar unwaith.

'Rwy'n falch dy fod ti yma, Alecs,' meddai Sarov. 'Doeddwn i ddim am ddechrau hebddot ti.'

Cofiodd Alecs rywbeth a ddwedodd Sarov wrth y pwll nofio. Rhywbeth am syrpréis. Roedd yn dechrau cael teimladau annifyr ynghylch y cinio yma, ond heb wybod pam.

Gorffennodd y triawd eu perfformiad a chafwyd siffrwd bach o gymeradwyaeth. Yna seiniodd gong a symudodd y gwesteion i'r stafell fwyta. Yr un stafell oedd hon â'r un lle roedd Alecs a Sarov wedi bwyta'u brecwast, ond roedd hi wedi'i thrawsnewid ar gyfer y wledd. Grisial oedd y gwydrau; y platiau'n borslen gwyn, gloyw; y cyllyll a'r ffyrc wedi'u rhwbio nes eu bod yn disgleirio. Roedd y lliain bwrdd gwyn yn edrych yn newydd sbon. Gosodwyd tri lle ar ddeg i ginio – chwech ar bob ochr ac un ar y pen. Sylwodd Alecs ar y rhif gan deimlo'n fwy anesmwyth fyth. Tri ar ddeg i ginio. Anlwcus.

Eisteddodd pawb yn eu lle wrth y bwrdd. Roedd Sarov wedi'i osod ei hun yn y pen, gydag Alecs ar un ochr iddo a Kiriyenko ar y llall. Agorwyd y drysau a daeth y gweinyddesau'n ôl i mewn, y tro yma'n cario dysglau'n gorlifo o wyau bach duon. Cafiâr, meddyliodd Alecs. Roedd Sarov yn siŵr o fod wedi trefnu i'w fewnforio'n syth o'r Môr Du – a'i werth, yn sicr, yn filoedd ar filoedd o bunnau. Yn ôl traddodiad mae Rwsiaid yn yfed fodca gyda chafiâr, ac wrth i'r dysglau gael eu gosod o amgylch y bwrdd, cafodd y gwesteion wydryn bychan bob un yn llawn hyd at yr ymyl.

Yna cododd Sarov ar ei draed.

'Gyfeillion,' dechreuodd. 'Gobeithiaf y gwnewch faddau imi am eich annerch chi yn Saesneg. Yn anffodus mae un o'n gwesteion heb eto ddysgu'n hiaith ogoneddus.'

Gwenodd pawb, a nodiodd ambell ben i gyfeiriad Alecs. Edrychodd Alecs i lawr ar y lliain bwrdd, yn ansicr sut i ymateb.

'Mae heno i mi yn noson o arwyddocâd mawr. Beth alla i ddweud wrthych chi am Boris Nikita Kiriyenko? Mae e wedi bod yn gyfaill imi, yr agosaf a'r anwylaf, ers dros hanner can mlynedd! Mae'n rhyfedd fy mod i'n gallu cofio amdano fel plentyn oedd yn pryfocio anifeiliaid, oedd yn wylo pan fyddai yna ymladd, ac na fyddai byth yn dweud y gwir.' Edrychodd Alecs ar Kiriyenko. Roedd yr arlywydd yn gwgu. Tynnu coes oedd Sarov, mae'n debyg, ond doedd y jôc ddim wedi ymddangos yn ddoniol i'w westai. 'Anoddach fyth credu mai i'r gŵr hwn yr ymddiriedwyd y fraint, yr anrhydedd cysegredig, o arwain ein gwlad fawr yn y cyfnod anodd hwn. Wel, ar ei wyliau y daeth Boris yma. Rwy'n sicr fod arno angen gwyliau ar ôl cymaint o waith caled. A dyna'r llwncdestun rwy'i am ei wneud heno. I'w wyliau! Gobeithiaf y byddan nhw'n hirach ac yn fwy cofiadwy nag yr oedd e erioed wedi'i ddisgwyl.'

Cafwyd tawelwch byr. Gallai Alecs weld bod y gwesteion mewn penbleth. Fallai eu bod nhw'n cael anhawster i ddilyn Saesneg Sarov. Ond roedd yn amau mai yr hyn roedd wedi'i ddweud oedd wedi tarfu arnyn nhw, nid y ffordd roedd wedi'i ddweud. Roedden nhw wedi cyrraedd gan ddisgwyl cinio da, ond roedd hi'n ymddangos bod Sarov yn sarhau arlywydd Rwsia!

'Alecsei, fy hen gyfaill!' meddai'r arlywydd. Roedd Boris wedi penderfynu mai jôc fawr oedd y cyfan. Gwenodd a mynd yn ei flaen yn ei Saesneg ag acen dew. 'Pam na wnei di ymuno â ni?' gofynnodd.

'Rwyt ti'n gwybod na fydda i byth yn yfed gwirodydd,' atebodd Sarov. 'Ac rwy'n gobeithio y gwnei di gytuno bod fy mab, yn bedair ar ddeg oed, chydig yn rhy ifanc i yfed fodca.'

'Fe yfais i fy fodca cyntaf pan oeddwn i'n ddeuddeg oed!' mwmiodd yr arlywydd.

Rywsut, doedd Alecs yn synnu dim.

Cododd Kiriyenko'i wydryn. '*Na sdarofie!*

meddai, sef dau o'r ychydig eiriau Rwseg roedd Alecs yn eu deall. *Iechyd da!*

'*Na sdarofie!*' Atseiniodd y geiriau o amgylch y bwrdd.

Yfodd pawb, gan daflu'r fodca oer yn ôl, mewn un llwnc, yn ôl y traddodiad.

Trodd Sarov at Alecs. 'Nawr mae'n dechrau,' meddai'n dawel.

Un o'r gwarchodwyr personol oedd y cyntaf i ymateb. Roedd wedi bod yn estyn at y cafiâr pan wingodd ei ddwylo'n sydyn, gan ollwng ei blât a'i fforc yn glep. Trodd pawb i edrych arno. Eiliad yn ddiweddarach, ym mhen arall y bwrdd, taflodd un o'r dynion eraill ei hun ymlaen, wysg ei ben, ar y bwrdd, ei gadair yn syrthio i'r llawr. Wrth i Alecs wylio, ei lygaid yn fawr gan ofn, dechreuodd pawb wrth y bwrdd ymateb yn yr un ffordd. Syrthiodd un yn ei ôl, a llusgo'r lliain bwrdd gan achosi i'r gwydrau, cyllyll a ffyrc syrthio'n gawod ar ei lin. Y cyfan wnaeth rhai oedd eistedd yn swp yn eu cadeiriau. Llwyddodd un arall o'r gwarchodwyr personol i godi ar ei draed a dechrau ymbalfalu am ei ddryll dan ei siaced, ond yna cymylodd ei lygaid a chwympodd. Boris Kiriyenko oedd yr olaf i fynd. Roedd yn sefyll, yn simsanu ar ei draed fel tarw wedi'i glwyfo. Roedd wedi cau ei ddwrn fel pe bai'n gwybod ei fod wedi'i fradychu, ac am daflu ergyd at y bradwr. Yna eisteddodd yn blwmp. Gwegiodd ei gadair a chafodd ei daflu i'r llawr.

Dwedodd Sarov air neu ddau yn Rwseg dan ei wynt.

'Be dach chi wedi'i wneud?' ebychodd Alecs. 'Ydyn nhw ...?

'Maen nhw'n anymwybodol, nid yn farw,' meddai Sarov. 'Fe fydd, wrth gwrs, yn rhaid eu lladd nhw maes o law. Ond nid ar hyn o bryd.'

'Be dach chi'n ei gynllunio?' holodd Alecs. 'Be dach chi am ei wneud?'

'Mae ganddon ni siwrnai bell o'n blaenau,' meddai Sarov. 'Fe ddweda i wrthot ti ar y ffordd.'

Roedd pobman wedi'u oleuo'n llachar. Rhedai dynion – gwarchodwyr a *macheteros* – i bob cyfeiriad. Gwisgai Alecs y dillad roedd wedi'u gwisgo i ginio. Roedd Sarov wedi newid i ddillad milwrol gwyrdd tywyll, ond heb ei fedalau'r tro hwn. O flaen y tŷ roedd un o'r limwsinau du'n disgwyl. Roedd Conrad wedi gyrru lori filitaraidd draw. Wrth i Alecs wylio daeth dau warchodwr arall i'r golwg ym mhrif fynedfa'r Casa de Oro a dechrau cerdded i lawr y grisiau llydan. Roedden nhw'n symud yn araf, gan gario rhywbeth rhyngddynt. Y foment y daethon nhw i'r golwg, safodd pawb yn stond.

Cist fawr, lliw arian oedd hi, oddeutu'r un maint â chist caban. Gallai Alecs weld mai metel gwastad oedd yr arwyneb uchaf, ond fod ynddi nifer o switshys a deialau, yn ogystal â rhyw ddyfais siâp slot, wedi'i gosod yn yr ochr. Gwyliodd Sarov wrth i'r gist gael ei chario draw a'i llwytho ar y lori. Gwnaeth y dynion eraill i gyd yr un fath, fel pe bai'r ddau warchodwr newydd ddod allan o eglwys yn cario cerflun o ryw sant. Crynodd Alecs. Gwyddai'n iawn ar beth roedd yn edrych, a doedd dim angen y mesurydd Geiger arno i gadarnhau hynny.

Hwn oedd y bom niwclear.

'Alecs?' Roedd Sarov yn dal drws y car yn agored iddo. Mewn llesmair, dringodd Alecs i mewn. Gwyddai ei fod wedi cyrraedd y pen. Roedd Sarov wedi dangos ei gardiau a rhoi cychwyn i gyfres o digwyddiadau nad oedd dim troi'n ôl ohonyn nhw. Ac eto, hyd yn oed mor hwyr â hyn yn y dydd, doedd ganddo ddim syniad beth oedd bwriad y cadfridog.

Eisteddodd Sarov nesaf ato. Daeth gyrrwr i mewn i'r car a thanio'r injan. Roedd Conrad yn dilyn y tu ôl yn y lorri. Ar yr eiliad olaf un, wrth iddynt fynd heibio'r rhwystr, edrychodd Sarov yn ôl, dim ond am eiliad. Gwelodd Alecs yr olwg yn ei lygaid a gwyddai nad oedd yn bwriadu dod yn ei ôl fyth. Roedd yna gant a mil o gwestiynau yr hoffai eu gofyn, ond ddwedodd o 'run gair. Nid dyma'r amser. Eisteddai Sarov yn dawel, ei ddwylo ar ei liniau, ond roedd ei gorff yn llawn tensiwn. Rhaid bod blynyddoedd o gynllunio wedi paratoi'r ffordd ar gyfer hyn.

Gyrrodd y car ar hyd ffyrdd tywyll, a dim ond ambell lygedyn o olau'n dangos bod yna unrhyw un yn byw ar yr ynys. Ddaeth yr un car arall i'w cyfarfod. Ar ôl rhyw ddeng munud, dechreuodd adeiladau ymddangos ar ochr y ffordd. Wrth edrych allan drwy'r ffenest, gwelai Alecs ddynion a merched yn eistedd o flaen eu tai, yn yfed rỳm, yn chwarae cardiau, ac yn ysmygu sigaréts neu sigarau dan awyr y nos. Roedden nhw yng nghyffiniau Santiago, ac yn sydyn trodd y car ar hyd ffordd oedd yn gyfarwydd i Alecs. Roedd wedi dod ar hyd-ddi ar y ffordd i mewn. Hon oedd y ffordd i'r maes awyr.

Y tro hwn doedd dim swyddogion diogelwch yn unman, na neb yn gwirio pasbortau. Doedd dim rhaid i Sarov hyd yn oed fynd i mewn i adeilad terminws y maes awyr. Roedd dau o warchodwyr y maes awyr yn disgwyl amdano wrth gât a agorwyd iddo gael gyrru'n syth ar y lanfa, gyda'r lori'n ei ddilyn. Edrychodd Alecs dros ysgwydd y gyrrwr a gwelodd awyren, Lear jet, wedi'i pharcio ar ei phen ei hun. Stopiodd y car.

'Allan,' meddai Sarov.

Chwythai awel gref dros redfa'r maes awyr, gan gario arogl tanwydd awyren. Safodd Alecs ar y tarmac, yn gwylio wrth i'r gist arian gael ei llwytho ar yr awyren, a Conrad yn gweiddi gorchmynion. Roedd yn anodd ganddo gredu y byddai rhywbeth mor gyffredin yr olwg yn gallu achosi dinistr ar raddfa anferthol. Meddyliodd am ffilmiau roedd wedi'u gweld. Fflamau a gwyntoedd mawr yn rhuthro drwy ddinasoedd cyfan, yn eu rhwygo'n ddarnau. Adeiladau'n cwympo'n siwrwd. Pobl yn cael eu troi'n lludw mewn eiliad. Ceir a bysiau'n cael eu taflu fel teganau i ebargofiant. Sut gallai bom mor ofnadwy, â chymaint o nerth ynddo, fod mor fach? Caeodd Conrad y drws cargo ei hun, yna trodd at Sarov a nodio. Gwnaeth Sarov ystum. Yn anfoddog, cerddodd Alecs ymlaen a dringo'r grisiau i'r awyren gyda Sarov wrth ei ysgwydd. Daeth Conrad a'r ddau ddyn oedd wedi bod yn cario'r bom i mewn ar ei ôl. Caewyd drws yr awyren a'i selio'n dynn.

Cafodd Alecs ei hun mewn caban moethus oedd yn wahanol i gaban unrhyw awyren y bu ynddi erioed. Dim ond dwsin o seddau oedd yna, a phob un wedi'i gorchuddio â lledr. Roedd y caban yn hir â charped trwchus ar lawr, gyda bar yn llawn diodydd o bob math, a chegin; o flaen caban y peilot roedd sgrin deledu plasma fawr. Ofynnodd Alecs ddim pa ffilm roedden nhw'n mynd i'w dangos. Dewisodd sedd wrth y ffenest ac eisteddodd Sarov gyferbyn ag e. Roedd Conrad un sedd y tu ôl i Sarov, ac eisteddodd y ddau warchodwr ym mhen pellaf y caban. Pam eu bod nhw'n mynd ar y daith, tybed? meddyliodd Alecs. Er mwyn cadw llygad arno?

Ac i ble'n union roedden nhw'n mynd? Oedden nhw'n croesi draw i America, ynteu'n croesi'r Iwerydd?

Rhaid bod Sarov wedi darllen ei feddwl. 'Fe wna i egluro iti ymhen munud neu ddau,' meddai. 'Cyn gynted ag y byddwn ni yn yr awyr.'

Mewn gwirionedd, roedd bron i chwarter awr wedi mynd heibio cyn i'r awyren gychwyn ar hyd y lanfa ac esgyn yn ddiymdrech. Pylodd y goleuadau ar gyfer yr esgyn, ond cyn gynted ag yr oedden nhw wedi cyrraedd tri deg mil o droedfeddi, daethant yn ôl yn llawn. Cododd y gwarchodwyr a dechrau gweini te poeth o wrn yn y gegin. Caniataodd Sarov wên gynnil iddo'i hun. Gwasgodd fotwm ym mraich ei sedd a throdd honno fel ei fod nawr yn wynebu Alecs.

'Fallai dy fod ti'n pendroni pam 'mod i wedi

penderfynu peidio dy ladd di,' dechreuodd. 'Bnawn heddiw, pan ddois i o hyd iti yn y car … fe fûm i'n agos iawn. Mae Conrad yn dal yn gandryll. Mae'n credu fy mod i'n gwneud camgymeriad. Ond fe ddwedaf wrthot ti pam dy fod yn dal yn fyw, Alecs. Rwyt ti'n gweithio i wasanaeth cudd Prydain. Ysbïwr wyt ti. A dim ond gwneud dy waith oeddet ti. Rwy'n edmygu hynny, a dyna pam rwy'i wedi maddau iti. Rwyt ti'n ffyddlon i dy wlad fel rwyf i'n ffyddlon i'm gwlad innau. Bu fy mab Vladimir farw dros ei wlad. Rwy'n falch dy fod tithau wedi bod yn barod i wneud yr un peth dros dy wlad dy hun.'

'Ble rydan ni'n mynd?' gofynnodd Alecs.

'I Rwsia. A bod yn fanwl, ry'n ni'n mynd i Fwrmansc, porthladd ar Benrhyn Kola.'

Mwrmansc! Ceisiodd Alecs gofio a oedd o wedi clywed yr enw o'r blaen – mewn bwletin newyddion, neu fallai mewn gwers ysgol? Porthladd yn Rwsia! Ond pam bydden nhw'n mynd i fanno … ac yn cario bom niwclear?

'Fallai yr hoffet ti wybod beth yw ein llwybr hedfan,' meddai Sarov wedyn. 'Ry'n ni'n croesi'r Iwerydd ar hyd llwybr y gogledd sy'n golygu hedfan dros Gylch y Gogledd. Yr hyn ry'n ni'n ei wneud yw mynd ar hyd y llwybr byrraf, gan ddilyn camedd y ddaear. Bydd raid inni lanio ddwywaith i godi tanwydd. Unwaith yn Gander, yng ngogledd Canada, a'r tro arall yn ynysoedd Prydain, yng Nghaeredin.' Rhaid bod Sarov wedi gweld yr olwg obeithiol yn llygaid Alecs. 'Byddi,' meddai. 'Fe fyddi di gartref am awr neu ddwy fory. Ond os gweli di'n dda, paid â dechrau gwneud cynlluniau. Fyddi di ddim yn cael gadael yr awyren.'

'Fydd hi'n cymryd cymaint â hynny o amser i gyrraedd yno?' gofynnodd Alecs.

'Gyda'r glaniad cyntaf a'r gwahaniaeth mewn amser … bydd. Fallai hefyd y bydd raid inni gael rhyw gymaint o sgyrsiau diplomataidd gyda'r awdurdodau yng Nghanada a Phrydain. Awyren breifat Kiriyenko yw hon. Ry'n ni wedi cofrestru'n cynllun hedfan gyda Rheolaeth Ewrop, ac wrth gwrs fe wnaethon nhw nabod ein cyfresrif. Maen nhw'n credu bod yr arlywydd ar yr awyren. Mae'n bosib y bydd llywodraethau Canada a Phrydain yn awyddus i estyn croeso inni.'

'Pwy sy'n hedfan yr awyren?'

'Peilot personol Kiriyenko. Ond i mi mae'i deyrngarwch e. Mae nifer fawr o Rwsiaid cyffredin yn credu ynof i, Alecs. Maen nhw wedi gweld y dyfodol … fy nyfodol i. Mae'n well ganddyn nhw hwnnw na'r fersiwn mae rhai eraill wedi'i gynnig iddyn nhw.'

'Dydach chi ddim eto wedi dweud wrtha i be

ydi'r dyfodol hwnnw. Pam ein bod ni'n hedfan i Fwrmansc?'

'Fe ddweda i wrthot ti nawr. Ac ar ôl hynny, rhaid i ni'n dau gysgu. Mae noson hir o'n blaenau ni.'

Croesodd Sarov ei goesau. Roedd golau'n syth uwch ei ben, a thaflai hwnnw am i lawr, gan roi ei lygaid a'i geg yn y cysgod. Y foment honno edrychai'n hen iawn ac yn ifanc iawn ar yr un pryd. Doedd ei wyneb yn cyfleu dim emosiwn o gwbl.

'Mwrmansc,' dechreuodd, 'yw cartref llynges ogleddol llongau tanfor Rwsia. Neu dyna oedd e ar un adeg. Erbyn heddiw, fodd bynnag, dyna lle mae'r bin sbwriel niwclear mwyaf yn y byd. Mae diwedd Rwsia fel grym byd-eang wedi achosi i'w byddin, ei llynges a'i llu awyr ddatgymalu. Rwy'i wedi ceisio esbonio iti beth sydd wedi digwydd i'm gwlad yn ystod y ddeng mlynedd ar hugain ddiwethaf. Mae hi wedi cael rhwydd hynt i syrthio'n ddarnau, ac mae tlodi, troseddu a llwgrwobrwyo'n sugno'r mêr o esgyrn y bobl. Wel, mae'r broses honno o ddirywio i'w gweld ar ei gwaethaf ym Mwrmansc.

'Mae llynges o longau tanfor niwclear wedi'i hangori yno. Rwy'n dweud "angori" ond "gadael" rwy'n ei olygu. Mae un ohonyn nhw, y *Lepse*, dros ddeugain mlwydd oed ac yn cynnwys chwe chant pedwar deg dau o fwndeli o rodenni tanwydd. Mae'r llongau tanfor yma wedi cael eu gadael i ddirywio, ac maen nhw'n syrthio'n ddarnau. Does dim ots gan neb. Does gan neb ddigon o gyllid i wneud dim yn eu cylch nhw. Mae'n ffaith gydnabyddedig, Alecs, mai yn yr hen longau tanfor yma mae'r bygythiad mwyaf i'r byd heddiw. Mae 'na gant ohonyn nhw! Rwy'n sôn am bumed ran o danwydd niwclear y byd. Cant o fomiau amser, a'r rheini'n tician, yn aros i ffrwydro. Damwain yn aros i ddigwydd. Damwain rwyf i wedi penderfynu ei threfnu.'

Agorodd Alecs ei geg i dorri ar ei draws, ond cododd Sarov ei law i'w rwystro.

'Gad imi egluro iti beth fyddai'n digwydd pe bai dim ond un o'r llongau tanfor yna'n ffrwydro,' meddai wedyn. 'Yn gyntaf oll, fe fyddai miloedd o Rwsiaid ym Mhenrhyn Kola a gogledd y wlad yn cael eu lladd. Byddai llawer o rai eraill yn marw yn y gwledydd cyfagos, sef Norwy a'r Ffindir.

'Yn anarferol ar yr adeg yma o'r flwyddyn, mae'r gwynt yn dod o'r dwyrain, felly fe fyddai'r llwch ymbelydrol yn teithio dros Ewrop i'th wlad di. Mae'n bosibilrwydd cryf y byddai'n amhosib i neb fyw yn Llundain. Dros y blynyddoedd, fe fyddai miloedd rhagor o bobl yn dioddef afiechyd ac yn marw'n araf ac yn boenus.'

'Felly pam gwneud y fath beth?' gwaeddodd Alecs. 'Pam achosi'r ffrwydrad? Pa les ddaw o hynny?'

'Rwyf i, mewn ffordd, am ysgwyd y byd o'i drwmgwsg,' eglurodd Sarov. 'Nos fory fe fyddaf i'n glanio ym Mwrmansc ac yn gosod y bom welaist ti yng nghanol y llongau tanfor.' Estynnodd i'w boced a thynnu cerdyn plastig bach ohoni. Roedd streipen fagnetig ar hyd un ochr fel sydd ar gerdyn credyd. 'Y cerdyn hwn yw'r allwedd fydd yn ffrwydro'r bom,' meddai. 'Mae'r holl godau a'r wybodaeth angenrheidiol wedi'u cynnwys yn y streipen fetalig. Y cyfan sydd raid imi ei wneud yw gosod y cerdyn yn y bom. Ar adeg y ffrwydrad ei hun, fe fyddaf i ar fy ffordd i'r de, i Fosgo, yn ddigon pell o gyrraedd y difrod.

'Bydd y ffrwydrad i'w deimlo ym mhob gwlad dros y byd. Fe elli ddychmygu'r dychryn a'r dicter fydd yn dilyn. A fydd neb yn gwybod ei fod wedi'i achosi gan fom oedd wedi'i gario'n fwriadol i Fwrmansc. Fe fyddant yn credu mai un o'r llongau tanfor oedd yr achos. Y *Lepse* fallai, neu un o'r lleill. Fel dwedais yn barod – roedd hi'n ddamwain yn aros i ddigwydd. A phan ddigwyddith hi, fydd neb yn amau beth yw'r gwirionedd.'

'O bydd!' meddai Alecs. 'Mae'r CIA yn gwybod

eich bod chi wedi prynu wraniwm. Mi gân nhw wybod bod eu hasiantiaid nhw wedi marw –'

'Wnaiff neb gredu'r CIA. Does neb byth yn eu credu nhw. A sut bynnag, erbyn iddyn nhw gasglu tystiolaeth yn fy erbyn i, fe fydd hi'n rhy hwyr.'

'Dw i ddim yn deall!' ebychodd Alecs. 'Rydach chi wedi dweud yn barod y byddwch chi'n lladd miloedd o'ch pobl eich hun. Be ydi'r pwynt?'

'Rwyt ti'n ifanc. Dwyt ti'n gwybod dim am fy mhobl i. Ond gwranda arna i, Alecs, ac fe wna i egluro. Pan ddigwyddith y drychineb yma, bydd y byd cyfan yn uno i gondemnio Rwsia. Bydd pawb yn ein casáu. Ac fe fydd pobl Rwsia'n teimlo cywilydd. Pe baem ni ond wedi bod yn llai diofal, yn llai ffôl, yn llai tlawd, yn llai llygredig. Pe baem ni ond yn dal i fod yn rym byd-eang fel roedden ni unwaith. Ac ar y foment yma bydd pawb – yn Rwsia a thros y byd i gyd – yn edrych at Boris Kiriyenko am arweiniad. A beth fyddan nhw'n ei weld?'

'Mi wnaethoch chi ffilm ohono fo … ' mwmiodd Alecs.

'Fe wnawn ni ryddhau'r ffilm sy'n ei ddangos yn feddw wrth y pwll nofio. Yn ei siorts coch a'i grys blodeuog. Yn chwarae o gwmpas gyda thair merch hanner noeth sy'n digon ifanc i fod yn ferched iddo! Ac ry'n ni wedi gwneud cyfweliad gydag e. Fe wnawn ni gyhoeddi hwnnw hefyd.'

'Rydach chi wedi golygu'r cyfweliad!'

'Yn hollol. Fe holodd ein cyfwelydd ni ef ynglŷn â streic drenau ym Mosgo ac atebodd Kiriyenko, oedd eisoes yn hanner meddw: "Rydw i ar fy ngwyliau. Rwy'n rhy brysur i ddelio â hynny." Fe wnawn ni newid y cwestiwn. "Beth ydych chi'n bwriadu wneud ynglŷn â'r ddamwain ym Mwrmansc?" Ac fe fydd Kiriyenko'n ateb fel hyn –'

'Rydw i ar fy ngwyliau. Rwy'n rhy brysur i ddelio â hynny.' Gorffennodd Alecs y frawddeg.

'Bydd pobl Rwsia'n gweld yn glir gymaint o dwpsyn gwan, meddw yw e. Yn fuan iawn fe wnân nhw ei feio fe am y drychineb ym Mwrmansc – ac yn haeddiannol felly. Roedd llynges y gogledd unwaith yn destun balchder i'r genedl gyfan. Sut gallai hi fod wedi'i gadael i ddirywio i'r fath raddau – tomen niwclear, rydlyd, dyllog, farwol?'

Suodd yr awyren yn ei blaen. Roedd Conrad yn gwrando'n astud ar eiriau Sarov, ei ben yn gorffwys yn gam ar ei wddf. Roedd y ddau warchodwr yn y cefn yn cysgu'n drwm.

'Roeddech chi'n dweud y byddech chi ym Mosgo,' mwmiodd Alecs.

'Ymhen llai na phedair awr ar hugain fe fydd y llywodraeth wedi cael eu hysgubo o'r neilltu,' atebodd Sarov. 'Fe fydd terfysg yn y strydoedd. Mae llawer o Rwsiaid yn credu bod bywyd yn arfer bod yn well – yn llawer gwell – yn yr hen ddyddiau. Maen nhw'n dal i gredu mewn comiwnyddiaeth. Wel, nawr fe fydd pobl yn gwrando ar eu dicter. Fydd dim atal arno. Ac fe fyddaf innau yno i'w ffrwyno, i'w ddefnyddio er mwyn cipio grym. Mae gen i ddilynwyr sy'n aros iddo ddigwydd. Cyn i'r cwmwl niwclear chwalu, fe fydd gen i reolaeth lwyr dros y wlad. A dim ond y dechrau yw hynny, Alecs. Fe wna i ailadeiladu Wal Berlin. Fe fydd rhyfeloedd newydd. Wna i ddim llaesu dwylo nes bod fy math i o lywodraeth – llywodraeth gomiwnyddol – yn bŵer dros holl lywodraethau'r byd.'

Cafwyd tawelwch hir.

'Rydach chi'n fodlon lladd miliynau o bobl i gyflawni hyn?' gofynnodd Alecs.

Cododd Sarov ei ysgwyddau. 'Mae miliynau o bobl yn marw yn Rwsia'r funud yma. Allan nhw ddim fforddio bwyd. Allan nhw ddim fforddio prynu meddyginiaethau –'

'A be fydd yn digwydd i mi?'

'Rwy'i wedi ateb y cwestiwn yna'n barod, Alecs. Dw i ddim yn credu mai cyd-ddigwyddiad oedd dy fod wedi ymddangos fel gwnest ti. Rwy'n credu bod y peth i fod i ddigwydd. Doeddwn i erioed i fod i wneud hyn ar fy mhen fy hun. Fe fyddi di gyda fi fory, a phan fydd y bom yn barod, fe wnawn ni adael gyda'n gilydd. Wyt ti'n sylweddoli beth rwy'n ei gynnig iti? Rwyt ti nid yn unig ar fin bod yn fab imi. Rwyt ti hefyd yn mynd i gael pŵer, Alecs. Fe fyddi di'n un o'r bobl mwyaf pwerus yn y byd.'

Roedd yr awyren eisoes wedi cyrraedd arfordir America a throdd, gan ddechrau ar ei thaith tua'r gogledd. Suddodd Alecs yn ôl i'w sedd, ei ben yn troi. Yn ddifeddwl, gadawodd i'w law lithro i boced ei drowsus. Roedd wedi llwyddo i ddod ag un darn o gwm swigod MI6 efo fo. Hefyd, roedd y model bach oedd mewn gwirionedd yn grenâd llorio ganddo.

Caeodd ei lygaid a cheisio gweithio allan beth roedd yn mynd i'w wneud.

HUNLLEF DIOGELWCH

Treulio oriau mewn gwyll rhyfedd nad oedd yn ddydd na nos. Yn gaeth ar do'r byd, yn gwbl lonydd, ac eto'n rhuthro ymlaen o hyd. Cysgodd Alecs am y rhan gyntaf o'r daith, yn ymwybodol ei fod wedi blino ac y byddai arno angen ei nerth. Roedd wedi derbyn beth oedd yn rhaid iddo'i wneud. O'r blaen, pan oedden nhw ar Draeth Sgerbwd, roedd wedi cael ei demtio i eistedd yn ôl a pheidio â gwneud dim byd. Wedi'r cyfan, doedd o erioed wedi gofyn am gael bod yno. Doedd dim cysylltiad o gwbl rhyngddo fo a'r hyn oedd yn digwydd.

Ond bellach roedd popeth wedi newid. Gallai weld y ffrwydrad ym Mhenrhyn Kola. Roedd yno'n barod, yn ei ddychymyg. Byddai miloedd o bobl yn marw ar unwaith, a degau o filoedd yn nes ymlaen wrth i'r gronynnau ymbelydrol ledaenu dros Ewrop. Roedd Prydain yn un o'r gwledydd fyddai'n dioddef. Roedd yn rhaid i Alecs rwystro'r peth rhag digwydd. Doedd ganddo bellach ddim dewis.

Byddai popeth yn llawer anoddach y tro yma. Fallai bod Sarov wedi maddau iddo am geisio dianc yn y car, a methu, ond gwyddai Alecs na fyddai'n ymddiried ynddo o hyn allan. Ac ni allai fforddio gwneud camgymeriad arall. Pe bai'n cael ei ddal yn ceisio dianc yr eildro, fyddai dim pardwn, dim maddeuant. Yn ei galon, roedd Alecs yn amau'n gryf a fyddai'n llwyddo i sleifio heibio'r cadfridog a'i gydymaith cam. Roedd Sarov yn gwbl effro, fel pe bai wedi bod yn eistedd yno am ddeng munud, nid am ddeg awr. Roedd Conrad yn dal i'w wylio hefyd. Eisteddai'n dawel yr ochr arall i'r awyren fel cath yn aros am lygoden, ei lygad coch yn blincio yn yr hanner golau.

Ac eto …

Roedd gan Alecs y ddwy ddyfais roedd Smithers wedi'u rhoi iddo. Ac roedd yr awyren yn mynd i lanio ym Mhrydain! Roedd meddwl am fod yn ei wlad ei hun, ynghanol pobl oedd yn siarad yr un iaith, yn rhoi nerth newydd i Alecs. Roedd ganddo gynllun, ac fe fyddai'n gweithio. Byddai'n rhaid iddo.

Rhaid ei fod yn cysgu pan laniodd yr awyren yn Gander i lwytho tanwydd, ac am sawl awr wedyn, oherwydd pan agorodd ei lygaid roedd hi'n olau dydd y tu allan ac roedd y ddau warchodwr yn clirio gweddillion brecwast o ffrwythau a iogwrt a baratowyd yng nghegin fach yr awyren. Edrychodd Alecs drwy'r ffenest. Y cyfan oedd i'w weld oedd cymylau.

Sylwodd Sarov ei fod wedi deffro. 'Alecs! Wyt ti isio bwyd?' holodd.

'Na, dim diolch.'

'Ond rhaid iti gael rhywbeth i'w yfed. Mae'n hawdd iawn i'r corff sychu ar y teithiau hir yma.' Siaradodd air neu ddau ag un o'r gwarchodwyr; diflannodd hwnnw a dod yn ei ôl â gwydraid o sudd grawnffrwyth. Oedodd Alecs cyn ei godi i'w geg, gan gofio beth ddigwyddodd i Kiriyenko. Gwenodd Sarov. 'Does dim rheswm iti bryderu,' meddai. 'Sudd grawnffrwyth sydd ynddo, a dim byd arall. Dim cynhwysion ychwanegol.'

Yfodd Alecs. Roedd y sudd yn oer braf ar ôl ei gwsg hir.

'Fe fyddwn yn glanio yng Nghaeredin ymhen rhyw hanner awr,' meddai Sarov wrtho. 'Rydyn ni yng ngofod awyr Prydain yn barod. Sut deimlad yw e i fod gartref?'

'Tasach chi'n medru 'ngollwng i, mi fedrwn i ddal trên i Lundain.'

Ysgydwodd Sarov ei ben. 'Na, mae arna i ofn.'

Ymhen munud neu ddau dechreuodd yr awyren hedfan yn is. Roedd y peilot wedi cysylltu â'r maes awyr dros ei radio ac wedi cadarnhau mai arhosiad arferol i ail-lenwi â thanwydd oedd hwn. Fyddai hi ddim yn gollwng nac yn codi unrhyw deithwyr, ac felly doedd dim angen trwydded weithredu. Roedd popeth wedi'i drefnu gydag awdurdod y maes awyr, fel bod yr arhosiad mor syml â char yn stopio yn y garej leol. Ac er gwaethaf pryderon Sarov, doedd llywodraeth Prydain ddim wedi gwahodd y teithwyr VIP honedig am frecwast diplomataidd yng Nghaeredin!

Torrodd yr awyren drwy'r cymylau a gwelodd Alecs y wlad oddi tano – tai bach, bach a cheir yma ac acw. Yn lle heulwen lachar y Caribî gwelai oleuni llwydaidd a thywydd ansicr diwrnod o haf ym Mhrydain. Teimlodd ryddhad. Roedd yn ei ôl! Ond, ar yr un pryd, gwyddai na fyddai Sarov byth yn gadael iddo fynd oddi ar yr awyren. Fe fyddai'n llai creulon, rywsut, pe baen nhw wedi codi tanwydd yn yr Ynys Las neu Norwy. Roedd yn cael un cipolwg olaf ar ei wlad ei hun. Y tro nesaf iddo ei weld, fe fyddai wedi'i gwenwyno am genedlaethau lawer. Estynnodd Alecs i'w boced. Caeodd ei law am y model bach o Michael Owen. Roedd yr amser yn dod yn nes …

Goleuodd yr arwyddion i ddweud wrth y teithwyr am wisgo'u gwregysau. Foment yn ddiweddarach, teimlodd Alecs y pwysedd aer yn ei glustiau wrth i'r awyren blymio o'r awyr. Gwelodd bont, oedd o'r uchder yma'n edrych yn fain ac yn fregus, yn croesi ystod eang o ddŵr. Pont Forth … rhaid mai dyna oedd hi. A dacw Gaeredin, draw yn y gorllewin, ei chastell yn rheoli'r gorwel. Rhuthrodd y maes awyr i fyny tuag atynt. Cafodd gipolwg ar derminws golau, modern, ac awyrennau'n sefyll ar y tarmac ynghanol llu o faniau a throlïau. Teimlodd yr olwynion yn cyffwrdd y lanfa, a chlywodd ruo'r peiriannau mewn gwthiant am yn ôl. Arafodd yr awyren. Roedden nhw wedi glanio.

Dan gyfarwyddyd y tŵr rheoli, ymlwybrodd yr awyren i ben pellaf y lanfa ac i mewn i ran oedd yn cael ei nabod fel y tyddyn tanwydd, yn ddigon pell o'r prif derminws. Syllodd Alecs drwy'r ffenest a'i obeithion yn chwalu wrth i'r adeiladau cyhoeddus lithro i ffwrdd y tu ôl iddo. Po bellaf yr oedden nhw'n teithio, pellaf fyddai'n rhaid iddo redeg i roi rhybudd – a chymryd yn ganiataol y byddai hyd yn oed yn llwyddo i ddod oddi ar yr awyren. Roedd y model o Michael Owen yn ei law erbyn hyn. Beth oedd Smithers wedi'i ddwedud wrtho? Troi'r pen ddwywaith un ffordd ac unwaith y ffordd arall i'w arfogi. Aros am ddeg eiliad a rhedeg. Roedd caban cyfyng ar awyren yn lle delfrydol i'w roi ar waith. Yr unig drafferth oedd, sut gallai Alecs ei rwystro rhag ei lorio yntau hefyd?

Stopiodd yr awyren. Bron ar unwaith, dechreuodd lorri danwydd yrru tuag atynt. Roedd Sarov, yn amlwg, wedi paratoi popeth ymhell o flaen llaw. Roedd car yn dilyn y lorri, ac wrth edrych drwy'r ffenest gwelodd Alecs fod grisiau'n cael eu powlio at ddrws yr awyren. Roedd hynny'n ddiddorol. Yn ôl pob golwg, roedd rhywun yn awyddus i ddod ar ei bwrdd.

Roedd Sarov yn ei wylio. 'Dwyt ti ddim yn mynd i siarad, Alecs,' meddai. 'Dim un gair. Cyn iti hyd yn oed feddwl am agor dy geg, rwy'n awgrymu dy fod ti'n edrych y tu ôl iti.'

Roedd Conrad wedi symud i'r sedd yn union y tu ôl i Alecs. Gorweddai papur newydd ar ei lin. Wrth i Alecs droi, fe'i cododd i ddangos pistol mawr du a thawelydd arno, a hwnnw'n anelu'n syth amdano.

'Wnaiff neb glywed unrhyw beth,' meddai Sarov. 'Os bydd Conrad hyd yn oed yn meddwl dy fod ti am geisio gwneud rhywbeth, bydd yn saethu. Fe aiff y fwled drwy'r sedd ac i mewn i asgwrn dy gefn. Byddi di'n marw'n syth ond yn ymddangos fel petait ti wedi syrthio i gysgu a dim mwy.'

Roedd Alecs yn gwybod na fyddai hi ddim mor hawdd â hynny. Doedd rhywun yn cael ei saethu yn ei gefn ddim yn edrych fel rhywun yn syrthio i gysgu. Roedd Sarov yn mentro'n arw iawn. Ond menter anferth oedd yr holl fusnes yma. Roedd cymaint yn y fantol. Gwyddai Alecs, pe bai'n ceisio dweud wrth rywun beth oedd yn digwydd, y byddai'n cael ei ladd ar unwaith.

Agorwyd drws yr awyren a daeth dyn â gwallt coch, yn gwisgo oferôl glas, i mewn, a bwndel o bapurau yn ei law. Cododd Sarov i'w gyfarch. 'Ydych chi'n siarad Saesneg?' gofynnodd y dyn mewn acen Albanaidd.

'Ydw.'

'Mae gen i chydig o bapurau yma ichi'u harwyddo.'

Trodd Alecs ei ben fymryn. Gwelodd y dyn ef a nodio. Nodiodd Alecs yn ôl. Bron na allai deimlo dryll Conrad yn pwyso yn erbyn cefn ei sedd. Ddwedodd o 'run gair. Ac yna roedd y cyfan drosodd. Roedd Sarov wedi arwyddo'r papurau a rhoi beiro'r dyn yn ôl iddo.

'Dyma dderbynneb ichi,' meddai'r dyn, gan roi dalen i Sarov. 'Ac mi fyddwch chi'n ôl yn yr awyr ymhen dim o dro.'

'Diolch.' Nodiodd Sarov.

'Hoffech chi ddod allan i gymryd tro bach? Mae'n ddiwrnod braf yma yng Nghaeredin. Mi allen ni gynnig te a theisen frau ichi os hoffech chi ddod i'r swyddfa.'

'Na, dim diolch. Ry'n ni i gyd braidd yn flinedig. Fe arhoswn ni yma.'

'Iawn. Os ydych chi'n hollol siŵr, mi wnân nhw symud y grisiau …'

Roedden nhw am symud y grisiau – a chyn

gynted ag roedden nhw wedi mynd, mi fyddai Sarov yn selio'r drws! Dim ond eiliadau oedd gan Alecs i wneud rhywbeth. Arhosodd i'r dyn adael y caban, yna cododd. Daliai ei ddwylo o'i flaen, y model o Michael Owen wedi'i guddio yng nghledr ei law.

'Eistedd!' hisiodd Conrad arno.

'Mae'n iawn, Conrad,' meddai Alecs. 'Dw i ddim yn mynd i unlle. Dim ond symud fy nghoesau chydig.'

Roedd Sarov wedi eistedd i lawr eto i archwilio'r gwaith papur roedd y dyn wedi'i roi iddo. Aeth Alecs heibio iddo'n hamddenol. Roedd ei geg yn sych, a theimlai'n falch nad oedd y synhwyrydd roedden nhw'n ei ddefnyddio wrth gât y Casa de Oro ddim ar yr awyren. Petai hwnnw wedi'i gyfeirio ato rŵan, byddai curiad ei galon yn fyddarol. Hwn oedd ei gyfle olaf. Mesurodd Alecs ei gamau'n ofalus. Pe bai'n cerdded at ei grocbren ei hun, fyddai o ddim wedi teimlo mwy o dyndra.

'Ble rwyt ti'n mynd, Alecs?' gofynnodd Sarov.

Trodd Alecs ben Michael Owen ddwywaith.

'Dw i ddim yn mynd i unlle.'

'Beth sydd gen ti yn dy ddwylo?'

Petrusodd Alecs. Pe bai'n ceisio ffugio nad oedd ganddo ddim byd yn ei law, byddai Sarov yn fwy drwgdybus nag oedd yn barod. Daliodd y model i fyny. 'Fy masgot lwcus i ydi o,' meddai. 'Michael Owen.'

Cymerodd gam arall ymlaen a rhoi un tro arall am yn ôl i ben y pêl-droediwr.

Deg … naw … wyth … saith …

'Eistedd i lawr, Alecs,' meddai Sarov.

'Mae gen i gur pen,' meddai Alecs. 'Mi hoffwn i gael chydig o awyr iach.'

'Dwyt ti ddim i adael yr awyren.'

'Dw i ddim yn mynd i unlle, Gadfridog.'

Ond roedd Alecs wedi cyrraedd y drws yn barod, a theimlai wynt oer yr Alban ar ei wyneb. Roedd tryc llusgo'n tynnu'r grisiau i ffwrdd. Edrychodd wrth i fwlch agor rhyngddyn nhw a'r drws.

Pedwar … tri … dau …

'Alecs! Cer yn ôl i dy sedd!'

Gollyngodd Alecs y model a'i daflu'i hun ymlaen.

Neidiodd Conrad ar ei draed fel neidr wyllt, y dryll yn ei law.

Ffrwydrodd y model.

Teimlodd Alecs y ffrwydrad y tu ôl iddo. Cafwyd fflach o olau, a chlec a swniai'n anferthol o uchel, er na thorrodd yr un ffenest a doedd dim tân na mwg. Canodd ei glustiau, ac am eiliad ni allai weld unrhyw beth. Ond roedd y tu allan i'r awyren pan ffrwydrodd y grenâd lorio. Daliai'r grisiau i symud i ffwrdd, gan ddiflannu o'i flaen. Roedd yn mynd i'w methu nhw! Roedd wyneb tarmac ardal y tyddyn tanwydd bum metr odano. Pe bai'n syrthio o'r uchder yna, byddai'n torri ei goes. Gallai hyd yn oed gael ei ladd. Ond roedd wedi manteisio ar ei gyfle'n union mewn pryd. Glaniodd ar ei stumog ar ben uchaf y grisiau, ei goesau'n hongian yn yr awyr. Tynnodd ei hun ar ei draed yn gyflym. Roedd y dyn gwallt coch yn syllu'n syn arno. Rhedodd Alecs i lawr y grisiau oedd yn dal i symud. Wrth i'w draed lanio ar y llawr, teimlodd wefr o fuddugoliaeth. Roedd o gartref. Ac yn ôl pob golwg, roedd y grenâd lorio wedi gwneud ei gwaith. Doedd dim byd yn symud ar yr awyren. Doedd neb yn saethu ato.

'Be ddiawl wyt ti'n feddwl wyt ti'n wneud?' ebychodd y dyn.

Anwybyddodd Alecs ef. Nid hwn oedd y person gorau i siarad ag o – ac roedd arno angen mynd mor bell i ffwrdd â phosib oddi wrth yr awyren. Roedd Smithers wedi dweud mai dim ond am funud neu ddau y byddai effaith y grenâd yn para. Byddai Sarov a Conrad yn deffro'n fuan. A fydden nhw ddim yn llusgo'u traed cyn dod ar ei ôl.

Rhedodd. O gil ei lygad, gwelodd y dyn yn cipio radio o'i boced ac yn siarad i mewn iddo – ond doedd dim ots am hynny. Roedd dynion eraill o amgylch yr awyren, ar fin dechrau llwytho tanwydd. Rhaid eu bod wedi clywed y ffrwydrad. Hyd yn oed petai Alecs yn cael ei ddal, fyddai'r awyren ddim yn cael caniatâd i adael.

Ond doedd ganddo ddim bwriad yn y byd o gael ei ddal. Roedd wedi sylwi'n barod ar res o adeiladau gweinyddol ar gwr y maes awyr; anelodd amdanynt, a sŵn ei anadl yn gras yn ei wddf. Cyrhaeddodd ddrws a cheisio'i agor. Roedd dan glo! Edrychodd drwy'r ffenest. Roedd cyntedd ar yr ochr draw a ffôn cyhoeddus, ond am ryw reswm roedd yr adeilad ar gau. Am foment cafodd ei demtio i dorri'r gwydr – ond byddai hynny'n mynd â gormod o amser. Gan regi dan ei wynt, rhedodd yr ugain metr at yr adeilad nesaf.

Roedd hwn yn agored. Cafodd ei hun mewn coridor gyda storfeydd a swyddfeydd ar bob ochr. Doedd neb yn y golwg. Agorodd ddrws. Roedd yn arwain i stafell yn llawn o silffoedd, a llungopïwr a defnyddiau swyddfa. Roedd y drws nesaf wedi'i gloi. Teimlai Alecs yn fwy anobeithiol bob eiliad. Agorodd ddrws arall, a'r tro yma roedd lwc o'i blaid. Swyddfa oedd hi, gyda desg a ffôn arni. Doedd neb yno. Rhedodd i mewn a chipio'r ffôn yn ei law.

Dim ond bryd hynny y sylweddolodd nad

oedd ganddo unrhyw syniad pa rif i'w ffonio. Ar y ffôn symudol gafodd o gan Smithers roedd allwedd arbennig – cyswllt uniongyrchol ag MI6. Beth allai o ei wneud? Deialu'r cysylltydd a gofyn am wasanaeth cudd-ymchwil y fyddin? Fe fydden nhw'n meddwl ei fod yn wallgof.

Doedd ganddo ddim amser i'w wastraffu. Gallai Sarov fod wedi dod ato'i hun yn barod. Hyd yn oed rŵan gallai fod ar ei ffordd. Roedd ffenest yn y swyddfa, ond roedd hi'n edrych allan at y cefn, felly doedd dim golwg o'r awyren na'r lanfa. Penderfynodd Alecs ddeialu 999.

Canodd y ffôn ddwywaith cyn i rywun ateb.

Llais dynes atebodd. 'Rydych wedi galw'r gwasanaethau argyfwng. Pa wasanaeth, os gwelwch yn dda?'

'Heddlu,' meddai Alecs.

'Yn eich cysylltu chi nawr ... '

Clywodd y ffôn yn canu.

Ac yna daeth llaw i lawr ar y ffôn, gan ei dorri i ffwrdd. Trodd Alecs â'i wynt yn ei ddwrn, gan ddisgwyl gweld Sarov yn ei wynebu – neu'n waeth fyth, Conrad a'r dryll.

Ond gwarchodwr diogelwch y maes awyr oedd wedi cerdded i mewn i'r swyddfa tra oedd Alecs yn gwneud ei alwad. Roedd tua hanner cant oed, ei wallt yn britho a'i ên wedi suddo i'w wddf. Roedd ei stumog yn bochio dros ei wregys a'i drowsus yn dod i ben oddeutu dau gentimetr uwchben ei fferau. Roedd gan y dyn radio wedi'i glymu wrth ei siaced, a'i enw – George Prescott – wedi'i sgwennu ar fathodyn ar ei boced uchaf. Edrychodd i lawr ar Alecs â golwg ddifrifol ar ei wyneb. A'i galon yn suddo, sylweddolodd Alecs ei fod yn wynebu hunllef diogelwch go iawn: dyn yn llawn pwysigrwydd hunangyfiawn warden traffig, neu warchodwr maes parcio, neu unrhyw fân swyddog.

'Beth wyt ti'n wneud yma, was?' gofynnodd Prescott.

'Dw i angen gwneud galwad ffôn,' meddai Alecs.

'Mi wela i hynny. Ond nid ffôn cyhoeddus ydi hwn. Dydi hon ddim yn swyddfa gyhoeddus, hyd yn oed. Mae fan hyn yn ardal ddiogelwch. Ddylet ti ddim bod i mewn yma.'

'Na, dydach chi ddim yn deall. Mae hyn yn argyfwng!'

'Ydi wir? A pha fath o argyfwng sydd gen ti mewn golwg?' Roedd hi'n amlwg nad oedd Prescott yn ei gredu.

'Fedra i ddim egluro. Jest gadewch imi wneud yr alwad.'

Gwenodd y gwarchodwr diogelwch. Roedd yn

mwynhau hyn. Arferai dreulio bum diwrnod yr wythnos yn troedio o un swyddfa i'r llall, yn profi drysau ac yn diffodd goleuadau. Roedd hi'n braf cael rhywun i'w fosio. 'Chei di ddim gwneud unrhyw alwadau nes iti ddweud wrtha i be wyt ti'n wneud yma!' meddai. 'Swyddfa breifat ydi hon.' Culhaodd ei lygaid. 'Wyt ti wedi agor unrhyw ddroriau? Wyt ti wedi dwyn rhywbeth?'

Roedd nerfau Alecs yn sgrechian, ond gorfododd ei hun i beidio cynhyrfu. 'Dydw i ddim wedi dwyn unrhyw beth, Mr Prescott,' meddai. 'Dw i newydd ddod oddi ar awyren laniodd chydig funudau'n ôl –'

'Pa awyren?'

'Awyren breifat.'

'Oes gen ti basbort?'

'Nagoes.'

'Mae hynny'n beth difrifol iawn. Chei di ddim dod i mewn i'r wlad heb basbort.'

'Mae 'mhasbort i ar yr awyren!'

'Os felly mi wna i dy ddanfon di'n ôl i'r awyren er mwyn i ti ei nôl o.'

'Na!' Gallai Alecs deimlo'r eiliadau'n carlamu heibio. Beth allai o ei ddweud wrth y dyn yma fyddai'n ei berswadio i adael iddo wneud yr alwad ffôn? Roedd ei feddwl ar chwâl ac yn sydyn, am y tro cyntaf yn ei fywyd, roedd y

307

gwirionedd yn llifo'n wyllt o'i geg. 'Gwrandwch,' meddai. 'Dw i'n gwybod bod hyn yn anodd ei gredu, ond dw i'n gweithio i Lywodraeth Prydain. Os gwnewch chi adael imi eu ffonio nhw, mi wnân nhw brofi'r peth ichi. Ysbïwr ydw i –'

'Ysbïwr?' Lledodd gwên dros wyneb Prescott. Ond doedd dim hiwmor ynddi o gwbl. 'Faint ydi dy oed di?'

'Pedair ar ddeg.'

'Ysbïwr pedair ar ddeg oed? Dw i'n meddwl dy fod ti'n gwylio gormod o raglenni teledu, 'ngwas i.'

'Gwrandwch arna i, plîs. Mae 'na ddyn newydd drio'n lladd i. Mae o ar awyren ar y lanfa, ac os na wnewch chi adael imi wneud yr alwad yma, mae 'na lawer o bobl yn mynd i farw.'

'Be?'

'Mae ganddo fo fom niwclear, er mwyn Duw!'

Roedd hynny'n gamgymeriad. Meddai Prescott yn flin, 'Mae'n rhaid imi ofyn iti beidio â chymryd enw'r Arglwydd yn ofer, os gweli di'n dda.' Daeth i benderfyniad. 'Wn i ddim sut daethost ti yma, na beth ydi dy gêm di, ond rwyt ti'n mynd i ddod efo fi i'r swyddfa diogelwch a gwirio pasbortau yn y prif derminws.' Estynnodd ei law at Alecs. 'Tyrd rŵan! Dw i wedi cael digon ar dy lol di.'

'Ddim lol ydi o. Mae 'na ddyn o'r enw Sarov. Mae o'n cario bom niwclear ac yn bwriadu ei

308

ffrwydro fo ym Mwrmansc. Fi ydi'r unig un fyddai'n gallu ei rwystro fo. Plîs, Mr Prescott. Mond gadael imi ffonio'r heddlu. Dim ond ugain eiliad gymerith hi, ac mi gewch chi sefyll yma'n edrych arna i. Gadewch imi siarad efo nhw, ac wedyn mi gewch chi wneud fel fynnwch chi efo fi.'

Ond doedd dim symud ar y dyn diogelwch. 'Dwyt ti ddim yn mynd i wneud unrhyw alwadau, ac rwyt ti'n dod efo fi rŵan,' meddai'n bendant.

Gwnaeth Alecs ei benderfyniad. Roedd o wedi rhoi cynnig ar bledio, ac ar ddweud y gwir. Methu wnaeth y ddau, felly doedd dim dewis ond taro'r gwarchodwr diogelwch i lawr. Symudodd Prescott o amgylch y ddesg, gan ddod yn nes ato. Tynhaodd Alecs ei gorff, ei bwysau ar flaenau'i draed, ei ddyrnau'n barod. Gwyddai mai dim ond gwneud ei waith oedd y dyn, a doedd arno ddim isio'i frifo, ond doedd dim dewis arall.

Ac yna agorodd y drws.

'Dyna ti, Alecs! Roeddwn i'n pryderu amdanat ti … '

Sarov.

Safai Conrad y tu ôl iddo. Roedd golwg afiach ar y ddau – eu croen yn wyn a'u llygaid chydig allan o ffocws. Doedd dim emosiwn ar wyneb yr un o'r ddau.

'Pwy ydach chi?' gofynnodd Prescott.

'Fi ydi tad Alecs,' atebodd Sarov. 'Dyna'r gwir, yntê, Alecs?'

Oedodd Alecs. Sylweddolodd ei fod mewn ystum brwydro, ar fin taro. Yn araf, daeth â'i freichiau i lawr. Sylweddolodd ei bod hi ar ben arno, a theimlodd flas chwerw methiant yn ei geg. Doedd dim y gallai ei wneud. Pe bai'n dadlau o flaen Prescott, y cyfan a wnâi Sarov fyddai 'u lladd nhw ill dau. Pe bai'n ceisio ymladd, yr un fyddai'r canlyniad. Dim ond un gobaith oedd ar ôl i Alecs. Pe bai'n cerdded allan o'r swyddfa gyda Sarov a Conrad, a bod y dyn diogelwch yn dal yn fyw, roedd posibilrwydd bach y byddai'n adrodd ei hanes wrth rywun a fyddai'n cysylltu ag MI6. Yn sicr, fe fyddai'n rhy hwyr i achub Alecs. Ond gallai hynny achub y byd.

'Dyna'r gwir, yntê, Alecs?' Roedd Sarov yn disgwyl am ateb.

'Ie,' meddai Alecs. 'Helô, Dad.'

'Felly be ydi'r holl firi yma am fomiau ac ysbïwyr?' gofynnodd Prescott.

Ochneidiodd Alecs iddo'i hun. Pam na allai'r dyn gau'i geg?

'Dyna mae Alecs wedi bod yn ei ddweud wrthoch chi?' gofynnodd Sarov.

'Ie. Hynna a llawer mwy.'

'Ydi e wedi gwneud galwad ffôn?'

'Na.' Roedd Prescott yn ymchwyddo â'i bwysigrwydd ei hun. 'Roedd y cenau bach yn helpu'i hun i'r ffôn pan ddois i i mewn. Ond mi rois i stop ar hynny'n ddigon sydyn.'

Nodiodd Sarov yn araf. Roedd wedi'i blesio. 'Wel ... mae ganddo fe ddychymyg byw,' eglurodd. 'Dydi Alecs ddim wedi bod mewn llawn iechyd yn ddiweddar. Mae ganddo fe broblemau meddyliol. Weithiau mae'n cael anhawster i wahaniaethu rhwng ffantasi a realaeth.'

'Sut llwyddodd o i ddod i mewn yma?' gofynnodd Prescott.

'Mae'n rhaid ei fod wedi sleifio oddi ar yr awyren pan nad oedd neb yn edrych. Does ganddo, wrth gwrs, ddim caniatâd i fod ar dir Prydeinig.'

'Prydeiniwr ydi o?'

'Na.' Cydiodd Sarov ym mraich Alecs. 'A nawr mae'n rhaid inni fynd yn ôl ar yr awyren. Mae ganddon ni daith hir o'n blaenau o hyd.'

'Hanner munud!' Doedd y gwarchodwr ddim am adael iddyn nhw fynd yn ddi-gosb mor hawdd. 'Mae'n ddrwg gen i, syr, ond roedd eich mab yn crwydro o gwmpas llefydd nad oedd ganddo ddim hawl o gwbl i fod ynddynt. Rydach chithau, o ran hynny, yn gwneud yr un peth. Chewch chi ddim jest crwydro o gwmpas maes awyr Caeredin fel hyn! Mi fydd yn rhaid imi baratoi adroddiad.'

311

'Rwy'n deall yn iawn.' Doedd Sarov ddim fel petai'n poeni dim. 'Mae'n rhaid imi gael y bachgen yn ôl ar yr awyren. Ond fe adawaf fy nghynorthwy-ydd gyda chi, er mwyn iddo roi unrhyw fanylion sydd arnoch chi'u hangen. Os oes angen, fe gaiff fynd gyda chi i swyddfa'ch uwch-swyddog. Ac mae'n rhaid imi ddiolch ichi am rwystro fy mab rhag gwneud galwad ffôn, Mr Prescott. Fe fyddai hynny wedi bod yn annifyr iawn inni i gyd.'

Heb aros am ateb trodd Sarov, ei law yn dal i afael ym mraich Alecs, a'i arwain o'r stafell.

Awr yn ddiweddarach, cododd yr awyren ar gyfer rhan olaf ei thaith. Roedd Alecs yn eistedd yn yr un sedd ag o'r blaen ond â'i ddwylo mewn gefynnau yn sownd wrth y gadair. Doedd Sarov ddim wedi'i frifo, ac roedd bellach fel pe bai wedi anghofio ei fod ar yr awyren. Mewn ffordd, dyna oedd y peth mwyaf dychrynllyd yn ei gylch. Roedd Alecs wedi disgwyl dicter, trais – neu farwolaeth gyflym, hyd yn oed – trwy law Conrad. Ond doedd Sarov ddim wedi gwneud unrhyw beth. O'r foment y cafodd Alecs ei hebrwng yn ôl ar yr awyren, doedd y Rwsiad ddim hyd yn oed wedi edrych arno. Cafwyd rhai problemau, wrth gwrs. Roedd y ffrwydrad ar yr awyren, ac Alecs yn neidio oddi arni, wedi codi pob math o gwestiynau. Yn y cyfamser, roedd y peilot wedi bod mewn cysylltiad parhaus â'r tŵr rheoli. Ffwrn feicrodon wallus oedd achos y ffrwydrad, roedd wedi egluro. Ac am y bachgen? Roedd y Cadfridog Alexei Sarov, un o staff arlywydd Rwsia, yn teithio gyda'i nai. Roedd y bachgen yn un llawn asbri. Dwl iawn, ond roedd popeth dan reolaeth …

Pe bai hon yn awyren jet breifat gyffredin, byddai'r heddlu wedi cael eu galw. Ond roedd hi wedi'i chofrestru yn enw Boris Kiriyenko. Roedd ganddi freinryddid diplomyddol. Ar y cyfan, cytunodd yr awdurdodau, byddai'n haws edrych y ffordd arall a gadael i bethau fod.

Cafwyd hyd i gorff George Prescott bedair awr yn ddiweddarach. Eisteddai'n swp mewn cwpwrdd nwyddau swyddfa, golwg syn ar ei wyneb ac un briw bwled crwn rhwng ei lygaid.

Erbyn hynny roedd yr awyren yng ngofod awyr Rwsia. Wrth i'r holl ymchwilio a holi ddechrau, a'r heddlu o'r diwedd yn cael eu galw, roedd goleuadau'r caban yn cael eu pylu wrth i'r jet wyro dros Benrhyn Kola gan baratoi am ei disgyniad olaf.

DIWEDD Y BYD

Mae pob maes awyr dros y byd i gyd yn debyg iawn i'w gilydd, ond roedd yr un ym Mwrmansc yn hyllach na'r un a welsai Alecs erioed. Roedd wedi'i adeiladu mor bell o bobman fel ei fod yn edrych, o'r awyr, fel camgymeriad. Ar y llawr, doedd ganddo ddim i'w gynnig ond un terminws isel wedi'i lunio o wydr a sment llwyd, blinedig, ac wyth llythyren wen wedi'u gosod ar y to.

МУРМАНCК

Roedd y sillafiad Rwseg yn gyfarwydd i Alecs. Mwrmansc. Dinas o filoedd o bobl. Faint ohonyn nhw, tybed, fyddai'n fyw ymhen deuddeg awr?

Roedd Alecs bellach wedi'i glymu â gefynnau llaw wrth un o'r ddau warchodwr oedd wedi hedfan gyda nhw yr holl ffordd o Draeth Sgerbwd. Cafodd ei arwain ar draws rhedfa wag, gyda'r tarmac yn wlyb ac yn seimllyd ar ôl cawod o law, a phyllau o ddŵr budr ar bob ochr. Doedd dim awyrennau eraill yn y golwg. Mewn gwirionedd, roedd y lle'n gwbl wag. Roedd ambell olau'n dangos yn felyn gwan y tu ôl i'r gwydr, ond doedd dim pobl yn unman. Roedd yr unig fynedfa wedi'i chloi â chadwyn fel pe bai'r maes awyr wedi anobeithio gweld ymwelwyr.

Roedd rhywrai'n disgwyl amdanyn nhw. Safai tair lorri filwrol a char, yn dew o strempiau mwd, gerllaw. Safai rhes o ddynion yn syth, mewn dillad milwyr lliw caci â gwregysau du, a bŵts uchel hyd at eu penliniau. Roedd gan bob un ddryll peiriant ar strap ar draws ei frest. Camodd eu capten ymlaen, yn gwisgo lifrai debyg i un Sarov, a saliwtio. Ysgydwodd law â Sarov, yna cofleidiodd y ddau cyn sgwrsio am funud neu ddau. Yna, ar orchymyn siarp y capten, rhedodd dau o'i ddynion at yr awyren a dechrau dadlwytho'r gist arian, sef bom niwclear Sarov. Gwyliodd Alecs wrth i'r gist gael ei hestyn o'r cefn a'i llwytho ar un o'r lorïau. Roedd y milwyr yn rhai disgybledig. Er bod digon o bŵer yma i ddinistrio cyfandir cyfan, throdd yr un ohonynt ei ben wrth i'r bom gael ei gario heibio.

Unwaith roedd y bom yn ei le, trodd y milwyr gan fartsio at y ddwy lori arall a dringo i mewn iddynt. Â'r gefynnau bellach yn clymu'i ddwylo wrth ei gilydd, cafodd Alecs ei sodro yn sedd flaen un o'r lorïau, nesaf at y gyrrwr. Edrychodd neb arno. Doedd neb yn dangos unrhyw ddiddordeb ynddo. Rhaid bod Sarov wedi'u rhybuddio nhw ar y radio cyn glanio y byddai yno. Syllodd ar y dyn oedd yn gyrru'r lorri.

Roedd golwg galed arno, wedi'i eillio'n lân, ei lygaid yn las a gloyw. Doedd ei wyneb yn dangos dim mynegiant o gwbl. Milwr proffesiynol. Trodd Alecs ac edrych drwy'r ffenest mewn pryd i weld Sarov a Conrad yn mynd i mewn i'r car.

Cychwynnodd y fintai. Doedd dim byd i'w weld y tu allan i'r maes awyr, dim ond tirwedd gwastad, gwag, lle roedd hyd yn oed y coed yn llwyddo i edrych yn grebachlyd ac anniddorol. Crynodd Alecs a cheisiodd groesi'i ddwylo er mwyn rhwbio chydig o wres i mewn iddynt. Daeth sŵn clencian o'r gefynnau, a thaflodd y gyrrwr olwg ddig arno.

Aethant ymlaen am yn agos i ddeugain munud ar hyd ffordd oedd yn frith o dyllau. Daeth ambell adeilad, rhai modern a digymeriad, i'r golwg ac yn sydyn roedden nhw ym Mwrmansc ei hun. Ai nos oedd hi, ynteu dydd? Roedd yr awyr yn dal yn olau, ond roedd y lampau stryd ynghynn. Roedd pobl ar y palmentydd, ond doedden nhw ddim fel petaen nhw'n mynd i unman, dim ond crwydro fel pobl yn cerdded yn eu cwsg. Edrychodd neb arnyn nhw wrth iddyn nhw ddilyn y ffordd, bedair lôn o led. Rhodfa gwbl syth oedd hon ynghanol y ddinas, er nad oedd fel petai'n arwain i unman.

Safai adeiladau digymeriad, anniddorol ar bob ochr, a rhes ar ôl rhes o flociau o fflatiau oedd bron yn union yr un fath, fel pentwr o focsys matsys. Doedd dim sinemâu na bwytai na siopau i'w gweld – dim byd fyddai'n gwneud bywyd yn werth ei fyw.

Doedd yno ddim maestrefi chwaith. Roedd y ddinas yn darfod, ac yn sydyn roedden nhw'n gyrru drwy'r twndra gwag, yn anelu am orwel diflas yr olwg. Roedden nhw fil pedwar cant o gilomedrau o Begwn y Gogledd, a doedd dim byd o gwbl yma. Pobl heb fywyd, a haul heb rithyn o wres. Meddyliodd Alecs am ei daith. O Wimbledon i Gernyw. Wedyn Llundain, Miami a Thraeth Sgerbwd. Ac yn y diwedd i fan hyn. Ai dyma *oedd* y diwedd? Am le ofnadwy i orffen ei fywyd. Teimlai fel petai wedi cyrraedd diwedd y byd.

Doedd dim ceir eraill ar y ffordd a dim arwyddion. Rhoddodd Alecs y gorau hyd yn oed i geisio gweld ble roedden nhw'n mynd. Ar ôl hanner awr arall fe ddechreuon nhw arafu, cyn troi i ffwrdd oddi ar y brif ffordd. Clywyd sŵn crensian dan yr olwynion wrth iddyn nhw adael yr wyneb tarmac a mynd yn eu blaenau dros wyneb o raean. Ai dyma lle roedd y Rwsiaid yn cadw'u llongau tanfor? Doedd dim golwg o unrhyw beth heblaw ffens wifren a chiosg brau o bren yn ffugio bod yn fwth gwarchodwr. Stopiodd y car o flaen rhwystr coch a gwyn. Daeth dyn i'r golwg, wedi'i wisgo mewn dillad glas tywyll a chôt uchaf lac, gyda thiwnig a chrys-T streipiog o dan y gôt. Llongwr o Rwsiad oedd o, tua ugain oed a golwg ddryslyd arno. Rhedodd draw at y car a dweud rhywbeth mewn Rwseg.

Saethodd Conrad ef. Gwelodd Alecs y llaw'n estyn drwy'r ffenest a fflach y dryll, ond digwyddodd y cyfan mor gyflym fel mai prin y gallai gredu ei fod wedi digwydd o gwbl. Cafodd y Rwsiad ifanc ei daflu'n ôl. Saethodd Conrad ef am yr eildro. Roedd llongwr arall yn y bwth gwarchodwr – doedd Alecs ddim hyd yn oed wedi sylwi arno – a gwaeddodd hwnnw, cyn syrthio'n swp wysg ei gefn. Doedd neb wedi yngan gair. Dringodd dau filwr allan o'r lorri flaen a mynd draw at y rhwystr oedd yn cau'r fynedfa. Ai hon mewn gwirionedd oedd y fynedfa i safle'r llongau tanfor? Roedd Alecs wedi gweld systemau diogelwch mwy soffistigedig mewn maes parcio archfarchnad. Wnaeth y milwyr ddim byd ond codi'r rhwystr, ac aeth y fintai yn ei blaen.

Teithiodd y cerbydau ar hyd llwybr troellog,

anwastad yn mynd i lawr rhiw ac yno, o'r diwedd, roedd y môr. Y peth cyntaf welodd Alecs oedd fflyd o longau torri rhew, wedi'u hangori ryw wyth can metr i ffwrdd – blociau haearn anferth yn eistedd yn dawel, yn anghredadwy, ar y môr. Sut yn y byd y gallai pethau mor anferthol arnofio? Doedd dim goleuadau ar eu bwrdd, dim symudiad o gwbl. Y tu draw i'r dŵr roedd darn arall diolwg o'r arfordir yn codi, gyda stribedi gwyn yma ac acw ar ei hyd; allai Alecs ddim penderfynu p'un ai halen oedd hyn, ynteu rhyw fath o eira parhaus.

Bownsiodd y lorïau i lawr y rhiw ac yn sydyn roedden nhw mewn porthladd, gyda chraeniau, craeniau nenbont, storfeydd a chytiau ar bob ochr. Roedd y lle fel maes chwarae'r diafol – yn llawn darnau dur cam a phentyrrau o sment, bachau a chadwyni, pwlis a chêblau, drymiau olew, paledau pren a chynwysyddion dur anferth. Roedd llongau rhydlyd ym mhobman – rhai yn y dŵr, ac eraill ar dir sych, yn gorffwys ar rwydwaith o bileri. Safai ceir, lorïau a thractorau, rhai'n amlwg yn cwympo'n ddarnau, yn segur ar lan y dŵr. Roedd rhes o gabanau hir o bren ar un ochr, a phob un wedi'i rifo mewn paent melyn a llwyd. Roedden nhw'n atgoffa Alecs o adeiladau a welsai mewn hen ffilmiau o'r Ail Ryfel Byd, mewn gwersylloedd carcharorion rhyfel. Ai yma, tybed, roedd y morwyr eraill yn cysgu? Os felly, rhaid eu bod nhw i gyd yn ei gwelyau. Doedd neb ar gyfyl y porthladd. Doedd dim byd yn symud.

Stopiodd y lorri, a theimlodd Alecs y symudiad wrth i'r milwyr lifo allan y tu ôl iddo. Foment yn ddiweddarach fe'u gwelodd nhw, eu drylliau peiriant yn barod, a meddyliodd tybed a ddylai eu dilyn. Ond ysgydwodd y gyrrwr ei ben, gan amneidio arno i aros yn ei unfan. Gwyliodd Alecs y dynion yn gwahanu ar draws yr iard, gan symud yn gyflym i gyfeiriad y cabanau. Doedd dim golwg o Sarov. Rhaid ei fod yn dal yn y car, oedd wedi'i barcio'r ochr arall.

Saib hir. Yna daeth arwydd gan rywun. Clywyd sŵn pren yn malu, a drws yn cael ei wthio'n agored, yna sŵn clebran dryll peiriant mewn lle cyfyng. Gwaeddodd rhywun. Dechreuodd cloch drydan ganu, y sŵn yn llawer rhy wan ac aneffeithiol. Daeth tri dyn ar hanner gwisgo i'r golwg heibio talcen y cabanau a rasio ymlaen, yn chwilio am loches rhwng y cynwysyddion. Rhagor o saethu. Gwelodd Alecs ddau ohonynt yn syrthio, yna'r trydydd, ei ddwylo'n crafangu yn yr awyr wrth iddo gael ei daro yn ei gefn. Daeth ergyd o un o'r ffenestri wrth i un dyn ymladd yn ôl. Ehedodd grenâd drwy'r awyr a glanio ar do'r adeilad. Clywyd ffrwydrad, a chwythodd hanner y wal allan, yn siwrwd mân fel matsys. Y tro nesaf i Alecs edrych, roedd y ffenest wedi'i dinistrio – a'r dyn hefyd, mae'n rhaid.

Roedd yr ymgyrch wedi cychwyn heb unrhyw rybudd o gwbl. Roedd dynion Sarov wedi'u harfogi a'u paratoi'n drwyadl. Dim ond llond dwrn o forwyr oedd yn yr iard, ac roedden nhw i gyd yn cysgu ar y pryd. Roedd y cyfan ar ben yn fuan iawn. Stopiodd y gloch ganu. Troellodd cwmwl o fwg allan o'r adeilad tyllog. Nofiodd corff heibio, ei wyneb i lawr yn y dŵr. Roedd y cyfan yn llwyr dan reolaeth Sarov.

Aeth y gyrrwr allan o'r lori, ac agor y drws i Alecs. Dringodd yntau i lawr yn drwsgl, ei ddwylo'n dal mewn gefynnau. Roedd dynion Sarov wedi symud ymlaen at ail gam yr ymgyrch. Gwelodd Alecs gyrff yn cael eu cario o'r golwg. Bagiodd un arall o'r lorïau, gan symud yn nes at lan y dŵr. Gwaeddodd y capten o'r maes awyr orchymyn a gwasgarodd y milwyr, gan symud i safleoedd a drefnwyd, mae'n rhaid, fisoedd ynghynt. Doedd hi ddim yn debygol y byddai neb wedi cael cyfle i roi rhybudd o flaen llaw, ond pe bai unrhyw un yn dod i mewn i'r iard o gyfeiriad Mwrmansc, fe fyddai'n gweld bod y lle wedi'i amddiffyn. Safai Sarov ar un ochr a Conrad wrth ei ymyl, yn edych ar rywbeth. Dilynodd Alecs ei lygaid.

A dyna lle roedd y llongau tanfor!

Daliodd Alecs ei anadl. Dyma oedd gwraidd yr holl helynt! Dim ond pedair ohonyn nhw oedd yno – bwystfilod boliog, metel yn gorwedd at eu canol yn y dŵr, wedi'u clymu â rhaffau o drwch braich dyn. Roedd pob un cymaint â bloc o swyddfeydd wedi'i droi ar ei ochr. Doedd dim arwyddnod o unrhyw fath ar y llongau tanfor, nac unrhyw faner. Edrychent fel fe bai haen o olew du neu dar drostynt. Roedd eu tyrau llywio, a osodwyd ymhell yn ôl, wedi'u cau ac yn solet. Crynodd Alecs. Doedd o ddim wedi credu erioed y gallai peiriant ollwng drygioni, ond dyna'n union roedd y rhain yn ei wneud. Roedden nhw mor dywyll ac oer â'r dŵr oedd yn llepian o'u hamgylch. Nid llongau tanfor oedden nhw bellach, ond bomiau; a dyna'n union sut roedden nhw'n edrych.

Roedd tair o'r llongau tanfor mewn llinell, wedi'u hangori wrth ochr y porthladd. Safai'r bedwaredd mewn bae bach, chydig o ffordd ymhellach allan. Sylwodd Alecs fod craen ar ben draw'r cei, yn union ar lan y dŵr.

Flynyddoedd yn ôl fallai ei fod wedi'i beintio'n felyn, ond bellach roedd y rhan fwyaf o'r lliw wedi diflannu. Dim ond rhyw ddeg metr uwchben y llawr oedd y caban rheoli, ac ysgol i gyrraedd ato. Roedd braich y craen yn gogwyddo am i fyny, yna'n plygu i lawr, yn debyg i siâp gwddf a phen aderyn. Craen heb fachyn oedd hwn. Yn lle'r bachyn roedd disg metel fel plwg sinc anferth yn hongian dan y fraich, wedi'i gysylltu â chadwyn ac â chyfres o gêblau trydan.

Gwaeddodd Conrad rywbeth, ac arweiniodd y gyrrwr Alecs draw at ganllaw solet ar ymyl y cei. Roedd yn amlwg ei fod wedi'i osod yno er mwyn rhwystro unrhyw un rhag syrthio i mewn ac roedd wedi'i folltio'n gadarn i'r llawr. Datglôdd y gyrrwr un o ddwylo Alecs, yna tynnodd ar y gadwyn, gan ei dywys fel ci. Cerddodd ef draw at y canllaw a'i gloi'n sownd wrthi unwaith eto. Cafodd Alecs ei adael yn sefyll ar ei ben ei hun ynghanol y cyfan. Rhoddodd blwc i'r gadwyn, ond doedd dim iws. Doedd o ddim yn mynd i unman ar frys.

Allai Alecs wneud dim ond gwylio wrth i ddau o'r milwyr godi'r bom allan o'r lori'n hynod ofalus. Gwelodd y straen ar eu hwynebau wrth iddyn nhw ei osod ar y llawr yn union wrth ymyl y cei, a rhyw fetr neu ddau oddi wrth y craen. Cerddodd Sarov draw, gyda Conrad yn hercian wrth ei ochr. Edrychodd Conrad ar Alecs a gwingodd un ochr o'i geg mewn gwên o ryw fath.

Estynnodd Sarov i boced ei siaced a thynnu allan y cerdyn plastig roedd wedi'i ddangos i Alecs ar yr awyren. Daliodd y cerdyn am foment, yna fe'i bwydodd i mewn i'r slot ar ochr y bom niwclear. Ar unwaith, daeth y gist arian yn fyw. Dechreuodd cyfres o oleuadau coch chwincio ar banel. Gwelodd Alecs res o rifau ar sgrin o risial hylifol. Oriau, munudau ac eiliadau. Roedden nhw'n cyfrif i lawr yn barod, ar ôl i'r streipen fagnetig ar y cerdyn fywiogi'r bom. Rhywle tu mewn i'r gist, roedd olwynion electronig yn troi. Roedd y broses ffrwydro wedi cychwyn.

Yna daeth Sarov draw at Alecs.

Safodd yno, gan graffu arno fel pe bai'n gwneud hynny am y tro cyntaf a'r olaf. Fel bob amser, doedd ei wyneb yn datgelu dim, ond sylwodd Alecs ar rywbeth yn llygaid y dyn. Byddai Sarov wedi gwadu'r peth. Byddai'n ddig pe bai rhywun wedi cyfeirio ato. Ond roedd y tristwch yno i'w weld yn glir.

'A dyma ni'n cyrraedd y diwedd,' meddai.

'Rwyt ti'n sefyll yn Iard Atgyweirio Llongau Tanfor Niwclear Mwrmansc. Fallai yr hoffet ti wybod bod bob un o'r milwyr gwrddon ni â nhw yn y maes awyr wedi gwasanaethu gyda fi yn y gorffennol, ac maen nhw'n dal yn ffyddlon imi hyd heddiw. Mae'r safle cyfan dan fy rheolaeth i, ac fel y gwelaist ti, mae'r bom niwclear wedi'i fywiogi. Rwy'n ofni na alla i aros gyda ti ddim rhagor. Mae'n rhaid imi fynd yn ôl i'r maes awyr er mwyn sicrhau bod popeth yn barod inni hedfan i Fosgo. Fe gaiff Conrad osod y bom yn ei le ar y llong danfor, yn syth uwchben yr adweithydd niwclear sy'n dal i fod tu mewn. Mae'n bosib y bydd y taniwr yn y bom hefyd yn ffrwydro'r adweithydd, gan ddyblu neu dreblu grym y ffrwydrad. Chydig iawn fydd hyn yn ei olygu i ti, gan y byddi di'n cael dy anweddu'r eiliad honno – cyn i dy ymennydd hyd yn oed gael amser i sylweddoli beth sydd wedi digwydd. Mae Conrad yn siomedig iawn. Roedd wedi gobeithio y byddwn i'n caniatáu iddo dy ladd di â'i ddwylo'i hun.'

Ddwedodd Alecs 'run gair.

'Mae'n wirioneddol ddrwg gen i, Alecs, dy fod ti yn y diwedd cymaint mwy ffôl nag oeddwn i wedi'i ddisgwyl. Plentyn y Gorllewin, wedi'i fagu a'i addysgu ym Mhrydain … gwlad sydd ei hun yn ddim mwy na chysgod o'r hyn oedd hi erstalwm. Pam na allet ti weld beth roeddwn i'n ei gynnig iti? Pam na allet ti dderbyn dy le yn y byd newydd? Fe fyddet ti wedi gallu bod yn fab imi. Yn lle hynny, dewisaist fod yn elyn. Ac mae hynny wedi dy arwain di i'r fan yma.'

Cafwyd tawelwch hir arall. Estynnodd Sarov ei law a'i thynnu'n dyner hyd foch Alecs. Yna trodd ar ei sawdl a cherdded i ffwrdd. Gwyliodd Alecs ef yn dringo i'w gar ac yn gyrru oddi yno.

Roedd y milwyr eraill ychydig bellter i ffwrdd, yn eu lleoedd yma ac acw hyd y safle. Ond yma, yn y canol, gyda'r craen, y llongau tanfor a'r bom niwclear, roedd Alecs a Conrad ar eu pennau'u hunain. Teimlai fel pe bai neb ond nhw yn y porthladd cyfan.

Camodd Conrad ymlaen a sefyll yn agos iawn at Alecs. 'Mae gen i jobyn i'w wneud,' meddai'n gras. 'Ond ar ôl hynny fe gawn ni chydig o amser gyda'n gilydd. Beth sy'n rhyfedd yw bod Sarov yn dal i fod yn hoff ohonot ti. Fe ddwedodd e wrtho i am adael llonydd iti. Ond rwy'n credu, y tro hwn, y bydd raid imi fod yn anufudd i'r cadfridog. Fi pia ti! Ac rwy'n bwriadu gwneud iti ddiodde ... '

'Mae dim ond siarad efo ti'n gwneud imi ddioddef,' meddai Alecs.

Anwybyddodd Conrad hyn. Aeth draw at y craen a dringo'r ysgol i'r caban. Gwelodd Alecs ef yn cychwyn yr offer llywio; y foment nesaf trodd y disg metel fel ei fod uwchben y bom, yna dechreuodd ddisgyn. Roedd Conrad yn trin y craen yn brofiadol. Disgynnodd y disg yn gyflym, stopiodd, yna cyffyrddodd yn araf â wyneb y gist. Clywodd Alecs glic uchel, a'r foment nesaf siglodd y gist yn sydyn a chodi o'r llawr. Deallodd Alecs. Electromagned cryf oedd y disg metel. Roedd Conrad yn gweithio peiriant codi magnetig, gan ei ddefnyddio i gario'r bom dros y dŵr a'i osod ar y llong danfor. Byddai'r cyfan yn cymryd rhyw dri munud iddo. Wedyn byddai'n dod am Alecs.

Doedd gan Alecs ddim amser i'w wastraffu. Roedd yn rhaid iddo wneud rhywbeth y funud honno.

Yn ei boced dde roedd y darn gwm swigod roedd Smithers wedi'i roi iddo. Dim ond ei law chwith oedd yn rhydd, ac fe gymerodd hi eiliadau prin i'w estyn, tynnu'r papur a'i wthio i'w geg. Beth fyddai Conrad yn ei feddwl pe bai wedi'i weld, meddyliodd. Yn sicr fyddai Sarov ddim wedi'i blesio. Bachgen o'r Gorllewin ar fin wynebu marwolaeth, a'r cyfan oedd ar ei feddwl oedd gwm!

Cnodd Alecs. Roedd Smithers wedi llwyddo i gael un rhan o'r fformiwla'n gywir – roedd blas mefus go iawn ar y gwm. Meddyliodd tybed am ba hyd y dylai ei adael yn ei geg. Roedd ei boer i fod i roi'r gwm ar waith, ond faint o boer oedd ei angen arno? Daliodd i gnoi nes bod y gwm yn teimlo'n feddal a'r blas mefus wedi pylu. Wedyn poerodd y gwm i'w law a'i wasgu'n gyflym ar dwll clo'r gefyn oedd am ei arddwrn, gan ei bwyso i mewn.

Roedd y gist arian wedi teithio'r holl ffordd dros y dŵr. Gwelodd Alecs hi'n siglo'n ysgafn dros y llong danfor. Y tu mewn i'r caban rheoli, pwysodd Conrad ymlaen. Daeth â'r gist i lawr yn araf nes iddi lanio ar yr wyneb metel. Gwegiodd y gwifrau a'r cadwyni oedd yn sownd wrth y peiriant codi, cyn sythu eto. Dechreuodd y craen symud yn ôl tua'r cei. Ond roedd wedi gadael y bom ar ôl.

Roedd rhywbeth yn bendant yn digwydd y tu mewn i'r gefynnau. Clywodd Alecs sŵn hisian isel iawn. Roedd y gwm pinc yn chwyddo ac yn gweithio'i ffordd allan o'r clo. Deuai llawer mwy o gwm allan nag roedd wedi'i roi i mewn. Clywyd clec sydyn wrth i'r metel chwalu. Teimlodd Alecs bigiad poenus wrth i ddarn rhydd o'r metel dorri croen ei arddwrn. Ond wedyn syrthiodd y gefynnau'n agored. Roedd yn rhydd!

Roedd Conrad wedi gweld y cyfan yn digwydd ac eisoes roedd yn dringo allan o'r craen. Doedd o ddim wedi diffodd yr offer llywio, ac roedd y magned yn dal i ddod yn ôl ar ei ben ei hun, fetr neu ddau uwch y dŵr. Roedd y bom allan o gyrraedd ar yr ochr draw. Tra oedd Alecs yn edrych o'i gwmpas am arf, cyrhaeddodd Conrad waelod yr ysgol a rhuthro tuag ato. Yn sydyn roedden nhw wyneb yn wyneb.

Gwenodd Conrad. Plyciodd y wên ar yr un ochr o'i geg oedd yn gallu symud. Arhosodd yr ochr arall, â'r croen pen moel uwchlaw, yn llonydd. Gwelai Alecs ar unwaith, er gwaethaf ei anafiadau ofnadwy, fod Conrad yn gwbl hyderus. Foment wedyn, cafodd wybod pam. A'i gasineb yn ei danio, symudodd Conrad yn syndod o gyflym. Un foment roedd yn sefyll mewn osgo ymladd, a'r foment nesaf roedd yn chwyrlïo. Teimlodd Alecs droed yn ei daro yn ei frest. Troellodd popeth o'i gwmpas, a chafodd ei daflu i'r llawr, heb anadl ac wedi'i frifo. Yn y cyfamser roedd Conrad wedi glanio'n ysgafn ar ei draed. Doedd o ddim hyd yn oed yn fyr o wynt.

Cododd Alecs yn boenus ar ei draed. Cerddodd Conrad tuag ato ac anelu'r eildro.

Methodd ei droed o gentimetr wrth i Alecs daflu'i hun yn ôl i'r llawr, gan rolio drosodd a throsodd hyd at ymyl y dŵr. Saethodd llaw allan a chydio yn ei grys. Gwelodd Alecs y marciau pwytho ofnadwy lle roedd y llaw wedi'i gwnïo'n ôl wrth yr arddwrn. Cafodd ei lusgo ar ei draed. Slapiodd Conrad ei wyneb yn galed â'i law. Blasodd Alecs gwaed yn ei geg. Gollyngodd y llaw ef. Safodd, gan siglo, yn ceisio dod o hyd i unrhyw ffordd i'w amddiffyn ei hun.

Ond doedd ganddo ddim un. Er gwaethaf ei allu a'i nerth, roedd Conrad wedi ennill. A nawr roedd yn dod am yr ergyd farwol. Gallai Alecs ei gweld yn ei wyneb …

Ac yna, yn hollol ddirybudd, clywyd sŵn sydyn wrth i'r gloch larwm ddechrau canu eto. Cafwyd ysbaid o sŵn saethu dryll, ac eiliadau'n ddiweddarach, ffrwydrad. Roedd rhywun wedi taflu grenâd arall. Safodd Conrad yn stond, gan droi'i ben. Roedd hi'n ymddangos, er mor amhosib oedd hynny, bod rhywun yn ymosod ar y porthladd.

Wedi'i atgyfnerthu o'r newydd, rhedodd Alecs ymlaen. Roedd wedi gweld bar metel yn gorwedd ar y llawr ynghanol gweddill y llanast. Caeodd ei ddwylo am y bar, yn ddiolchgar o gael rhywbeth oedd yn teimlo fel arf yn ei law.

Trodd Conrad i'w wynebu. Roedd llawer mwy o sŵn saethu erbyn hyn, a hwnnw fel petai'n dod o ddau gyfeiriad wrth i ddynion Sarov eu hamddiffyn eu hunain yn erbyn gelyn oedd wedi ymddangos o unman. Clywyd sgrechian teiars, ac yn y pellter gwelodd Alecs jîp yn torri'i ffordd trwy un o'r ffensys gwifren. Stopiodd, neidiodd tri dyn allan a rhedeg i gysgodi. Roedden nhw i gyd wedi'u gwisgo mewn glas. Beth oedd yn digwydd? Llynges Rwsia yn erbyn byddin Rwsia? A phwy, yn hollol, oedd wedi rhoi'r rhybudd?

Ond hyd yn oed os oedd cynlluniau Sarov wedi cael eu datgelu, hyd yn oed os oedd ymgyrch i adennill y porthladd ar droed, roedd Alecs mewn peryg mawr o hyd. Roedd Conrad ar flaenau'i draed, yn chwilio am ffordd i fynd heibio'r bar metel. A beth am y bom niwclear? Wyddai Alecs ddim a oedd Sarov wedi'i gychwyn i ffrwydro ymhen pum awr ynteu pum munud. Ac yntau mor wallgof, gallai fod y naill neu'r llall.

Neidiodd Conrad amdano. Gwthiodd Alecs y bar ymlaen a'i deimlo'n taro ysgwydd y dyn yn galed. Ond diflannodd ei wên fodlon wrth i Conrad gydio yn y bar â'i ddwy law. Roedd wedi gadael i Alecs ei daro dim ond oherwydd y

331

byddai hynny'n dod â'r bar o fewn ei gyrraedd. Tynnodd Alecs yn ôl, ond roedd Conrad yn llawer rhy gryf iddo. Teimlodd y metel yn cael ei gipio o'i afael, gan rwygo cledrau'i ddwylo. Gollyngodd Alecs y bar, yna gwaeddodd wrth i Conrad ei anelu'n ffyrnig fel pladur. Dyrnodd y metel yn erbyn ochr coes Alecs ac roedd o ar lawr unwaith eto, ar wastad ei gefn, heb allu symud.

Rhagor o saethu. Er bod ei olwg wedi pylu chydig, gwelodd Alecs ddau grenâd arall yn hedfan trwy'r awyr. Glaniodd y ddau nesaf at un o'r llongau a ffrwydro mewn pelen anferth o dân. Taflwyd dau o ddynion Sarov i'r awyr. Dechreuodd dau neu fallai dri dryll peiriant glebran gyda'i gilydd. Clywodd sgrechfeydd. Mwy o fflamau.

Roedd Conrad yn sefyll drosto.

Roedd fel pe bai wedi anghofio beth oedd yn digwydd yn yr iard longau. Neu fallai nad oedd ots ganddo. Torchodd un llawes, yna'r llall. O'r diwedd gollyngodd ei hun fel ei fod yn eistedd ar frest Alecs, un pen-glin bob ochr. Caeodd ei ddwylo am wddf Alecs.

Yn ysgafn, gan fwynhau'r hyn roedd yn ei wneud, dechreuodd wasgu.

Teimlodd Alecs ei hun yn cael ei dagu'n araf.

Doedd o ddim yn gallu anadlu. Roedd smotiau duon yn nofio o flaen ei lygaid. Ond roedd rhywbeth wedi dod i'r golwg nad oedd Conrad wedi'i weld. Symudai'n ôl tuag atynt yn araf ar draws y dŵr. Y disg magnetig.

Doedd Conrad ddim wedi diffodd y peiriannau yn y caban yn ei frys i gael gafael arAlecs. Oedd hi'n bosib …? Cofiodd Alecs beth roedd Sarov wedi'i ddweud wrtho am ei gynorthwy-ydd. Roedd ganddo binnau metel ymhob rhan o'i gorff, gwifrau metel yn ei ên, a phlât metel yn ei ben …

Roedd y magned uwch eu pennau, yn cuddio'r awyr. Allai Alecs ddim anadlu. Roedd dwylo Conrad yn dynn am ei wddf. Dim ond eiliadau oedd ganddo.

Â hynny o nerth oedd ganddo ar ôl, trawodd yn sydyn â'i ddau ddwrn, ac ar yr un pryd cododd ei ysgwyddau i fyny. Sythodd Conrad, wedi'i synnu gan yr ergyd annisgwyl, a llaciodd ei ddwylo. Roedd y magned yn union uwch ei ben. Gwelodd Alecs y sioc ar ei wyneb wrth i'r holl blatiau metel, pinnau a gwifrau yn ei gorff ddod i gysylltiad â'r maes magnetig. Sgrechiodd Conrad a diflannu, wedi'i gipio i'r awyr gan ddwylo anweledig. Trawodd ei gefn yn erbyn y ddisg â sŵn torri erchyll. Llonyddodd ar unwaith, wedi'i ddal gerfydd ei ysgwyddau, ei freichiau a'i goesau'n hongian. Symudodd y craen yn ei flaen, gan gario'r corff llipa'n araf dros y cei.

Llyncodd Alecs yr aer. Nofiodd y byd yn ôl i ffocws. 'Am ddyn hyfryd,' mwmiodd.

Yn araf, cododd ei hun ar ei draed, yna gwegian draw at y canllaw lle cawsai ei glymu. Pwysodd yn ei erbyn, heb allu sefyll ar ei ben ei hun. Cafwyd eiliadau o saethu, yn hirach ac yn gryfach na dim oedd wedi bod o'r blaen. Roedd hofrenydd wedi ymddangos, yn hedfan i mewn yn isel dros y môr. Gwelodd awyrennwr yn eistedd yn nhwll y drws, ei goesau'n hongian a dryll anferth ar ei lin. Cafodd un o lorïau Sarov ei chwythu oddi ar ei holwynion, gan droi drosodd ddwywaith cyn diflannu mewn ffrwydrad o dân.

Y bom …

Fyddai neb yn ddiogel nes i'r bom gael ei ddirymu. Roedd gwddf Alecs yn dal i losgi. Roedd arno angen ei holl nerth i anadlu. Ond nawr rhedodd ymlaen a dringo i mewn i'r craen. Estynnodd ei law a gafael yn y llyw. Ar yr un eiliad, saethodd un o ddynion Sarov ato. Cleciodd y fwled yn erbyn ffrâm fetel y caban. Gwyrodd Alecs yn reddfol a thynnu lifer.

Stopiodd y disg magnetig, a siglo yn yr awyr gyda Conrad yn sownd oddi tano fel dol wedi torri. Gwthiodd Alecs y lifer ymlaen a dechreuodd y disg ddisgyn tua'r môr. Na! Doedd hynna'n ddim iws. Tynnodd y lifer yn ôl a stopiodd y disg yn stond. Sut oedd modd troi'r magned i ffwrdd? Edrychodd Alecs o'i amgylch a gweld swits. Pwysodd. Daeth golau ymlaen uwch ei ben. Y swits anghywir! Roedd botwm wedi'i osod yn y lifer rheoli yn ei law a gwasgodd hwnnw. Ar unwaith, syrthiodd Conrad gan blymio i mewn i'r dŵr llwyd, iasoer. Suddodd ar unwaith. Â'r holl fetel y tu mewn iddo, meddyliodd Alecs, doedd dim syndod o gwbl ei fod wedi suddo mor gyflym.

Tynnodd y lifer rheoli tuag ato, a chododd y magned eto. Rhedodd milwr ar draws y cei tuag ato. Clywyd saethu o gyfeiriad yr hofrenydd; syrthiodd y dyn a gorwedd yn llonydd. Rŵan ... canolbwyntia! Rhoddodd Alecs gynnig ar lifer arall, a'r tro hwn dechreuodd y magned ar ei daith araf yn ôl at y llong danfor. Sylweddolai Alecs fod brwydr yn ei hanterth o'i amgylch, a swyddogion Rwsaidd wedi cyrraedd yn llu. Roedd llawer mwy ohonynt nag o ddynion Sarov, ond roedd rheiny'n dal i ymladd yn ôl. Doedd ganddyn nhw ddim byd i'w golli.

Cyrhaeddodd y magned y llong danfor o'r diwedd. Gollyngodd Alecs y disg i gyfeiriad y gist arian, gan gofio mor ofalus roedd Conrad wedi gwneud hynny. Doedd ef ei hun ddim mor fedrus – a gwingodd wrth i'r disg trwm glencian ar dop y gist. Damia! Os nad oedd yn ofalus, byddai'n tanio'r bom ei hun. Pwysodd y botwm yn y lifer rheoli eilwaith, a theimlodd y magned yn dod yn fyw. Gwyddai fod y bom niwclear dan reolaeth y magned. Tynnodd yn ôl, gan godi'r craen magnetig. Cododd y gist arian oddi ar y llong danfor.

Nesaf, gentimetr ar y tro, trodd fraich y craen dros y dŵr, gan ddod â'r bom niwclear yn ôl at y porthladd. Dyrnodd bwled arall yn erbyn y craen, a chwalodd y ffenest nesaf at ei ben. Gwaeddodd Alecs wrth i gawod o ddarnau gwydr ddisgyn drosto. Ofnai y byddai'n cael ei ddallu. Ond pan edrychodd i fyny wedyn, roedd y bom niwclear uwchben y cei a gwyddai ei fod bron â gorffen ei dasg.

Daeth â'r bom i lawr. Yr eiliad y cyfforddodd â'r llawr, cafwyd ffrwydrad arall yn uwch ac yn nes nag o'r blaen. Ond nid y bom oedd yr achos. Roedd un o'r storfeydd yn chwilfriw, ac un arall ar dân. Roedd hofrenydd arall wedi cyrraedd – taniai ar hyd y llawr, gan chwipio llwch a llanast i'r awyr. Roedd hi'n anodd bod yn gwbl sicr, ond teimlai Alecs fod dynion Sarov yn colli tir. Roedd llai o saethu'n ôl. Wel, ymhen eiliad neu ddwy, fyddai dim gwahaniaeth. Y cyfan oedd raid iddo'i wneud oedd cael gafael ar y cerdyn plastig.

Cododd Alecs y magned yn rhydd, neidiodd o'r craen, yna rhedodd draw at y gist. Gallai weld y cerdyn, hanner ffordd allan o'r slot lle roedd Sarov wedi'i osod. Roedd y goleuadau'n dal i chwincio, y rhifau'n troi. Roedd llai o saethu o'i gwmpas erbyn hyn. Gan edrych dros ei ysgwydd, gwelodd ragor o ddynion mewn glas yn cripian yn wyliadwrus i mewn i'r safle o bob ochr. Estynnodd i lawr a thynnu'r cerdyn allan. Diffoddodd y goleuadau ar y bom niwclear. Diflannodd y rhifau. Roedd o wedi llwyddo!

'Rho fe'n ôl.'

Ynganwyd y geiriau mewn llais tawel, ond roedd pob gair yn diferu o fygythiad. Edrychodd Alecs i fyny a gweld Sarov yn sefyll o'i flaen. Rhaid ei fod wedi cael gwybod rywsut am yr ymosodiad ac wedi penderfynu troi yn ei ôl. Faint o amser oedd wedi mynd heibio er pan oedd y ddau wyneb yn wyneb ddiwethaf? Hanner awr? Awr? Yn y cyfnod byr hwnnw, roedd Sarov wedi newid. Edrychai'n llai, wedi crebachu. Roedd y golau yn ei lygaid wedi diffodd, a'i groen yn llwydaidd. Wrth ymladd ei ffordd yn ôl i'r porthladd roedd wedi cael ei glwyfo. Roedd rhwyg yn ei siaced, a'r staen coch arni'n ymledu'n araf. Hongiai ei law chwith yn ddiffrwyth.

Ond yn ei law dde roedd dryll.

'Mae hi ar ben, Gadfridog,' meddai Alecs. 'Mae Conrad wedi marw. Mae byddin Rwsia yma. Rhaid bod rhywun wedi rhoi gwybod iddyn nhw.'

Ysgydwodd Sarov ei ben. 'Fe alla i ffrwydro'r bom yr un fath. Mae 'na system oruwchreoli. Fe fyddwn ni'n dau'n marw. Ond yr un fydd y canlyniad yn y diwedd.'

'Gwell byd?'

'Dyna oedd fy unig ddymuniad, Alecs. Hyn i gyd …! Wnes i ddim byd erioed ond yr hyn roeddwn i'n gredu ynddo.'

Teimlodd Alecs flinder affwysol yn dod drosto'n araf. Pwysodd y cerdyn yn ei law. Roedd hi'n od, a dweud y gwir. O Draeth Sgerbwd i Allwedd Sgerbwd. I hyn roedd y cyfan yn dod.

Cododd Sarov y dryll. Erbyn hyn, roedd y gwaed yn ymledu'n gyflymach. Siglodd ar ei draed. 'Rho'r cerdyn i mi, neu mi saethaf di,' meddai.

Cododd Alecs y cerdyn a'i daflu'n sydyn. Trodd drosodd ddwywaith yn yr awyr, cyn diflannu i mewn i'r dŵr. 'Ymlaen â chi, 'ta, os mai dyna ydach chi isio,' meddai. 'Saethwch fi!'

Gwibiodd llygaid Sarov draw at y fan lle suddodd y cerdyn, yna'n ôl at Alecs. 'Pam ...?' sibrydodd.

'Byddai'n well gen i fod yn farw na chael tad fel chi,' meddai Alecs.

Clywyd lleisiau'n gweiddi a sŵn traed yn dod yn nes.

'Da bo ti, Alecs,' meddai Sarov.

Cododd y dryll a saethu un ergyd.

AR ÔL ALECS

'Rydan ni wedi colli Alecs Rider,' meddai Mrs Jones. 'Mae'n ddrwg gen i, Alan. Dw i'n gwybod nad dyna oeddet ti isio'i glywed. Ond dyna'i diwedd hi.'

Roedd pennaeth Gweithrediadau Arbennig MI6 a'i ddirprwy yn cael cinio gyda'i gilydd mewn bwyty ger Gorsaf Liverpool Street, Llundain. Roedden nhw'n bwyta yno'n rheolaidd, ond nid yn aml gyda'i gilydd. Roedd y bwyty mewn seler â nenfydau isel, bwaog, goleuadau gwan a waliau brics noeth. Roedd Blunt yn hoff o'r llieiniau bwrdd gwyn wedi'u startsio a'r gwasanaeth henffasiwn. Hefyd, roedd y bwyd yn wael, felly doedd dim llawer o bobl yn mynd yno. Roedd hynny'n ddefnyddiol pan roedd arno isio cael sgwrs fel hon.

'Mi wnaeth Alecs yn dda iawn,' mwmiodd.

'O do. Mi ges i e-bost oddi wrth Joe Byrne yn Virginia. Wrth gwrs, roedd o wedi ypsetio o golli ei ddau asiant ei hun yn yr ogof dan y dŵr, ond roedd o'n canmol Alecs i'r entrychion. Yn bendant mae arno fo gymwynas inni ... bydd hynny'n ddefnyddiol yn y dyfodol.' Cymerodd Mrs Jones rôl fara a'i thorri yn ei hanner. 'Synnwn i ddim nad yw'r CIA'n hyfforddi

340

bachgen yn ei arddegau fel ysbïwr y funud yma. Mae'r Americanwyr byth a hefyd yn copïo'n syniadau ni.'

'Ar yr adegau pan fyddwn ni ddim yn brysur yn copïo'u syniadau nhw,' meddai Blunt yn sychlyd.

'Digon gwir.'

Tawelodd y ddau wrth i'r gweinydd gyrraedd â'r cwrs cyntaf. Sardîns wedi'u grilio i Mrs Jones, cawl i Blunt. Doedd yr un o'r ddau blataid yn edrych yn arbennig o flasus ond doedd dim gwahaniaeth am hynny. Doedd fawr o awydd bwyd ar yr un ohonyn nhw.

'Rydw i wedi edrych drwy'r ffeiliau, ac yn gweld y darlun cyffredinol,' meddai Blunt. 'Ond fallai y medrwch chi fy ngoleuo i ar rai o'r manylion. Yn arbennig, mi hoffwn i wybod sut roedd awdurdodau Rwsia wedi cael gwybod am Sarov mewn pryd.'

'Y rheswm am hynny oedd yr hyn ddigwyddodd ym maes awyr Caeredin,' eglurodd Mrs Jones, gan edrych i lawr ar ei phlât. Gorweddai pedair sardîn yno, ochr yn ochr – y pennau, y cynffonnau a'r cwbl. Os oedd modd i bysgod edrych yn anhapus, roedd y rhain wedi llwyddo. Gwasgodd lemon drostyn nhw. Casglodd y sudd yn ddagrau o dan y llygaid agored.

'Daeth Alecs ar draws gwarchodwr diogelwch o'r enw George Prescott,' meddai hi wedyn. 'Roedd o wedi llwyddo i ddianc oddi ar awyren Sarov drwy ddefnyddio rhyw ddyfais roedd Smithers wedi'i rhoi iddo.'

'Does gen i ddim cof 'mod i wedi awdurdodi Smithers i –' dechreuodd Blunt.

'Roedd Alecs isio defnyddio ffôn,' meddai Mrs Jones ar ei draws. 'Wrth gwrs, roedd o am ein rhybuddio ni am Fwrmansc, a'r hyn roedd Sarov yn ei gynllunio. Mi wnaeth Prescott ei rwystro.'

'Anffodus.'

'Oedd. Profiad rhwystredig iawn, mae'n siŵr. Aeth Alecs cyn belled â dweud wrtho mai ysbïwr oedd o, a'i fod yn gweithio i ni, ond wedyn daliodd Sarov i fyny efo fo. Lladdwyd Prescott – a dyna ddiwedd arni. Neu dyna fyddai'r diwedd ... ond mi fuon ni'n eithriadol o lwcus. Roedd gan Prescott ffôn radio yn sownd wrth ei siaced. Roedd hwnnw wedi'i droi ymlaen yr holl amser, ac mi glywodd ei brif swyddfa bob gair o'r sgwrs rhyngddo fo ac Alecs. Wrth gwrs, doedden nhw chwaith ddim yn credu Alecs, ond pan ddaethon nhw o hyd i Prescott â bwled yn ei ben fe roeson nhw ddau a dau at ei gilydd a chysylltu â ni ar unwaith. Fi rybuddiodd yr awdurdodau ym Mwrmasc, ac mae'n rhaid imi gyfaddef bod y Rwsiaid wedi ymateb yn gyflym iawn. Mi gasglon nhw uned o'r llynges at ei gilydd, a dau hofrenydd arfau trwm, ac ymosod ar yr harbwr.'

'Beth ddigwyddodd i'r bom?'

'Mae o yn eu meddiant nhw. Mae'n debyg ei fod yn ddigon mawr i ffrwydro twll sylweddol ym Mhenrhyn Kola. Byddai'r ymbelydredd wedi heintio Norwy, y Ffindir a'r rhan fwyaf o Brydain. Ac yn fy marn i, mi fyddai'r ymateb wedi bod yn ddigon i orfodi Kiriyenko i ymddiswyddo. Does neb yn hoff iawn ohono fo, p'un bynnag.'

'Ble mae Kiriyenko?' Roedd cawl Blunt bron yn oer. Roedd o wedi anghofio beth oedd i fod ynddo.

'Mi ddaeth yr awdurdodau yng Nghiwba o hyd iddo wedi'i garcharu yn Nhraeth Sgerbwd. Roedd o'n gweiddi nerth ei ben ac yn beio pawb ond fo'i hun.' Ysgydwodd Mrs Jones ei phen. 'Mae o'n ôl ym Mosgo erbyn hyn. Mi roddodd Sarov fraw go iawn iddo fo, ond wedyn mi roddodd yntau fraw i bawb ohonon ni. Oni bai am Alecs, dyn a ŵyr beth fyddai wedi digwydd.'

'Beth sydd gan Giwba i'w ddweud am hyn i gyd?'

'Maen nhw wedi troi'u cefnau ar Sarov. Doedd ganddyn nhw ddim syniad beth roedd o'n gynllunio. Yr hyn sydd mor ddychrynllyd ydi 'i fod o bron wedi llwyddo!'

'Oni bai am Alecs Rider … '

Gorffennodd y ddau eu cwrs cyntaf mewn tawelwch.

'Ble mae Alecs ar hyn o bryd?' gofynnodd Blunt o'r diwedd.

'Adre.'

'Sut hwyl sydd arno fo?'

Ochneidiodd Mrs Jones. 'Mae'n debyg bod Sarov wedi'i saethu'i hun,' meddai, 'ac roedd Alecs yn sefyll yn syth o'i flaen. Y drwg efo chi, Alan, ydi na chawsoch chi erioed blant, ac rydach chi'n gwrthod derbyn y ffaith nad ydi Alecs, yn y pen draw, yn ddim mwy na phlentyn. Mae o wedi bod trwy lawer mwy nag y gallai neb ddisgwyl i unrhyw blentyn pedair ar ddeg oed ei ddioddef … a'r antur ddiweddaraf yma! Wel! Mi fyddwn i'n dweud mai hon oedd yr un galetaf o'r cyfan. Ac yn y diwedd un, mi welodd o â'i lygaid ei hun beth wnaeth Sarov!'

'Mae'n debyg gen i nad oedd Sarov isio cael ei ddal yn fyw,' mwmiodd Blunt.

'Biti na fyddai pethau mor syml â hynna. Mae'n debyg fod gan Sarov ryw fath o … hoffter o Alecs. Roedd o'n gweld ynddo fo y mab roedd o wed'i golli. Mi wrthododd Alecs o ac mi wnaeth hynny'i wthio fo dros y dibyn. *Dyna* pam y gwnaeth y fath beth. Doedd o ddim yn gallu byw efo fo'i hun ddim mwy.'

Cododd Blunt ei law, a daeth gweinydd draw ac arllwys y gwin. Peth anghyffredin oedd i'r ddau feistr ysbïwyr yfed ganol dydd, ond roedd Blunt wedi dewis hanner potel o Chablis, fu'n eistedd mewn pwced o iâ wrth ymyl eu bwrdd. Daeth gweinydd arall atynt a gweini'r prif gwrs. Eisteddodd y bwyd ar y bwrdd heb ei gyffwrdd.

'Beth ddigwyddodd ynglŷn â'r busnes yna efo'r triadau?' gofynnodd Blunt.

'O – rydw i wedi datrys hynna i gyd. Roedd un neu ddau o'u pobl nhw yn y carchar, ac mi drefnais iddyn nhw gael eu rhyddhau a'u hedfan yn ôl i Hong Kong. Roedd hynny'n ddigon. Mi wnân nhw adael llonydd i Alecs.'

'Felly pam dweud ein bod ni wedi'i golli o?'

'Y gwir ydi na ddylen ni ddim fod wedi'i ddefnyddio fo yn y lle cyntaf.'

'Wnaethon ni mo'i ddefnyddio fo. Y CIA wnaeth.'

'Dydi hynny'n gwneud dim gwahaniaeth, fel y gwyddoch chi.' Blasodd Mrs Jones y gwin. 'Y pwynt ydi mai fi roddodd y cyfweliad adrodd-yn -ôl i Alecs, a'r cyfan fedra i ddweud ydi … dydi o ddim yr un un. Dw i'n gwybod 'mod i wedi dweud hyn i gyd o'r blaen. Ond ro'n i wir yn poeni yn ei gylch o, Alan. Roedd o mor dawedog a mewnblyg, ac wedi cael ei frifo'n ddrwg.'

'Unrhyw esgyrn wedi'u torri?'

'Neno'r tad! Mae plant yn gallu cael eu brifo mewn ffyrdd eraill, wyddoch chi! Mae'n ddrwg gen i, ond rydw i'n teimlo'n gryf iawn am hyn. Allwn ni mo'i ddefnyddio fo eto. Dydi'r peth ddim yn deg.'

'Dydi bywyd ddim yn deg.' Cododd Blunt ei wydryn ei hun. 'Rydach chi'n anghofio bod Alecs newydd achub y byd. Mae'r bachgen yna'n gyflym iawn yn dod un o'n hasiantau mwyaf effeithiol. Fo ydi'r arf gudd orau sydd ganddon ni. Allwn ni ddim fforddio bod yn sentimental yn ei gylch. Fe wnawn ni roi cyfle iddo fo orffwys. Mae'n fwy na thebyg ei fod o angen dal i fyny efo'i waith ysgol, ac yna mi fydd yn wyliau haf. Ond fe wyddoch chi cystal â minnau, os daw'r angen, does dim i'w drafod. Fe wnawn ni ei ddefnyddio eto. Ac eto … '

Gosododd Mrs Jones ei chyllell a'i fforc ar y bwrdd. 'Yn sydyn iawn, does gen i ddim awydd bwyd,' meddai.

Taflodd Blunt gipolwg arni. 'Gobeithio nad ydach chi ddim yn dechrau magu cydwybod,' meddai. 'Os ydach chi wir yn poeni am Alecs, dewch ag o i mewn ac mi gawn ni sgwrs bach galon wrth galon.'

Edrychodd Mrs Jones ym myw llygaid ei bòs. 'Fallai y ceith o drafferth dod o hyd i'ch calon chi,' meddai.

Roedd hi'n fore Sadwrn. Cododd Alecs yn hwyr, cael cawod a gwisgo amdano, a mynd i lawr i gael y brecwast roedd ei howsciper, Jac Starbright, wedi'i baratoi iddo. Roedd hi wedi coginio'i hoff fwydydd, ond doedd ar Alecs fawr o awydd bwyd ac eisteddodd yn ddistaw wrth y bwrdd. Roedd Jac yn poeni'n fawr amdano. Y diwrnod cynt roedd hi wedi ceisio'i berswadio i fynd at y meddyg, ac am y tro cyntaf yn ei fywyd roedd o wedi rhoi ateb swta iddi. Nawr doedd hi ddim yn sicr beth i'w wneud. Os nad oedd pethau'n gwella byddai'n cael gair â'r ddynes yna – Mrs Jones. Doedd Jac ddim i fod i wybod beth oedd yn mynd ymlaen, ond roedd ganddi syniad eitha da. Byddai'n eu gorfodi i wneud rhywbeth. Allai pethau ddim mynd ymlaen fel hyn.

'Beth wyt ti'n bwriadu ei wneud heddiw?' gofynnodd.

Cododd Alecs ei ysgwyddau. Roedd bandais am ei law lle roedd y bar metel wedi torri'r croen, a nifer o sgriffiadau ar ei wyneb. Ond y peth gwaethaf un oedd oedd y cleisiau ar ei wddf. Roedd Conrad yn sicr wedi gadael ei farc.

'Hoffet ti weld ffilm?'

'Dim diolch. Meddwl byddwn i'n mynd am dro.'

'Fe ddof i gyda ti os wyt ti'n moyn.'

'Na. Diolch, Jac, ond dw i'n iawn ar ben fy hun.'

Deng munud yn ddiweddarach, cychwynnodd Alecs o'r tŷ. Yn ôl rhagolygon y tywydd, roedd i fod yn heulog, ond mewn gwirionedd roedd hi'n fwll ac yn gymylog. Dechreuodd gerdded i gyfeiriad y King's Road, gan fwriadu ymgolli ynghanol y dyrfa. Doedd ganddo ddim syniad pendant i ble roedd o'n mynd. Dim ond fod arno angen cyfle i feddwl.

Roedd Sarov wedi marw. Roedd Alecs wedi troi i ffwrdd wrth i'r dyn godi'i ddryll at ei galon ei hun, heb allu dioddef gweld rhagor. Funudau'n ddiweddarach roedd y cyfan drosodd. Roedd yr Iard Atgyweirio wedi'i hadfeddiannu, a'r bom wedi cael ei symud. Cariwyd Alecs ei hun i ffwrdd yn gyflym mewn hofrenydd, i ysbyty ym Mosgo i ddechrau, yna'n ôl i Lundain. Dwedodd rhywun wrtho fod Kiriyenko am ei weld. Roedd rhyw sôn am fedal.

Roedd Alecs wedi gwrthod. Yr unig beth oedd ar ei feddwl oedd mynd adref.

A dyna lle roedd o. Roedd popeth wedi gweithio allan yn iawn. Roedd o'n arwr!

Felly pam ei fod yn teimlo fel hyn? A sut yn hollol *roedd* o'n teimlo? Yn isel ei ysbryd? Wedi ymlâdd? Ie, y ddau beth – ond yn waeth fyth, teimlai'n wag, bron fel pe bai wedi marw yn Iard Atgyweirio Llongau Tanfor Mwrmansc a rhywsut wedi dod yn ei ôl i Lundain fel ysbryd. Roedd bywyd o'i amgylch ymhobman, ond doedd o ddim yn rhan ohono. Hyd yn oed wrth orwedd yn ei wely'i hun, yn ei gartref ei hun, teimlai nad oedd o ddim bellach yn perthyn.

Roedd cymaint wedi digwydd iddo, ond châi o ddim trafod efo unrhyw un. Allai o ddim dweud wrth Jac, hyd yn oed. Fe fyddai hi'n arswydo ac yn cynhyrfu – a doedd dim byd allai hi ei wneud, beth bynnag. Roedd o wedi colli rhai wythnosau o ysgol unwaith eto a gwyddai nad dal i fyny â'r gwaith yn unig fyddai'n rhaid iddo. Mae ffrindiau'n symud ymlaen hefyd. Roedd pobl eisoes yn meddwl ei fod yn od. Yn fuan iawn, fyddai neb o gwbl yn siarad ag o.

Fyddai ganddo fo fyth dad. Gwyddai hynny nawr. Fyddai ganddo fo fyth fywyd normal. Rhywsut neu'i gilydd roedd wedi cael ei ddal mewn trap. Ysbryd. Dyna beth oedd o erbyn hyn.

Doedd Alecs ddim wedi clywed y car yn stopio tu ôl iddo. Doedd o ddim wedi clywed y drws yn agor a chau. Ond yn sydyn clywodd sŵn traed yn rhedeg y tu ôl iddo, a chyn iddo allu symud roedd rhywun yn gafael amdano.

'Alecs!'

Trodd yn sydyn. 'Sabina!'

Sabina Pleasure oedd yn sefyll o'i flaen, yn fyr ei hanadl ar ôl rhedeg. Gwisgai crys-T Robbie Williams a jîns, gyda bag gwellt lliwgar dros ei hysgwydd. Roedd ei hwyneb yn wên o glust i glust. 'Diolch byth 'mod i wedi dod o hyd iti. Rwy'i wedi bod yn chwilio amdanat ti ers wythnose. Wnest ti erioed roi dy rif ffôn imi, ond wrth lwc ro'n i'n gwybod dy gyfeiriad di. Fe wnaeth Mam a Nhad fy ngyrru i draw ... ' Trodd i bwyntio at ei rhieni, oedd yn eistedd yn y car. Cododd y ddau eu llaw ar Alecs drwy'r ffenest. 'Ro'n i'n mynd i daro heibio jest rhag ofn dy fod ti gartre. A dyma ti!' Edrychodd ar ei wddf, gan graffu ar ei gleisiau. 'Mae golwg ofnadwy arnat ti! Fuest ti mewn damwain car?'

'Ddim yn union.'

'Ta beth, Alecs,' meddai ar ei draws. 'Rwy'n grac iawn 'da ti. Fe wnes i achub dy fywyd di yng

Nghernyw, rhag ofn iti anghofio – er mae'n rhaid imi ddweud taw rhoi cusan bywyd iti ar y traeth oedd uchafbwynt y gwyliau – a'r funed nesaf, roeddet ti jest wedi diflannu. Chefes i ddim carden i ddweud diolch, hyd yn oed.'

'Wel, mi o'n i braidd yn … brysur.'

'Bod yn James Bond, g'lei?'

'Wel …' Wyddai Alecs ddim beth i'w ddweud.

Cydiodd Sabina yn ei fraich. 'Fe gei di ddweud y cyfan wrtha i yn nes ymlaen. Mae Mam a Dadi wedi dy wahodd i gino, ac ry'n ni trafod De Ffrainc.'

'Be amdano fo?'

'Dyna lle ry'n ni'n mynd ar wylie yr haf yma. Ac rwyt ti'n dod hefyd. Mae gyda ni ffrindie sydd wedi rhoi benthyg tŷ gyda phwll inni ac fe fydd e'n wych.' Syllodd ar Alecs. 'Paid dweud fod gyda ti gynllunie eraill?'

Gwenodd Alecs. 'Na, Sabina, does gen i ddim cynlluniau.'

'Bargen, 'te. Nawr, beth wyt ti'n moyn i gino? Mae 'da fi flas Italian – ond mae e wedi bod yn fy anwybyddu i, felly bydd raid i ti wneud y tro!' Chwarddodd yn uchel.

Cerddodd Alecs a Sabina ar hyd y stryd gyda'i gilydd. Edrychodd Alecs i fyny. Roedd yr haul yn torri drwy'r cymylau.

Yn ôl pob golwg, roedd yn mynd i fod yn ddiwrnod braf wedi'r cyfan.

Y DIWEDD